Longman

Grammar mentor joy

START

2

PEARSON
Longman

Grammar mentor joy start ❷

지은이 교재개발연구소, Jenicia Hong

발행처 Pearson Education

판매처 inkedu(inkbooks)

전 화 (02) 455-9620(주문 및 고객지원)

팩 스 (02) 455-9619

등 록 제13-579호

Grammar mentor · joy

START
2

선택이 중요합니다!

인생에 수많은 선택이 있듯이 많은 시간 함께할 영어 공부의 시작에도 수많은 선택이 있습니다. 오늘 여러분의 선택이 앞으로의 여러분의 영어 실력을 좌우합니다. Grammar Mentor Joy Start 시리즈는 현장 경험이 풍부한 선생님들과 이전 학습자들의 의견을 충분히 수렴하여 여러분의 선택에 후회가 없도록 하였습니다.

효율적인 학습이 필요한 때입니다!

학습의 시간은 유한합니다. 중요한 것은 그 시간을 얼마나 효율적으로 사용하는지 입니다. Grammar Mentor Joy Start 시리즈는 우선 튼튼한 기초를 다지기 위해서 단계별 Syllabus를 현행 교과과정과 연계할 수 있도록 맞춤 설계하여 학습자들이 효율적으로 학습할 수 있도록 하였습니다. 또한, 기존의 기계적 반복 학습 문제에서 벗어나 학습자들의 능동적 학습을 유도하는 다양한 난이도의 사고력 향상 문제들로 구성하였습니다.

기초 문법을 대비하는 교재입니다!

Grammar Mentor Joy Start 시리즈는 확고한 목표를 가지고 있습니다. 그것은 기초 문법을 완벽하게 준비하는 것입니다. 또한, 가장 힘들 수 있는 어휘 학습에서도 반복적인 문제 풀이를 통해서 자연스럽게 기초 어휘를 학습하도록 하였습니다.

마지막으로 어떤 기초 교재보다도 처음 영어 문법을 시작하는 학습자들에게 더없이 완벽한 선택이 될 수 있다고 자신합니다. 이 교재를 통해서 영어가 학습자들의 평생 걸림돌이 아닌 자신감이 될 수 있기를 바랍니다. 감사합니다.

❶ 단계별 학습을 통한 맞춤식 문법 학습

– 각 Chapter별 2개의 Unit에서 세부 설명
과 Warm up, Step up, Jump up, Build up
writing, Wrap up과 Exercise, Review Test,
Achievement Test, 마지막으로 실전모의
고사로 구성했습니다.

❷ 서술형 문제를 위한 체계적인 학습

– 특히 Build up writing에서는 서술형 문제
에 대비할 수 있도록 하였습니다.

❸ 단순 암기식 공부가 아닌 사고력이
필요한 문제 풀이 학습

– 단순 패턴 드릴 문제가 아닌 다양한 유형
의 문제들을 제시하여 사고력 향상에
도움이 되도록 하였습니다.

❹ 반복적인 학습을 통해 문제 풀이 능력을
향상시킴

– 세분화된 단계별 문제로 반복 학습이
가능합니다.

❺ 맞춤식 어휘와 문장을 통한
체계적인 학습

– 학습한 어휘와 문장을 반복적으로
제시하여 무의식적 영어 습득이
가능하게 하였습니다.

❻ 기초 문법을 대비하는 문법
학습

– 기초 문법 대부분을 다루고
있습니다.

❼ 반복적인 문제풀이를 통한
기초 어휘 학습

– Chapter별로 제공되는 단어장에
는 자주 쓰는 어휘들을 체계적
으로 제시하고 있습니다.

Syllabus

Grammar Mentor Joy Start 시리즈는 전체 2권으로 구성되어 있습니다. 각 Level이 10개의 Chapter 총 8주의 학습 시간으로 구성되어 있는데, 특히 Chapter 5와 Chapter 10은 Review와 Achievement Test를 넣어 학습한 내용을 복습할 수 있도록 구성했습니다. 부가적으로 단어장과 전 시리즈가 끝난 후 실전모의고사 테스트 3회도 제공되고 있습니다.

Level	Month	Week	Chapter	Unit	Homework
1	1st	1	1 명사	01 명사의 종류	* 각 Chapter별 단어 퀴즈 제공 * 각 Chapter별 드릴 문제 제공 * 각 Chapter별 모의테스트지 제공
				02 셀 수 없는 명사의 복수형	
		2	2 관사	01 관사 a와 an	
				02 관사 the	
		3	3 대명사 Ⅰ	01 주격 인칭대명사	
				02 소유격 · 목적격 인칭대명사	
			4 대명사 Ⅱ	01 지시대명사	
				02 비인칭 주어 it	
		4	5 be동사	01 현재형 be동사 1	
				02 현재형 be동사 2	
	2nd	5	6 be동사의 부정문과 의문문	01 현재형 be동사 부정문	
				02 현재형 be동사 의문문	
			7 There is/are	01 There is/are	
				02 There is/are 부정문과 의문문	
		6	8 일반동사	01 일반동사의 현재형	
				02 일반동사의 3인칭 단수형	
		7	9 일반동사의 부정문과 의문문	01 현재형 일반동사 부정문	
				02 현재형 일반동사 의문문	
		8	10 의문사	01 의문사	
				02 의문사 의문문	

Level	Month	Week	Chapter	Unit	Homework
2	3rd	1	1 현재진행형	01 현재진행형	
				02 현재진행형의 부정문과 의문문	
		2	2 미래형	01 will 미래형	
				02 be going to 미래형	
		3	3 조동사	01 조동사의 특징	
				02 조동사 can · must	
			4 형용사와 부사	01 형용사	
				02 부사	
		4	5 be동사의 과거형	01 be동사의 과거형	* 각 Chapter별 단어 퀴즈 제공
				02 be동사 과거형의 부정문과 의문문	
	4th	5	6 일반동사의 과거형 Ⅰ	01 일반동사의 과거형 규칙 변화	* 각 Chapter별 드릴 문제 제공
				02 일반동사의 과거형 불규칙 변화	
			7 일반동사의 과거형 Ⅱ	01 일반동사의 과거형 부정문	* 각 Chapter별 모의테스트지 제공
				02 일반동사의 과거형 의문문	
		6	8 전치사	01 시간을 나타내는 전치사	
				02 장소를 나타내는 전치사	
		7	9 접속사	01 접속사 and · or · but	
				02 접속사 so · because · when	
		8	10 명령문과 제안문	01 명령문	
				02 제안문	

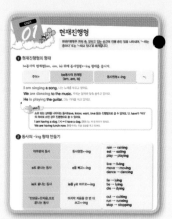

Unit

각 Chapter를 2개의 Unit으로 나누어 심층적이고 체계적으로 학습할 수 있도록 했습니다.

Jump up

난이도 있는 문제를 풀면서 각 Unit의 내용을 얼마나 이해했는지 점검하도록 했습니다.

Warm up

각 Unit에서 다루고 있는 문법의 기본적인 내용을 점검할 수 있도록 했습니다.

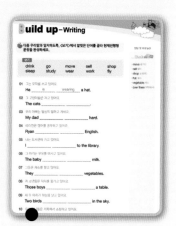

Build up writing

서술형 문제에 대비하는 단계로 단순 단어의 나열이 아닌, 통합적 사고력을 요구하는 문제들로 구성했습니다.

Step up

Warm up보다 한 단계 높은 수준의 문제로 학습한 내용을 응용해서 문제를 해결하도록 구성했습니다.

Wrap up

각 Chapter의 내용을 최종 점검하는 단계로 두 Unit의 내용을 다루는 문제로 구성했습니다.

Achievement Test

Chapter 5개마다 실전 내신 문제를 제공해 실전 감각을 기를 수 있도록 구성했습니다.

Exercise

각 Chapter의 내용을 통합형 내신 문제 유형을 통해 정리할 수 있도록 구성했습니다.

실전모의고사

총 3회로 각 Level의 모든 내용을 오지선다형 문제와 서술형 문제로 구성하여 최종적으로 학습한 내용을 점검할 수 있도록 했습니다.

Review Test

Chapter 5개마다 앞서 배운 기본적인 내용을 다시 한 번 풀어 보도록 구성했습니다.

Contents

Chapter 1

현재진행형

Word Check

☐ tie	☐ sit	☐ grow	☐ pay	☐ give
☐ ask	☐ die	☐ win	☐ move	☐ shop
☐ vegetable	☐ skate	☐ kite	☐ email	☐ history
☐ paint	☐ pick	☐ line	☐ grass	☐ beach

현재진행형

현재진행형은 현재 즉, 말하고 있는 순간에 진행 중인 일을 나타내며, '~하는 중이다' 또는 '~하고 있다'로 해석합니다.

❶ 현재진행형의 형태

be동사의 현재형(am, are, is) 뒤에 동사원형+-ing 형태를 씁니다.

주어+	be동사의 현재형 (am, are, is)	동사원형+-ing	~.

I am singing a song. 나는 노래를 부르고 있어요.

We are dancing to the music. 우리는 음악에 맞춰 춤추고 있어요.

He is playing the guitar. 그는 기타를 치고 있어요.

plus 1

소유 또는 상태를 나타내는 동사(have, know, want, love 등)는 진행형으로 쓸 수 없어요. 단, have가 '먹다'의 의미로 쓰인 경우 진행형으로 쓸 수 있어요.

I am having a dog. (×) ➜ I have a dog. (○) 나는 개 한 마리가 있어요.

We are having lunch now. (○) 우리는 지금 점심을 먹고 있어요.

❷ 동사의 -ing 형태 만들기

대부분의 동사	동사원형+-ing	rain → rain**ing** eat → eat**ing** play → play**ing**
e로 끝나는 동사	e를 빼고+-ing	live → liv**ing** move → mov**ing** dance → danc**ing**
ie로 끝나는 동사	ie를 y로 바꾸고+-ing	lie → ly**ing** tie → ty**ing** die → dy**ing**
「단모음+단자음」으로 끝나는 동사	마지막 자음을 한 번 더 쓰고+-ing	cut → cut**ting** run → run**ning** stop → stop**ping**

Warm up

1 다음 설명에 해당하는 동사를 <보기>에서 찾아 쓰고, -ing 형태로 바꾸세요.

정답 및 해설 p.2

보기

come	die	do	sit
live	look	make	fly
run	tie	swim	lie

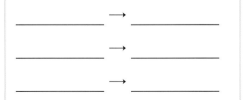

Words

- die 죽다
- sit 앉다
- look 보다
- tie 묶다
- lie 눕다; 거짓말하다

01

대부분의 동사:

동사원형+-ing

do	→	doing
_____	→	_____
_____	→	_____

02

e로 끝나는 동사:

e를 빼고+-ing

_____	→	_____
_____	→	_____
_____	→	_____

03

ie로 끝나는 동사:

ie를 y로 바꾸고+-ing

_____	→	_____
_____	→	_____
_____	→	_____

04

「단모음+단자음」으로 끝나는 동사:

마지막 자음을 한 번 더 쓰고+-ing

_____	→	_____
_____	→	_____
_____	→	_____

Step up

동사의 -ing형 학습하기

1 다음 동사의 -ing 형태를 쓰세요.

정답 및 해설 p.2

01	teach	teaching	16	say	
02	write		17	get	
03	grow		18	give	
04	sit		19	open	
05	stay		20	lie	
06	ride		21	wear	
07	walk		22	study	
08	stop		23	put	
09	drink		24	make	
10	pay		25	ask	
11	meet		26	cut	
12	enjoy		27	wait	
13	take		28	sing	
14	begin		29	speak	
15	arrive		30	win	

Words

- grow 재배하다, 기르다
- ride 타다
- pay (돈을) 지불하다
- take 가져가다
- begin 시작하다
- arrive 도착하다
- say 말하다
- get 받다, 얻다
- give 주다
- put 놓다
- ask 묻다
- cut 자르다
- wait 기다리다
- win 이기다

2 다음 괄호 안에서 알맞은 것을 고르세요.

정답 및 해설 p.2

- **take a walk**
  산책하다
- **science** 과학
- **bench** 벤치
- **sea** 바다

01 You (am /(are)/ is) (lieing /(lying)).
너는 거짓말을 하고 있어.

02 She (am / are / is) (eating / eatting) lunch.
그녀는 점심을 먹고 있어요.

03 I (am / are / is) (watching / watchhing) TV.
나는 TV를 보고 있어요.

04 He (am / are / is) (play / playing) the piano.
그는 피아노를 연주하고 있어요.

05 They (am / are / is) (cuting / cutting) the tree.
그들은 나무를 자르고 있어요.

06 We (am / are / is) (takeing / taking) a walk.
우리는 산책하고 있어요.

07 My friend (am / are / is) (sing / singing) a song.
내 친구는 노래를 부르고 있어요.

08 The boys (am / are / is) (studiing / studying) science.
그 소년들은 과학을 공부하고 있어요.

09 Your sister (am / are / is) (siting / sitting) on the bench.
네 여동생은 벤치에 앉아 있어.

10 His brothers (am / are / is) (swiming / swimming) in the sea.
그의 형들은 바다에서 수영하고 있어요.

Jump up

🍎 **다음 주어진 단어를 이용해서 현재진행형 문장을 완성하세요.**

정답 및 해설 p.2

- open 열다
- door 문
- watermelon 수박
- draw 그리다
- picture 그림

01 It _____is_____ _____raining_____. (rain)
비가 와요.

02 You _____ _____ fast. (run)
너는 빨리 달리고 있어.

03 I _____ _____ the door. (open)
나는 문을 여는 중이에요.

04 He _____ _____ a letter. (write)
그는 편지를 쓰고 있어요.

05 Fred _____ _____ his room. (clean)
프레드는 자기 방을 청소하고 있어요.

06 My brother _____ _____ a bike. (ride)
내 남동생은 자전거를 타고 있어요.

07 She _____ _____ a watermelon. (buy)
그녀는 수박을 사고 있어요.

08 They _____ _____ the teacher. (help)
그들은 선생님을 돕고 있어요.

09 The girls _____ _____ pictures. (draw)
그 소녀들은 그림을 그리고 있어요.

10 Peter and I _____ _____ a cake. (make)
피터와 나는 케이크를 만들고 있어요.

Build up–Writing

 다음 우리말과 일치하도록, <보기>에서 알맞은 단어를 골라 현재진행형 문장을 완성하세요.

정답 및 해설 p.3

Words

- move 옮기다
- sell 팔다
- shop 쇼핑하다
- hat 모자
- vegetable 채소
- over there 저쪽에(서)

보기

drink	go	move	sell	shop
sleep	study	wear	work	fly

01 그는 모자를 쓰고 있어요.

He ___is___ ___wearing___ a hat.

02 그 고양이들은 자고 있어요.

The cats _____ _____ .

03 우리 아빠는 열심히 일하고 계세요.

My dad _____ _____ hard.

04 라이언은 영어를 공부하고 있어요.

Ryan _____ _____ English.

05 나는 도서관에 가고 있어요.

I _____ _____ to the library.

06 그 아기는 우유를 마시고 있어요.

The baby _____ _____ milk.

07 그들은 채소를 팔고 있어요.

They _____ _____ vegetables.

08 저 소년들은 탁자를 옮기고 있어요.

Those boys _____ _____ a table.

09 새 두 마리가 하늘을 날고 있어요.

Two birds _____ _____ in the sky.

10 우리 언니들은 저쪽에서 쇼핑하고 있어요.

My sisters _____ _____ over there.

UNIT 02

현재진행형의 부정문과 의문문

현재진행형의 부정은 「be동사+not+동사원형+-ing」의 형태로 나타내고, 현재진행형 의문문은 「Be동사+주어+동사원형+-ing~?」의 형태로 나타냅니다.

❶ 현재진행형의 부정문

의미	'~하고 있지 않다', '~하는 중이 아니다'
형태	be동사(am, are, is) 뒤에 not을 붙여 「주어+be동사의 현재형(am, are, is)+not+동사원형+-ing ~.」

I am studying math. 나는 수학을 공부하고 있어요.

→ I **am not studying** math. 나는 수학을 공부하고 있지 않아요.

She is working hard. 그녀는 열심히 일하고 있어요.

→ She **is not(=isn't) working** hard. 그녀는 열심히 일하고 있지 않아요.

❷ 현재진행형의 의문문과 대답

의미	'~하는 중이니?', '~하고 있니?'
형태	주어와 be동사(am, are, is)의 위치를 바꾸고 문장 끝에 물음표를 붙여 「Be동사의 현재형(Am, Are, Is)+주어+동사원형+-ing ~?」 • 긍정의 대답: 「Yes, 주어(대명사)+be동사의 현재형.」 • 부정의 대답: 「No, 주어(대명사)+be동사의 현재형+not.」

You are eating a cake. 너는 케이크를 먹고 있어.

→ **Are you eating** a cake? 너는 케이크를 먹고 있니?
　Yes, I am. 응, 그래. / **No, I'm not.** 아니, 그렇지 않아.

He is playing baseball. 그는 야구를 하고 있어요.

→ **Is he playing** baseball? 그는 야구를 하고 있나요?
　Yes, he is. 네, 그래요. / **No, he isn't.** 아니요, 그렇지 않아요.

plus 1

긍정의 대답일 경우 Yes 뒤에 주어와 be동사를 줄여 쓰지 않지만, 부정의 대답일 경우 be동사와 not을 줄여 써요.
ex) No, he isn't. / No, they aren't.
I am not일 경우 I'm not을 써요.

꼭 기억하기!

현재진행형 의문문은 be동사를 이용해 대답해요. 다른 의문문과 같이 1인칭으로 물으면 2인칭으로 대답하고, 2인칭으로 물으면 1인칭으로 대답하며, 주어가 명사일 경우 대명사 주어로 바꿔 대답해야 해요.

 # Warm up

1 다음 문장을 부정문으로 만들 때, 빈칸에 알맞은 말을 쓰세요.

정답 및 해설 p.3

Words

- snow 눈이 내리다
- skate 스케이트를 타다

01 I am singing. 나는 노래하고 있어요.

→ I ____am____ ____not____ singing.

02 He is cooking. 그는 요리하고 있어요.

→ He _____ _____ cooking.

03 She is dancing. 그녀는 춤을 추고 있어요.

→ She _____ _____ dancing.

04 We are studying. 우리는 공부하고 있어요.

→ We _____ _____ studying.

05 They are running. 그들은 달리고 있어요.

→ They _____ _____ running.

2 다음 문장을 의문문으로 바꿀 때, 빈칸에 알맞은 말을 쓰세요.

01 It is snowing. 눈이 내리고 있어요.

→ ____Is____ ____it____ snowing?

02 They are swimming. 그들은 수영을 하고 있어요.

→ _____ _____ swimming?

03 You are reading a book. 너는 책을 읽고 있어.

→ _____ _____ reading a book?

04 The baby is crying. 아기가 울고 있어요.

→ _____ _____ _____ crying?

05 The children are skating. 그 아이들은 스케이트를 타고 있어요.

→ _____ _____ _____ skating?

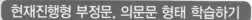tep up 현재진행형 부정문, 의문문 형태 학습하기

1 다음 괄호 안에서 알맞은 것을 고르세요.

정답 및 해설 p.3

- kite 연
- shorts 반바지
- email 이메일, 전자 우편
- history 역사

01 I ((am not) / not am) making a kite.
나는 연을 만들고 있지 않아요.

02 He (not is / is not) cleaning his room.
그는 자신의 방을 청소하고 있지 않아요.

03 (Is he wearing / Is wearing he) shorts?
그는 반바지를 입고 있나요?

04 We (not playing / aren't playing) tennis.
우리는 테니스를 치고 있지 않아요.

05 (Are we go / Are we going) home now?
우리 지금 집에 가고 있는 건가요?

06 (Is Max washing / Is Max wash) his car?
맥스는 세차를 하고 있나요?

07 Tina (isn't doing / not doing) her homework.
티나는 숙제를 하고 있지 않아요.

08 (Is she eating / Does she eating) breakfast?
그녀는 아침을 먹고 있나요?

09 (Do you writing / Are you writing) an email?
너는 이메일을 쓰고 있니?

10 My brothers (aren't watching / aren't watch) TV.
우리 오빠들은 TV를 보고 있지 않아요.

11 Dave is (not listening / listening not) to the radio.
데이브는 라디오를 듣고 있지 않아요.

12 Are (the students learning / learning the students) history?
학생들이 역사를 배우고 있나요?

2 다음 우리말과 일치하도록, 주어진 단어를 이용하여 현재진행형 문장을 완성하세요.

정답 및 해설 p.3

___Words___

· Chinese 중국어
· wait for ~을 기다리다
· taxi 택시
· paint 페인트를 칠하다
· wall 벽
· bake 굽다

01 I ___am not studying___ Chinese. (study)
나는 중국어를 공부하고 있지 않아요.

02 The boy _____ a bike. (ride)
그 소년은 자전거를 타고 있지 않아요.

03 We _____ ice cream. (eat)
우리는 아이스크림을 먹고 있지 않아요.

04 She _____ for a taxi. (wait)
그녀는 택시를 기다리고 있지 않아요.

05 My sisters _____ the wall. (paint)
우리 언니들은 벽에 페인트를 칠하고 있지 않아요.

06 A: _____? (sleep) 너 자고 있니?
B: No, I'm not. 아니, 그렇지 않아.

07 A: _____ cookies? (bake) 그녀는 쿠키를 굽고 있나요?
B: Yes, she is. 네, 그래요.

08 A: _____ home? (come) 그가 집에 오고 있나요?
B: Yes, he is. 네, 그래요.

09 A: Are they sitting on the bus? 그들은 버스에 앉아 있나요?
B: _____. (no) 아니요, 그렇지 않아요.

10 A: Is it raining outside? 밖에 비가 오고 있나요?
B: _____. (yes) 네, 그래요.

Jump up

🍎 **다음 문장을 주어진 지시대로 바꿔 쓰세요.**

정답 및 해설 p.4

01 She is picking flowers.

→ 부정문 : ___She is not[isn't] picking flowers___.

02 The boy is running slowly.

→ 부정문 : _____.

03 We are talking with Anna.

→ 부정문 : _____.

04 He is staying in the hotel.

→ 부정문 : _____.

05 I am carrying a heavy box.

→ 부정문 : _____.

06 The trees are dying.

→ 의문문 : _____?

07 Susan is meeting him.

→ 의문문 : _____?

08 Her uncle is driving a car.

→ 의문문 : _____?

09 Your sister is using the phone.

→ 의문문 : _____?

10 You are reading a newspaper.

→ 의문문 : _____?

Words

- pick (꽃을) 꺾다, (과일을) 따다
- slowly 천천히
- talk with ~와 이야기 하다
- stay 지내다, 묵다
- phone 전화기
- newspaper 신문

Build up–Writing

 다음 우리말과 일치하도록, <보기>에서 알맞은 단어를 골라 현재진행형 문장을 완성하세요.

정답 및 해설 p.4

Words

- enjoy 즐기다
- stand 서다
- roof 지붕
- line 줄, 선
- lie 거짓말
- cello 첼로
- camp 야영하다
- grass 잔디

보기

enjoy	tell	buy	cut	play
fix	go	take	stand	teach

01 그는 지붕을 고치고 있나요?

___Is___ he ___fixing___ the roof?

02 너희들은 파티를 즐기고 있니?

_____ you _____ the party?

03 학생들이 줄을 서 있나요?

_____ the students _____ in line?

04 나는 너에게 거짓말을 하고 있지 않아.

I _____ _____ _____ you a lie.

05 너의 어머니는 빵을 사고 계시니?

_____ your mother _____ bread?

06 그의 남동생은 첼로를 연주하고 있니?

_____ his brother _____ the cello?

07 우리는 캠핑하러 가는 게 아니에요.

We _____ _____ _____ camping.

08 그들은 사진을 찍고 있지 않아요.

They _____ _____ _____ pictures.

09 피터슨 씨는 수학을 가르치고 있지 않아요.

Mrs. Peterson _____ _____ _____ math.

10 우리 형은 잔디를 깎고 있지 않아요.

My brother _____ _____ _____ the grass.

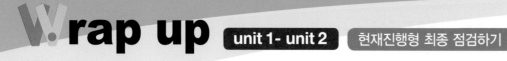

Wrap up unit 1- unit 2 현재진행형 최종 점검하기

1 다음 우리말과 일치하도록, 밑줄 친 부분을 바르게 고쳐 쓰세요.

정답 및 해설 p.4

01 We <u>do</u> going on a picnic.
   우리는 소풍을 가고 있어요.

   | are |

02 He is <u>use</u> my computer.
   그가 내 컴퓨터를 사용하고 있어요.

03 The tree is <u>grow</u> fast.
   그 나무는 빠르게 자라고 있어요.

04 You <u>don't</u> listening to me.
   너는 내 말을 듣고 있지 않아.

05 I <u>not am</u> sitting on the sofa.
   나는 소파에 앉아 있지 않아요.

06 The child <u>does</u> writing a letter.
   그 아이는 편지를 쓰고 있어요.

07 A: Are you <u>look</u> for your cat?
   너는 너의 고양이를 찾고 있니?

   B: No, I'm not.
   아니, 그렇지 않아.

08 A: Is Daniel visiting his uncle?
   다니엘은 그의 삼촌을 방문하고 있니?

   B: No, he <u>doesn't</u>.
   아니요, 그렇지 않아요.

09 A: Are they dancing to the music?
   그들은 음악에 맞춰 춤을 추고 있나요?

   B: Yes, they <u>do</u>.
   네, 그래요.

10 A: <u>Does</u> the girl wearing a pink dress?
   그 소녀는 분홍색 드레스를 입고 있나요?

   B: Yes, she is.
   네, 그래요.

Words

- go on a picnic
  소풍 가다
- look for 찾다
- pink 분홍색의

2 다음 문장을 현재진행형으로 바꿔 쓰세요.

정답 및 해설 p.4

- beach 해변
- push 누르다
- button 버튼, 단추
- something 무엇, 어떤 것
- plan 계획하다
- vacation 휴가, 방학
- street 거리
- pool 수영장
- take a shower 샤워를 하다

01 I lie on the beach.

→ ____I am lying on the beach____ .

02 Does he drink water?

→ _____?

03 She pushes the button.

→ _____.

04 My mom says something.

→ _____.

05 Do you plan a vacation?

→ _____?

06 Susie makes sandwiches.

→ _____.

07 They don't walk to school.

→ _____.

08 We don't clean the street.

→ _____.

09 Do the boys swim in the pool?

→ _____?

10 Sam doesn't take a shower.

→ _____.

[1-2] 다음 중 동사의 **-ing**형이 <u>잘못</u> 연결된 것을 고르세요.

1
① eat - eatting   ② watch - watching
③ pay - paying   ④ swim - swimming
⑤ go - going

2
① enjoy - enjoying   ② come - coming
③ write - writing   ④ put - putting
⑤ lie - lieing

3 다음 문장을 현재진행형으로 바꾼 것으로 알맞은 것은?

> Tom hits a ball.

① Tom hitting a ball.
② Tom is hiting a ball.
③ Tom is hitting a ball.
④ Tom are hiting a ball.
⑤ Tom does hitting a ball.

[4-5] 다음 밑줄 친 부분이 <u>잘못된</u> 것을 고르세요.

4
① I <u>am not reading</u> a comic book.
② The cat <u>is sleeping</u> on the sofa.
③ She <u>is washing</u> the dishes.
④ Ben <u>is selling not</u> seafood.
⑤ <u>Are you listening</u> to me?

5
① I <u>am riding</u> a horse.
② Linda <u>is coming</u> to me.
③ You <u>aren't telling</u> the truth.
④ <u>Are we going</u> to the concert?
⑤ <u>Does your mother</u> drinking tea now?

Note

3 hit 치다
ball 공
현재진행형은 「be동사의 현재형+동사원형+-ing」 형태이고, hit은 「단모음+단자음」으로 끝나는 동사예요.

4 comic book 만화책
seafood 해산물
현재진행형 부정문은 be동사 뒤에 not을 써요.

5 horse 말
truth 진실, 사실
concert 음악회, 콘서트
현재진행형 의문문은 「Be동사의 현재형+주어+동사원형+-ing?」 형태예요.

6 다음 질문에 대한 대답으로 알맞은 것은?

> A: Are you eating dinner?
> B: _____

① Yes, I do.   ② No, I am.   ③ No, I'm not.
④ Yes, you are.   ⑤ No, you don't.

7 다음 우리말을 영어로 옮길 때, 빈칸에 들어갈 말로 알맞은 것은?

> 그 소녀는 리본을 묶고 있어요.
> The girl _____ _____ a ribbon.

① is tying   ② are tieing   ③ is tieing
④ are tying   ⑤ am tying

8 다음 주어진 동사를 현재진행형으로 바꿔 대화를 완성하세요.

> A: Is Sally doing her homework?
> B: No, she isn't. She _____ for the exam. (study)

9 다음 우리말과 일치하도록, 주어진 단어를 이용하여 문장을 완성하세요.

> 1) 그는 축구를 하고 있지 않아요. (not, play)
>   → He _____ _____ _____ soccer.
> 2) 아이들은 눈사람을 만들고 있어요. (make)
>   → The kids _____ _____ a snowman.

10 다음 문장을 주어진 지시대로 바꿔 쓰세요.

> 1) The boy is flying a kite. (부정문)
>   → _____.
> 2) Your brothers are cleaning the windows. (의문문)
>   → _____?

영어를 모국어로 쓰는 국가들을 알아보자!

U.S.A.
(미국)

북아메리카 대륙에 있는 50개 주와 1개의 특별 구로 이루어진 공화국이에요. 세계에서 세 번째로 면적이 크고, 인구는 세 번째로 많아요. 인디언을 제외하는 모두 다른 나라에서 온 이민자로 이루어진 다문화 국가예요. 미국은 두 번의 세계대전으로 최강국으로 등장했고, 민주주의를 수호하는 중요한 역할을 해요.

U.K.
(영국)

유럽 대륙에 있는 섬나라로 잉글랜드, 스코틀랜드, 웨일스와 북아일랜드로 이루어져 있어요. 여왕은 있지만, 의회와 내각이 나라를 통치하는 입헌 군주제예요. 과거의 광대한 식민지 개척으로 해가 지지 않는 나라라고 불리고, 많은 사람이 좋아하는 해리 포터, 셜록 홈스가 태어난 나라예요.

CANADA
(캐나다)

북아메리카 대륙 북부에 있는 국가로, 남쪽으로 미국과 국경을 접하고 있어요. 세계에서 국토가 두 번째로 큰 나라이며, 자연환경이 다양해요. 영국, 유럽, 아시아, 남미 등에서 온 많은 이민자로 이루어진 다문화 국가이며, 프랑스가 지배했던 퀘벡 지역은 프랑스어를 공식 언어로 사용해요.

AUSTRALIA
(오스트레일리아)

태평양과 인도양 사이에 있는 오스트레일리아 대륙과 태즈메이니아 섬을 국토로 하는 나라예요. 세계에서 면적이 여섯 번째로 크지만, 인구 밀도는 가장 낮아요. 오스트레일리아 원주민을 제외하고 유럽계가 인구의 약 90% 이상을 차지해요. 오랫동안 다른 대륙과 고립되어 있어 다른 대륙에서 찾아보기 힘든 동물과 식물들이 잘 보존되어 있어요.

NEW ZEALAND
(뉴질랜드)

남서 태평양에 있는 북섬과 남섬, 여러 섬으로 이루어진 섬나라예요. 영국의 식민지였던 뉴질랜드는 독립한 후에도 영국 연방으로 남아있어요. 인구의 절반 이상의 유럽계이고, 나머지는 원주민 마오리족, 아시아 이민자로 이루어져 있어요. 뉴질랜드는 강과 호수, 화산과 온천, 빙하까지 다양하고 아름다운 경관으로 유명해요.

Chapter 2

미래형

Word Check

- [ ] soon
- [ ] tomorrow
- [ ] next
- [ ] weekend
- [ ] hard
- [ ] forget
- [ ] gift
- [ ] contest
- [ ] bring
- [ ] cloudy
- [ ] sea
- [ ] homework
- [ ] start
- [ ] guitar
- [ ] join
- [ ] club
- [ ] tonight
- [ ] fine
- [ ] concert
- [ ] invite

will 미래형

will은 미래에 일어날 일을 예측하거나 의지를 나타낼 때 사용하며, '~일 것이다(예측)', '~할 것이다(의지)'로 해석합니다. 미래형은 tomorrow(내일), next ~(다음 ~) 등과 같이 미래를 나타내는 시간 표현과 함께 쓸 수 있습니다.

❶ will 미래형

will은 동사 앞에 위치하며, 주어의 인칭과 수에 상관없이 항상 will로 씁니다. will 다음에는 동사원형이 오며, 주어로 인칭대명사가 오면 will을 'll로 줄여 쓸 수 있습니다.

긍정문	의미: '~할 것이다', '~일 것이다' 형태: 「주어+will+동사원형 ~ .」
부정문	의미: '~하지 않을 것이다' 형태: will 뒤에 not을 붙여 「주어+will not[won't]+동사원형 ~ .」
의문문	의미: '~할 거니?' 형태: will을 주어의 앞으로 보내고 문장 끝에 물음표를 붙여 　　　「Will+주어+동사원형 ~?」 • 긍정의 대답: 「Yes, 주어(대명사)+will.」 • 부정의 대답: 「No, 주어(대명사)+won't.」

I **will (=I'll) visit** my aunt tomorrow. 나는 내일 우리 고모를 방문할 거예요.

He **will (=He'll) visit** his uncle tomorrow. 그는 내일 그의 삼촌을 방문할 거예요.

She will go there. 그녀는 거기에 갈 거예요.

→ She **will not (=won't) go** there. 그녀는 거기에 가지 않을 거예요.

You will come here. 너는 여기에 올 거야.

→ **Will** you **come** here? 너는 여기에 올 거니?

　Yes, I will. 응, 그럴 거야. **/ No, I won't.** 아니, 그러지 않을 거야.

꼭 기억하기!

① will은 형태 변화가 없고, will 다음에는 동사원형만 써요!

He ~~wills visit~~ his uncle tomorrow. (×)

He ~~will visits~~ his uncle tomorrow. (×)

→ He **will visit** his uncle tomorrow. (○) 그는 내일 삼촌을 방문할 거예요.

② will not은 won't로 줄여 쓸 수 있어요.

I **will not** watch TV. = I **won't** watch TV. 나는 TV를 보지 않을 거야.

Warm up

1 다음 문장이 미래형인 경우 ○, 현재형인 경우 △ 표시하세요.

정답 및 해설 p.6

01 You are late.   △
너 늦었어.

    You will be late.   ○
너는 늦을 거야.

02 I will stay at home.
나는 집에 있을 거예요.

    I stay at home on Sundays.
나는 일요일에는 집에 있어요.

03 He will come home soon.
그가 곧 집에 올 거예요.

    He comes home at seven.
그는 7시에 집에 와요.

04 Jane will meet Mike.
제인은 마이크를 만날 거예요.

    Jane meets Mike every day.
제인은 마이크를 매일 만나요.

05 It will rain tomorrow.
내일 비가 올 거예요.

    It rains a lot in summer.
여름에 비가 많이 내려요.

06 We often go camping.
우리는 종종 캠핑을 가요.

    We will go camping next weekend.
우리는 다음 주말에 캠핑을 갈 거예요.

Words

· soon 곧
· tomorrow 내일
· a lot 많이
· summer 여름
· next 다음 ~
· weekend 주말

Step up   will 미래형 형태 학습하기

1 다음 괄호 안에서 알맞은 것을 고르세요.

정답 및 해설 p.6

• movie 영화

01 You will (are / (be)) happy.
너는 행복해 질 거야.

02 He (will / wills) ride a bike.
그는 자전거를 탈 거예요.

03 I will (watch / watching) the movie.
나는 그 영화를 볼 거예요.

04 My sister will (bake / bakes) cookies.
우리 언니는 쿠키를 구울 거예요.

05 It (will snow / wills snow) tomorrow.
내일 눈이 올 거예요.

06 Mary (will buy / wills buys) the book.
메리가 그 책을 살 거예요.

07 My parents (will wait / will waits) for me.
우리 부모님이 나를 기다리실 거예요.

08 They (will cleaning / will clean) the house.
그들이 집을 청소할 거예요.

09 The boys (will play / will playing) baseball.
그 소년들은 야구를 할 거예요.

10 My friends (will go / will going) on a picnic.
내 친구들은 소풍을 갈 거예요.

2 다음 will과 주어진 단어를 이용하여 미래형 문장을 완성하세요.

정답 및 해설 p.6

Words

• hard 열심히
• go skiing 스키 타러 가다
• eleven 11, 열하나
• forget 잊다, 잊어버리다
• weather 날씨
• move 이사하다

01 I ___will___ ___study___ hard. (study)

나는 열심히 공부할 거예요.

02 Max and I _____ _____ skiing. (go)

맥스와 나는 스키 타러 갈 거예요.

03 We _____ _____ the children. (help)

우리는 그 어린이들을 도울 거예요.

04 They _____ _____ eleven years old. (be)

그들은 열한 살이 될 거예요.

05 The girl _____ _____ a song for us. (sing)

그 소녀는 우리를 위해 노래를 부를 거예요.

06 She _____ _____ _____ a letter. (write, not)

그녀는 편지를 쓰지 않을 거예요.

07 He _____ _____ _____ your name. (forget, not)

그는 너의 이름을 잊지 않을 거야.

08 A: _____ they _____ in Seoul? (stay)

그들은 서울에 머무를 건가요?

B: Yes, they _____. 네, 그럴 거예요.

09 A: _____ the weather _____ sunny? (be)

날씨가 화창할까요?

B: No, it _____. 아니요, 그렇지 않을 거예요.

10 A: _____ your family _____ to Jejudo? (move)

너의 가족은 제주도로 이사할 거니?

B: No, we _____. 아니, 그러지 않을 거야.

will 미래형 문장 완성하기

🍎 다음 문장을 주어진 지시대로 바꿔 쓰세요.

정답 및 해설 p.6

01 I will ride a bike.
  → 부정문 : _____I will not[won't] ride a bike_____ .

02 She will go shopping.
  → 부정문 : _____ .

03 James will sell his computer.
  → 부정문 : _____ .

04 My father will work next week.
  → 부정문 : _____ .

05 The students will take a test.
  → 부정문 : _____ .

06 You will take a bus.
  → 의문문 : _____?

07 They will get up early.
  → 의문문 : _____?

08 He will like my gift.
  → 의문문 : _____?

09 Rachel will win the contest.
  → 의문문 : _____?

10 Your sisters will wash the dishes.
  → 의문문 : _____?

Words

- go shopping 쇼핑하러 가나
- sell 팔다
- take a test 시험을 보다
- get up 일어나다
- gift 선물
- contest 대회, 시합

Build up–Writing

 다음 우리말과 일치하도록, <보기>에서 알맞은 단어를 고르고 will을 이용하여 완성하세요.

정답 및 해설 p.6

보기

| teach | bring | walk | have | go |

Words

- bring 가져오다
- cloudy 흐린, 잔뜩 구름이 낀
- spaghetti 스파게티
- come back 돌아오다

01 우리는 학교에 걸어갈 거예요.

We ___will___ ___walk___ to school.

02 너는 그를 가르칠 거니?

_____ _____ _____ him?

03 그가 케이크를 가져올까요?

_____ _____ _____ a cake?

04 그들은 큰 파티를 할 거예요.

They _____ _____ a big party.

05 그는 일찍 잠을 자지 않을 거예요.

He _____ _____ _____ to bed early.

보기

| buy | eat | come | be | watch |

06 날씨가 흐리지 않을 거예요.

It _____ _____ _____ cloudy.

07 그녀가 그 차를 살까요?

_____ _____ _____ the car?

08 에바와 나는 스파게티를 먹을 거예요.

Eva and I _____ _____ spaghetti.

09 그 남자는 돌아오지 않을 거예요.

The man _____ _____ _____ back.

10 너희들은 그 축구경기를 볼 거니?

_____ _____ _____ the soccer game?

be going to 미래형

be going to는 미래에 일어날 일을 예측하거나, 예정되는 있는 일을 나타낼 때 사용합니다. '~할 것이다(예측)', '~할 예정이다(예정)'로 해석합니다.

1 be going to 미래형

긍정문	의미: '~할 예정이다', '~할 것이다' 형태: 「주어+be동사의 현재형(am, are, is)+going to+동사원형 ~ .」
부정문	의미: '~하지 않을 것이다' 형태: be동사 뒤에 not을 붙여 　　　「주어+be동사의 현재형(am, are, is)+not going to+동사원형 ~ .」
의문문	의미: '~할 예정이니?', '~할 거니?' 형태: be동사를 주어의 앞으로 보내고 문장 끝에 물음표를 붙여 　　　「Be동사의 현재형(Am, Are, Is)+주어+going to+동사원형 ~?」 • 긍정의 대답:「Yes, 주어(대명사)+be동사.」 • 부정의 대답:「No, 주어(대명사)+be동사+not.」

I **am (=I'm) going to meet** Jane. 나는 제인을 만날 예정이에요.
We **are (=We're) going to leave** tomorrow. 우리는 내일 떠날 거예요.

They are going to play tennis. 그들은 테니스를 칠 거예요.
→ They **are not going to play** tennis. 그들은 테니스를 치지 않을 거예요.

You are going to study math. 너는 수학 공부를 할 거야.
→ **Are** you **going to study** math? 너는 수학 공부를 할 거니?
　Yes, I am. 응, 그럴 거야. / **No, I'm not.** 아니, 그러지 않을 거야.

꼭 기억하기!

be going to 뒤에는 반드시 동사원형을 써야 해요!

She is going to ~~cooks~~ dinner. (×)
→ She **is going to cook** dinner. (○) 그녀가 저녁을 요리할 거예요.

---

 plus 1

주격 인칭대명사와 be동사 또는 be동사와 not은 줄여 쓸 수 있어요. (단, am not은 제외)

He is not going to buy a house. 그는 집을 살 거예요.
→ **He's** not going to buy a house.
→ He **isn't** going to buy a house.

Warm up

1 다음 문장이 미래형인 경우 ○, 현재진행형인 경우 △ 표시하세요.

정답 및 해설 p.7

Words

- homework 숙제
- play outside 밖에서 놀다
- sea 바다

01 I'm doing my homework.   △
나는 숙제를 하고 있어요.

I'm going to do my homework.   ○
나는 숙제를 할 거예요.

02 We're going to go home. _____
우리는 집에 갈 거예요.

We're going home. _____
우리는 집에 가고 있어요.

03 She's going to study English. _____
그녀는 영어를 공부할 거예요.

She's studying English. _____
그녀는 영어를 공부하고 있어요.

04 They're playing outside. _____
그들은 밖에서 놀고 있어요.

They're going to play outside. _____
그들은 밖에서 놀 거예요.

05 He's swimming in the sea. _____
그는 바다에서 수영하고 있어요.

He's going to swim in the sea. _____
그는 바다에서 수영할 거예요.

06 It is going to rain. _____
비가 올 거예요.

It is raining. _____
비가 오고 있어요.

Step up

be going to 미래형 형태 학습하기

1 다음 괄호 안에서 알맞은 것을 고르세요.

정답 및 해설 p.7

Words

- fix 고치다
- start 시작하다
- guitar 기타

01 He is ((going) / go) to work hard.
그는 열심히 일할 거예요.

02 You (are go / are going) to be late.
너는 늦을 거야.

03 She is going to (visit / visits) John.
그녀는 존을 방문할 예정이에요.

04 My dad is (go / going) to fix the door.
우리 아빠가 문을 고칠 거예요.

05 I'm going to (walk / walking) to school.
나는 학교에 걸어갈 거예요.

06 Sean (is going / be goes) to come soon.
션이 곧 올 거예요.

07 We (be going / are going) to paint the wall.
우리는 벽에 페인트를 칠할 거예요.

08 The movie (be goes / is going) to start at 9.
그 영화는 9시에 시작할 거예요.

09 We are going to (learn / learning) the guitar.
우리는 기타를 배울 거예요.

10 Jennifer is (goes to read / going to read) the book.
제니퍼가 그 책을 읽을 거예요.

2 다음 be going to와 주어진 단어 이용하여 미래형 문장을 완성하세요.

정답 및 해설 p.7

01 We ____are going to join____ the club. (join)
우리는 그 클럽에 가입할 거예요.

02 I _____ all night. (study)
나는 밤새도록 공부할 거예요.

03 They _____ photos. (take)
그들은 사진을 찍을 거예요.

04 He _____ to Japan. (travel)
그는 일본을 여행할 거예요.

05 My sister _____ the piano. (play)
내 여동생은 피아노를 칠 거예요.

06 They _____ the house. (not, buy)
그들은 그 집을 사지 않을 거예요.

07 Sarah _____ a movie. (not, watch)
사라는 영화를 보지 않을 거예요.

08 A: _____ you _____ skiing? (go)
너희들은 스키 타러 갈 거니?

   B: Yes, we _____.
응, 그럴 거야.

09 A: _____ it _____ tomorrow? (snow)
내일 눈이 내릴까요?

   B: Yes, it _____.
네, 그럴 거예요.

10 A: _____ the festival _____ soon? (begin)
축제가 곧 시작할까요?

   B: No, it _____.
아니, 그렇지 않을 거예요.

Words

• join 가입하다
• club 클럽, 동호회
• all night 밤새
• photo 사진
• travel 여행하다
• festival 축제, 페스티벌

Jump up | be going to 미래형 문장 완성하기

🍎 다음 문장을 주어진 지시대로 바꿔 쓰세요.

정답 및 해설 p.7

Words

- haircut 머리 깎기
- get a haircut 머리 (털)를 자르다
- on time 제시간에
- go fishing 낚시하러 가다
- tonight 오늘 밤

01 He is going to be angry.
→ 부정문 : ___He is not going to be angry___ .

02 I am going to call her.
→ 부정문 : _____ .

03 David is going to get a haircut.
→ 부정문 : _____ .

04 They are going to arrive on time.
→ 부정문 : _____ .

05 The boys are going to play soccer.
→ 부정문 : _____ .

06 You are going to go fishing.
→ 의문문 : _____ ?

07 We are going to take a test.
→ 의문문 : _____ ?

08 He is going to leave tonight.
→ 의문문 : _____ ?

09 Anna is going to sing at the party.
→ 의문문 : _____ ?

10 Your sisters are going to make a birthday cake.
→ 의문문 : _____ ?

Build up–Writing

 다음 우리말과 일치하도록, 〈보기〉에서 알맞은 단어를 고르고 be going to를 이용하여 완성하세요.

정답 및 해설 p.8

- French 프랑스어
- uniform 교복, 유니폼
- build 짓다, 건설하다
- building 건물

보기

| buy | move | wear | watch | learn |

01 나는 7시에 TV를 볼 거예요.

I ___am___ ___going___ ___to___ ___watch___ TV at 7.

02 케빈은 프랑스어를 배울 거예요.

Kevin _____ _____ _____ _____ French.

03 너는 수원으로 이사할 거니?

_____ _____ _____ _____ _____ to Suwon?

04 그녀는 그 탁자를 사지 않을 거예요.

She _____ _____ _____ _____ _____ the table.

05 그들은 교복을 입지 않을 거예요.

They _____ _____ _____ _____ _____ uniforms.

보기

| visit | be | go | build | talk |

06 그는 한국을 방문할 거니?

_____ _____ _____ _____ _____ Korea?

07 나는 그녀에게 말을 하지 않을 거야.

I _____ _____ _____ _____ _____ to her.

08 그 소년들은 늦을 거예요.

The boys _____ _____ _____ _____ late.

09 그들이 그 건물을 지을 건가요?

_____ _____ _____ _____ _____ the building?

10 우리는 그 파티에 가지 않을 거야.

We _____ _____ _____ _____ _____ to the party.

1 다음 우리말과 일치하도록, 밑줄 친 부분을 바르게 고쳐 쓰세요.

정답 및 해설 p.8

Words

· fine 좋은
· by bus 버스로
· concert 콘서트, 음악회
· again 다시
· report 보고서
· go hiking 하이킹하러
  가다
· invite 초대하다

01 The weather will <u>is</u> fine.
날씨가 좋을 거예요.

be

02 I <u>not will</u> go to school by bus.
나는 버스로 학교에 가지 않을 거예요.

03 The concert <u>wills</u> begin at seven.
콘서트는 7시에 시작할 거예요.

04 Christine is <u>goes</u> to be 12 years old.
크리스틴은 열두 살이 될 거예요.

05 We <u>not are</u> going to see him again.
우리는 그를 다시 보지 않을 거예요.

06 He is going to <u>goes</u> to the museum.
그는 박물관에 갈 거예요.

07 A: Will he <u>finishes</u> the report today?
그가 그 보고서를 오늘 끝낼까요?

B: Yes, he will.
네, 그럴 거예요.

08 A: <u>Do</u> you going to go hiking?
너희는 하이킹하러 갈 거니?

B: No, we aren't.
아니, 그러지 않을 거야.

09 A: Is Ted going to stay here?
테드는 여기서 머무를 건가요?

B: Yes, he <u>does</u>.
네, 그럴 거예요.

10 A: Will you invite her to dinner?
너는 그녀를 저녁 식사에 초대할 거니?

B: No, I <u>am not</u>.
아니, 그러지 않을 거야.

2 다음 문장을 주어진 단어를 이용하여 미래형 문장으로 바꿔 쓰세요.

정답 및 해설 **p.8**

Words

· snowman 눈사람
· artist 예술가
· truck 트럭
· lend 빌려주다
· money 돈
· climb 오르다, 올라가다
· mountain 산
· vacation 방학, 휴가
· together 함께, 같이

01 We build a snowman. (will)
➜ ___We will build a snowman___ .

02 She is not an artist. (will)
➜ _____ .

03 Does he drive the truck? (will)
➜ _____ ?

04 Do you lend him money? (will)
➜ _____ ?

05 I don't play computer games. (will)
➜ _____ .

06 The man sells the car. (be going to)
➜ _____ .

07 Do you help your mom? (be going to)
➜ _____ ?

08 He climbs the mountain. (be going to)
➜ _____ .

09 Does she plan a vacation? (be going to)
➜ _____ ?

10 The girls don't dance together. (be going to)
➜ _____ .

Exercise

정답 및 해설 p.9

[1–2] 다음 빈칸에 들어갈 말로 알맞은 것을 고르세요.

1

Peter _____ meet Nancy tomorrow.

① isn't ② aren't
③ won't ④ don't
⑤ doesn't

2

The singer _____ Korea next week.

① visit ② visiting
③ wills visit ④ be goes to visit
⑤ is going to visit

[3–4] 다음 중 밑줄 친 부분이 잘못된 것을 고르세요.

3 ① He <u>will runs</u> fast.
  ② We <u>will not order</u> a pizza.
  ③ <u>Will Kelly stay</u> with us?
  ④ I <u>won't go</u> to the theater.
  ⑤ They <u>will be</u> angry at me.

4 ① It <u>is going to be</u> windy.
  ② I <u>be going to read</u> the book.
  ③ <u>Are</u> you <u>going to help</u> him?
  ④ She <u>is not going to buy</u> the bag.
  ⑤ Pitt and I <u>are going to go</u> swimming.

5 다음 문장의 부정문을 만들 때 **not**이 들어가기 적절한 곳은?

We ① are ② going ③ to ④ take a taxi ⑤.

Note

6 다음 우리말을 영어로 옮긴 것으로 알맞은 것은?

너는 내일 여기에 올 거니?

① Do you will come here tomorrow?
② Are you go to come here tomorrow?
③ Will you going to come here tomorrow?
④ Are you going to come here tomorrow?
⑤ Are you going to coming here tomorrow?

6 '내일'은 미래 시간 표현으로 미래형으로 나타내요.

7 다음 밑줄 친 부분의 쓰임이 나머지 넷과 <u>다른</u> 하나는?

① I <u>am going to</u> the library now.
② We <u>are going to</u> study hard.
③ He <u>is going to</u> cook dinner.
④ They <u>are going to</u> clean the house.
⑤ Clare <u>is going to</u> make apple pies.

7 pie 파이

be going to 미래형은 「주어+be going to+동사원형」의 형태예요.

8 다음 밑줄 친 부분을 바르게 고치세요.

1) Jessica and Ross will <u>are</u> happy.
2) They <u>not are</u> going to leave tonight.

9 다음 우리말과 일치하도록, 주어진 단어를 이용하여 문장을 완성하세요.

1) 내일 눈이 올 거예요. (will, snow, tomorrow)
   → It _____.
2) 너는 점심으로 햄버거를 먹을 거니? (will, eat)
   → _____ a hamburger for lunch?

9 hamburger 햄버거

10 다음 우리말과 일치하도록, 주어진 단어를 바르게 배열하세요.

그들은 그 집을 살 거야. (buy, are, the house, they, going to)
→ _____.

10 be going to 미래형은 「주어+be going to+동사원형」의 형태예요.

Take a break !

CROSSWORD PUZZLE을 풀어보세요.

Sports

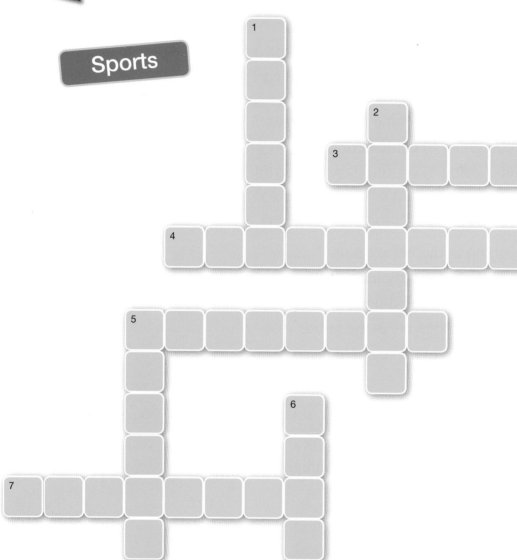

Down	Across
1 테니스	3 스키
2 스케이팅	4 농구
5 축구	5 수영
6 골프	7 야구

Chapter 3

조동사

Word Check

☐ report	☐ follow	☐ rule	☐ listen	☐ hurry
☐ solve	☐ problem	☐ enter	☐ park	☐ carefully
☐ pass	☐ exercise	☐ rest	☐ climb	☐ understand
☐ quiet	☐ touch	☐ lie	☐ exam	☐ remember

UNIT 01 조동사의 특징

조동사는 일반동사 또는 be동사의 앞에 붙어 '~할 수 있다'(능력), '~해야 한다'(의무), '~할 것이다'(미래) 등의 의미를 추가해주는 동사로 can, must, will 등이 조동사에 해당합니다.

❶ 조동사

주어의 인칭이나 수에 상관없이 같은 형태를 쓰고, 뒤에는 항상 동사원형이 옵니다.

> 주어+조동사+동사원형

I **can swim** in the sea. 나는 바다에서 수영할 수 있어요.

She **will visit** me tomorrow. 그녀는 내일 나를 방문할 거예요.

You **must go** to school. 너는 학교에 가야 해.

❷ 조동사의 부정문

조동사 뒤에 not을 씁니다.

> 주어+조동사+**not**+동사원형

I can speak English. 나는 영어를 말할 수 있어요.

→ I **cannot speak** English. 나는 영어를 말할 수 없어요.

He must work hard. 그는 열심히 일해야 해요.

→ He **must not** work hard. 그는 열심히 일하면 안 돼요.

plus 1

조동사의 부정문에서 조동사와 not은 줄여 쓸 수 있어요.

cannot → can't　　　will not → won't　　　must not → mustn't

❸ 조동사의 의문문

조동사를 주어 앞으로 보내고 문장 끝에 물음표를 붙입니다.

> 조동사+주어+동사원형 ~?

You can run fast. 너는 빨리 달릴 수 있어.

→ **Can you run** fast? 너는 빨리 달릴 수 있니?

He will call me. 그가 나에게 전화할 거예요.

→ **Will he** call me? 그가 나에게 전화할까요?

Warm up

1 다음 문장에서 조동사를 찾아 동그라미 하세요.

정답 및 해설 p.9

Words

- well 잘
- Spanish 스페인어
- wash 씻다

01 I (can) dance well.

나는 춤을 잘 출 수 있어요.

02 Will you help me?

너는 나를 도와줄 거니?

03 He will study hard.

그는 열심히 공부할 거예요.

04 My brothers can swim.

우리 오빠들은 수영할 수 있어요.

05 We must wear uniforms.

우리는 교복을 입어야 해요.

06 Can you play the piano?

너는 피아노를 칠 수 있니?

07 They can speak Spanish.

그들은 스페인어를 할 수 있어요.

08 I must do my homework.

나는 숙제를 해야 해요.

09 You must wash your hands.

너는 손을 씻어야 해.

10 The children will clean the house.

그 아이들이 집을 청소할 거예요.

Step up

조동사의 특징 학습하기

1 다음 괄호 안에서 알맞은 것을 고르세요.

정답 및 해설 p.9

- report 보고서, 리포트
- follow 따르다
- rule 규칙
- make a noise 떠들다

01 He ((can) / cans) drive a car.
그는 차를 운전할 수 있어요.

02 Can she (play / plays) tennis?
그녀는 테니스를 칠 수 있나요?

03 Will it (be / is) sunny tomorrow?
내일 화창할까요?

04 You (cannot / not can) sing well.
너는 노래를 잘 부르지 못해.

05 Tim (must / musts) get up early.
팀은 일찍 일어나야 해요.

06 I must (finish / finishing) my report.
나는 내 보고서를 끝내야 해요.

07 Sue (cans not / cannot) make cookies.
수는 쿠키를 만들 수 없어요.

08 They must (follow / following) the rule.
그들은 규칙을 따라야 해요.

09 You (not must / must not) make a noise.
너희들은 떠들면 안 돼.

10 The students (will not / not will) go to school.
그 학생들은 학교에 가지 않을 거예요.

2 다음 밑줄 친 부분이 올바르면 ○표, 틀리면 바르게 고치세요.

정답 및 해설 p.9

01 I <u>must go</u> now.   ○   _____
나는 지금 가야 해요.

02 We <u>not can</u> swim here.   _____
우리는 여기서 수영할 수 없어요.

03 I can <u>playing</u> the guitar.   _____
나는 기타를 연주할 수 있어요.

04 Sarah <u>cans</u> buy the book.   _____
사라는 그 책을 살 수 있어요.

05 He <u>can't</u> use a computer.   _____
그는 컴퓨터를 사용할 수 없어요.

06 <u>Can</u> you move the table?   _____
너는 그 탁자를 옮길 수 있니?

07 You must <u>listening</u> to me.   _____
너는 내 말을 들어야 해.

08 You <u>must not is</u> late for school.   _____
너는 학교에 늦으면 안 돼.

09 He <u>must not play</u> with a knife.   _____
그는 칼을 가지고 놀면 안 돼요.

10 My brother <u>musts</u> do the dishes.   _____
우리 오빠는 설거지해야 해요.

Words

• now 지금, 이제
• listen (귀 기울여) 듣다, 귀 기울이다
• knife 칼
• do the dishes 설거지하다

Jump up | 조동사 문장 완성하기

다음 문장을 주어진 지시대로 바꿔 쓰세요.

정답 및 해설 p.10

Words

- golf 골프
- hurry 서두르다
- solve 풀다
- problem 문제
- enter 들어가다
- building 빌딩, 건물
- clean the table 식탁을 치우다

01 I can skate well.

➡ 부정문 : <u>   I cannot[can't] skate well   </u>.

02 He can play golf.

➡ 부정문 : _____.

03 Angela must hurry.

➡ 부정문 : _____.

04 My mom can make pizza.

➡ 부정문 : _____.

05 You must call your parents.

➡ 부정문 : _____.

06 You can speak Chinese.

➡ 의문문 : _____?

07 Max can solve the problem.

➡ 의문문 : _____?

08 They can enter the building.

➡ 의문문 : _____?

09 I must clean the table.

➡ 의문문 : _____?

10 You must go home now.

➡ 의문문 : _____?

Build up–Writing

🍎 다음 주어진 조동사를 넣어 문장을 다시 쓰세요.

정답 및 해설 p.10

- chess 체스
- park 주차하다
- carefully 주의하여
- in class 수업시간에
- pass 합격하다, 통과하다
- exercise 운동하다
- regularly 규칙적으로

01 I draw well. (can)
→ _____ I can draw well _____.

02 Do you play chess? (can)
→ _____?

03 We are friends. (can)
→ _____.

04 They park here. (must, not)
→ _____.

05 He drives carefully. (must)
→ _____.

06 You eat in class. (must, not)
→ _____.

07 They pass the test. (cannot)
→ _____.

08 Does she read English? (can)
→ _____?

09 You watch this movie. (can't)
→ _____.

10 Rachel exercises regularly. (must)
→ _____.

조동사 can · must

can은 '~할 수 있다'라는 의미로 능력을 나타내고, must는 '~해야 한다'라는 의미로 의무를 나타냅니다.

1 능력의 조동사 can

긍정문	의미: '~할 수 있다' 형태: can 뒤에 동사원형을 써서 「주어+can+동사원형」
부정문	의미: '~할 수 없다' 형태: can 뒤에 not을 써서 「주어+cannot[can't]+동사원형」
의문문	의미: '~할 수 있니?' 형태: can을 주어 앞으로 보내고 문장 끝에 물음표를 붙여 　　「Can+주어+동사원형 ~?」 • 긍정의 대답: 「Yes, 주어(대명사)+can.」 • 부정의 대답: 「No, 주어(대명사)+can't.」

She **can speak** English. 그녀는 영어를 할 수 있어요.

➜ 부정문 She **cannot(=can't) speak** English. 그녀는 영어를 할 수 없어요.

➜ 의문문 **Can** she **speak** English? 그녀는 영어를 할 수 있나요?
　　　　Yes, she can. 네, 할 수 있어요. / **No, she can't.** 아니요, 못해요.

2 의무의 조동사 must

긍정문	의미: '~해야 한다' 형태: must 뒤에 동사원형을 써서 「주어+must+동사원형」
부정문	의미: '~하면 안 된다' 형태: must 뒤에 not을 써서 「주어+must not[mustn't]+동사원형」

You **must swim** here. 너는 여기서 수영을 해야 해.

➜ 부정문: You **must not(=mustn't) swim** here. 너는 여기서 수영을 하면 안 돼.

plus 1

must로 시작하는 의문문은 해야 하는 일에 불평을 나타낼 때 사용하지만, 자주 쓰이지는 않아요.

Must I do my homework now? 제가 지금 숙제를 해야 하나요?

Warm up

1 다음 우리말과 일치하도록, 빈칸에 can 또는 must를 쓰세요.

정답 및 해설 p.11

- rest 휴식
- take a rest 휴식을 취하다
- climb 오르다
- understand 이해하다
- quiet 조용한

01 I _____can_____ run very fast.

나는 매우 빨리 달릴 수 있어요.

02 You _____ take a rest.

너는 휴식을 취해야 해.

03 They _____ stay here.

그들은 여기에 머물러야 해요.

04 Alice _____ ride a bike.

앨리스는 자전거를 탈 수 있어요.

05 He _____ climb the tree.

그는 그 나무에 올라갈 수 있어요.

06 She _____ go home early.

그녀는 집에 일찍 들어가야 해요.

07 I _____ finish the report today.

나는 그 보고서를 오늘 끝내야 해요.

08 We _____ understand Chinese.

우리는 중국어를 이해할 수 있어요.

09 My sisters _____ play the violin.

우리 누나들은 바이올린을 연주할 수 있어요.

10 We _____ be quiet in the library.

우리는 도서관에서 조용해야 해요.

Step up can, must 형태와 의미 학습하기

1 다음 그림을 보고, 괄호 안에서 알맞은 것을 고르세요.

정답 및 해설 p.11

Words

- penguin 펭귄
- helmet 헬멧
- touch 만지다
- painting 그림
- umbrella 우산

01  The baby (can / (can't)) walk.

02 Penguins (can / cannot) fly.

03  She (can / can't) drive a bus.

04  The boy (can / cannot) ride a horse.

05 We (must / must not) swim here.

06 Peter (must / must not) wear a helmet.

07 You (must / must not) touch the painting.

08  She (must / must not) take an umbrella.

2 다음 괄호 안에서 알맞은 것을 고르세요.

정답 및 해설 p.11

• ski 스키를 타다
• lie 거짓말
• tell a lie 거짓말하다
• exam 시험
• too much 너무 많이
• remember 기억하다
• spaghetti 스파게티

01 Greg ((can) / cans) ski very well.
그레그는 스키를 매우 잘 탈 수 있어요.

02 I must (go / going) to bed early.
나는 일찍 잠을 자야 해요.

03 You (must not / not must) tell a lie.
너는 거짓말을 하면 안 돼.

04 He (musts / must) study for the exam.
그는 시험공부를 해야 해요.

05 Ann (must / must not) watch too much TV.
앤은 텔레비전을 너무 많이 보면 안 돼요.

06 I can't (remember / remembering) his name.
나는 그의 이름이 기억나지 않아요.

07 My grandfather (can / cannot) use a computer.
우리 할아버지는 컴퓨터를 사용할 수 없어요.

08 A: (Do can / Can) you make spaghetti?
너는 스파게티를 만들 수 있니?

　　B: No, I (don't / can't).
아니, 할 수 없어.

09 A: (Can Mike / Cans Mike) read English books?
마이크는 영어책을 읽을 수 있나요?

　　B: Yes, he (can / cans).
네, 할 수 있어요.

10 A: (The boys can / Can the boys) play soccer well?
그 소년들은 축구를 잘할 수 있나요?

　　B: Yes, they (do / can).
네, 할 수 있어요.

Jump up   can, must 문장 완성하기

🍎 다음 우리말과 일치하도록, 주어진 단어를 이용해서 문장을 완성하고 주어진 지시대로 문장을 바꿔 쓰세요.

정답 및 해설 **p.11**

Words

• answer 대답하다
• question 질문
• high 높이
• Italian 이탈리아의
• food 음식
• believe 믿다
• turn on 켜다
• light 불, (전)등

01 나는 피아노를 칠 수 있어요. (play)

I ___can___ ___play___ the piano.

➜ 부정문 : _____I cannot[can't] play the piano_____.

02 그녀는 그 질문에 대답할 수 있어요. (answer)

She _____ _____ the question.

➜ 부정문 : _____.

03 그는 그 자전거를 고칠 수 있어요. (fix)

He _____ _____ the bike.

➜ 부정문 : _____.

04 그 새들은 높이 날 수 있어요. (fly)

The birds _____ _____ high.

➜ 의문문 : _____?

05 수잔은 이탈리아 음식을 만들 수 있어요. (make)

Susan _____ _____ Italian food.

➜ 의문문 : _____?

06 너는 그를 믿어야 해. (believe)

You _____ _____ him.

➜ 부정문 : _____.

07 그는 여기에 와야 해요. (come)

He _____ _____ here.

➜ 부정문 : _____.

08 우리는 그 불을 켜야 해요. (turn)

We _____ _____ on the light

➜ 부정문 : _____.

Build up–Writing

다음 주어진 동사와 can 또는 can't를 이용하여 문장을 완성하세요.

정답 및 해설 p.12

01 My sister is a chef. She ___can cook___ well. (cook)

02 The sofa is too heavy. He _____ it. (move)

03 The question is too difficult. I _____ it. (solve)

04 Jane is smart. She _____ four languages. (speak)

05 I _____ you on Sunday. I will visit my uncle. (see)

· chef 요리사
· too 너무
· difficult 어려운
· smart 똑똑한, 영리한
· language 언어
· floor 바닥
· slippery 미끄러운
· traffic light 신호등
· stop 멈추다
· dirty 더러운
· waste 낭비하다

다음 주어진 동사와 must 또는 must not을 이용하여 문장을 완성하세요.

01 We ___must leave___ now. It's late. (leave)

02 The floor is slippery. You _____. (run)

03 The traffic light is red. You _____. (stop)

04 Kelly _____ her room. It is very dirty. (clean)

05 We don't have much time. We _____ time. (waste)

Wrap up

조동사 최종 점검하기

1 다음 우리말과 일치하도록, 밑줄 친 부분을 바르게 고쳐 쓰세요.

정답 및 해설 p.12

01 I can <u>jumping</u> rope.
나는 줄넘기할 수 있어요.

> jump

02 <u>Does he can</u> swim?
그는 수영할 수 있니?

03 She can <u>fixes</u> her car.
그녀는 자신의 차를 고칠 수 있어요.

04 The boy <u>cans</u> play tennis.
그 소년은 테니스를 칠 수 있어요.

05 You must <u>telling</u> the truth.
너는 진실을 말해야 해.

06 We <u>don't can</u> win the game.
우리는 그 경기에서 이길 수 없어요.

07 We <u>not must</u> waste money.
우리는 돈을 낭비하면 안 돼.

08 Daniel <u>musts</u> arrive on time.
다니엘은 제시간에 도착해야 해요.

09 You must <u>be not</u> late for the class.
너는 수업에 늦으면 안 돼.

10 Can you <u>finishing</u> your homework today?
너는 숙제를 오늘 끝낼 수 있니?

Words

- jump rope 줄넘기하다
- truth 진실, 사실
- on time 제시간에

2 다음 우리말과 일치하도록, 주어진 단어를 바르게 배열하세요.

정답 및 해설 p.12

Words

- hear 듣다, 들리다
- seatbelt 안전띠
- find 찾다, 발견하다
- German 독일어
- during ~동안
- save 절약하다, 저축하다
- future 미래
- fire 불
- lift 들다, 들어 올리다

01 너 내 말을 들을 수 있니? (can, hear, you)

➡ _____Can you hear_____ me?

02 너는 내 말을 들어야 해. (listen, you, must)

➡ _____ to me.

03 그는 파티에 올 수 있나요? (he, can, come)

➡ _____ to the party?

04 우리는 안전띠를 매야 해. (must, wear, we)

➡ _____ seatbelts.

05 그는 그의 개를 찾을 수 없어요. (cannot, he, find)

➡ _____ his dog.

06 나는 독일어를 매우 잘할 수 있어요. (can, I, speak)

➡ _____ German very well.

07 너는 수업 시간 동안 자면 안 돼. (you, not, sleep, must)

➡ _____ during class.

08 나는 미래를 위해서 돈을 저축해야 해요. (must, save, I)

➡ _____ money for the future.

09 아이들은 불장난하면 안 돼요. (not, kids, play, must)

➡ _____ with fire.

10 그 남자는 그 상자를 들 수 없어요. (lift, can't, the man)

➡ _____ the box.

Exercise 정답 및 해설 p.12

[1-2] 다음 빈칸에 들어갈 말로 알맞은 것을 고르세요.

1

The house is too expensive. He _____ it.

① can buy   ② cans buy   ③ can buys

④ can't buy   ⑤ not can buy

2

We have only ten minutes. We _____.

① must hurry   ② must hurries

③ must hurrying   ④ must not hurry

⑤ must hurry not

3 다음 빈칸에 들어갈 말로 알맞지 <u>않은</u> 것은?

David must _____.

① is careful   ② study hard

③ win the game   ④ stay at home

⑤ wash the dishes

[4-5] 다음 중 밑줄 친 부분이 <u>잘못된</u> 것을 고르세요.

4 ① I <u>can play</u> baseball well.

② The dog <u>can jump</u> high.

③ <u>Can you read</u> Japanese?

④ We <u>don't can run</u> very fast.

⑤ He <u>cannot come</u> home early.

5 ① I <u>must wear</u> a uniform.

② Julie <u>must go</u> to the dentist.

③ They <u>must be</u> here before ten.

④ You <u>must not watch</u> too much TV.

⑤ We <u>not must make</u> a noise in the library.

Note

1 expensive 비싼
능력의 조동사 부정형
이 필요해요.

2 only 오직, 단지
조동사 뒤에는 동사원
형이 와요.

3 careful 조심하는
조동사 뒤에는 동사원
형이 와요.

5 dentist 치과의사
make a noise 떠들
다

6 다음 우리말을 영어로 옮길 때 빈칸에 들어갈 말이 바르게 짝지어진 것은?

> • 나는 저 나무에 올라갈 수 있어.
>   ➡ I _____ climb that tree.
> • 그는 지금 집에 가야 해.
>   ➡ He _____ go home now.

① will – must　② can – will　③ can – must
④ must – can　⑤ must – will

7 다음 질문의 대답으로 알맞은 것은?

> A: Can you solve this puzzle?
> B: _____

① Yes, I am.　② Yes, I can.　③ Yes, I do.
④ No, I can.　⑤ No, I'm not.

8 다음 주어진 지시대로 문장을 바꿔 쓰세요.

> 1) You must study late at night. (부정문)
>   ➡ You _____ late at night.
> 2) She can play the drums. (의문문)
>   ➡ _____ the drums?

9 다음 밑줄 친 부분을 바르게 고치세요.

> 1) I'm not a good singer. I <u>can</u> sing well.
> 2) Ross needs our help. We <u>must not</u> help him.

10 다음 우리말과 일치하도록, 주어진 단어를 이용하여 문장을 완성하세요.

> 1) 나는 중국어를 말할 수 있어. (speak)
>   ➡ I _____ Chinese.
> 2) 우리는 거짓말을 하면 안 돼. (tell)
>   ➡ We _____ a lie.

6 puzzle 퍼즐
'~할 수 있다', '~해야 한다'라는 의미의 조동사를 찾아보세요.

7 can 의문문이에요.

8 study late 늦게까지 공부하다
drum 북, 드럼
조동사의 부정형은 조동사 뒤에 not을 붙이고, 의문문은 주어를 동사 앞으로 보내고 문장 끝에 물음표를 써요.

하루 일과를 영어로 어떻게 말하는지 알아보자!

wake up	일어나다
wash your face	세수하다
take a shower	샤워를 하다
dry your hair	머리를 말리다
brush your hair	머리를 빗다
eat breakfast	아침밥을 먹다
brush your teeth	이를 닦다
get dressed	옷을 입다
go to the bathroom	화장실에 가다

make your bed	잠자리를 정돈하다
go to school	학교에 가다
study	공부하다
have lunch	점심밥을 먹다
come home	집에 오다
do your homework	숙제 하다
have dinner	저녁밥을 먹다
take a bath	목욕하다
go to sleep	잠을 자다

Chapter 4

형용사와 부사

Word
Check

☐ lady	☐ best	☐ lovely	☐ hat	☐ honest
☐ lazy	☐ wrong	☐ coin	☐ number	☐ large
☐ happily	☐ soft	☐ safe	☐ loud	☐ wise
☐ again	☐ smile	☐ blow	☐ voice	☐ bark

형용사

형용사는 사람의 기분, 성격, 외모 또는 사물의 크기, 모양, 색, 수량, 특징 등을 나타내는 말이에요.

❶ 형용사의 쓰임과 위치

1) 명사 앞에 써서, 그 명사에 대해 자세히 설명합니다.

「관사+형용사+명사」 └ a, an, the	a **pretty** girl 예쁜 소녀 the **blue** sea 그 파란 바다
「소유격+형용사+명사」 └ ~의 (my, your, his, her ...)	my **cute** dog 내 귀여운 개 their **fast** car 그들의 빠른 차
「지시사+형용사+명사」 └ this, that, these, those	that **tall** tree 저 높은 나무 these **large** bags 이 큰 가방들

2) 동사 뒤에서 주어의 상태나 성질을 나타냅니다.

I'm **happy**. 나는 행복해요. (주어의 상태)

The girl is **kind**. 그 소녀는 친절해요. (주어의 성질)

❷ 수량형용사 many · much

many와 much는 '많은'이라는 의미로 명사의 수와 양을 나타내는 형용사입니다.

많은	**many**+셀 수 있는 명사의 복수형
	much+셀 수 없는 명사

I have **many books** in my room. 나는 내 방에 많은 책을 가지고 있어요.

She doesn't have **much money**. 그녀는 많은 돈을 가지고 있지 않아요.

 꼭 기억하기!

'얼마나 많은'이라는 의미로 수를 물을 때는 「How many+셀 수 있는 명사의 복수형」을 쓰고, 양을 물을 때는 「How much+셀 수 없는 명사」를 써요.

How many books do you have? 너는 얼마나 많은 책을 가지고 있니?

How much money does she have? 그녀는 얼마나 많은 돈을 가지고 있나요?

Warm up

1 다음 문장에서 형용사를 찾아 동그라미 하세요.

정답 및 해설 **p.13**

Words

- sad 슬픈
- tired 피곤한
- cold 차가운, 추운

01 I feel (sad).

나는 슬퍼요.

02 We are tired.

우리는 피곤해요.

03 I want cold water.

나는 차가운 물을 원해요.

04 You look beautiful.

너는 아름다워 보여.

05 He has a cute cat.

그는 귀여운 고양이가 있어요.

06 My parents are busy.

우리 부모님은 바쁘세요.

07 She has many friends.

그녀는 많은 친구가 있어요.

08 Ed is a good student.

에드는 훌륭한 학생이에요.

09 This is a difficult question.

이것은 어려운 문제예요.

10 Henry doesn't have much money.

헨리는 돈이 많지 않아요.

Step up 형용사의 위치와 쓰임 이해하기

1 다음 주어진 형용사를 넣어 다시 쓰세요.

정답 및 해설 p.13

01	a tree (tall)	a tall tree
02	the sky (blue)	
03	my baby (cute)	
04	that shirt (nice)	
05	her room (dirty)	
06	his hands (small)	
07	the lady (beautiful)	
08	your computer (new)	

Words

- lady 여성, 숙녀
- ugly 못생긴
- duck 오리
- fox 여우
- best 최고의, 제일 좋은
- bright 밝은
- lovely 사랑스러운

2 다음 주어진 단어를 바르게 배열하세요.

01	ugly, an, duck	an ugly duck
02	river, long, the	
03	day, a, sunny	
04	hungry, fox, a	
05	heavy, this, bag	
06	best, my, friend	
07	the, moon, bright	
08	dolls, lovely, these	

3 다음 괄호 안에서 알맞은 것을 고르세요.

정답 및 해설 p.13

- hat 모자
- honest 정직한

01 She reads ((many) / much) books.

그녀는 많은 책을 읽어요.

02 Do you have (many / much) time?

너 시간 많니?

03 He doesn't drink much (water / waters).

그는 물을 많이 마시지 않아요.

04 She wants (that red hat / red that hat).

그녀는 저 빨간 모자를 원해요.

05 How (many / much) animals are there?

얼마나 많은 동물이 있나요?

06 My mom buys many (tomato / tomatoes).

우리 엄마는 토마토를 많이 사세요.

07 They live in (a house big / a big house).

그들은 큰 집에 살아요.

08 How (many / much) money do you need?

너는 얼마나 많은 돈이 필요하니?

09 I can't lift (the heavy box / the box heavy).

나는 그 무거운 상자를 들을 수 없어요.

10 Mr. Patrick is an (man honest / honest man).

패트릭 씨는 정직한 사람이에요.

Jump up

 다음 〈보기〉에서 알맞은 단어를 골라 문장을 완성하세요.

정답 및 해설 p.14

보기

| new | poor | much | delicious | dirty |

Words

- poor 가난한
- cell phone 휴대 전화
- lazy 게으른
- lucky 행운의, 운이 좋은
- wrong 틀린, 잘못된
- answer 답, 대답
- coin 동전
- number 수, 숫자

01 이 케이크는 맛있어 보여요.

This cake looks __delicious__ .

02 나는 새 휴대 전화가 필요해요.

I need a _____ cell phone.

03 주디는 가난한 사람들을 도와줘요.

Judy helps _____ people.

04 나는 숙제가 많지 않아요.

I don't have _____ homework.

05 마이크는 더러운 셔츠를 입고 있어요.

Mike is wearing a _____ shirt.

보기

| many | tall | lazy | lucky | wrong |

06 그 소년은 게을러요.

The boy is _____.

07 그것은 틀린 답이야.

It is a _____ answer.

08 나는 동전이 많지 않아요.

I don't have _____ coins.

09 그녀는 그 키 큰 남자를 알아요.

She knows the _____ man.

10 8은 중국에서 행운의 숫자예요.

Eight is a _____ number in China.

Build up–Writing

🍎 다음 주어진 단어를 바르게 배열하여 문장을 완성하세요.

정답 및 해설 p.14

Words

- funny 재미있는
- people 사람들
- nice 멋진
- large 큰, 커다란
- grow 재배하다, 기르다

01 I like ___this funny story___.
(funny, this, story)

02 James is _____.
(doctor, a, good)

03 I will buy _____.
(pink, dress, that)

04 She doesn't drink _____.
(coffee, much)

05 People like _____.
(beautiful, her, songs)

06 Mr. Kim has _____.
(car, a, nice)

07 Can you see _____?
(the, koala, cute)

08 What are _____?
(boxes, large, those)

09 He grows _____.
(flowers, these, pretty)

10 There are _____ in the classroom.
(students, many)

부사

부사는 동사, 형용사, 다른 부사 등을 자세히 설명해 문장의 내용을 풍부하게 해주는 말입니다.

1 부사의 쓰임

주로 동사, 형용사, 다른 부사를 수식합니다.

He <u>walks</u> **slowly**. 그는 느리게 걸어요. (동사 수식)
I'm **very** <u>hungry</u>. 나는 정말 배고파요. (형용사 수식)
She runs **very** <u>fast</u>. 그녀는 정말 빨리 달려요. (다른 부사 수식)

2 부사의 형태

대부분의 부사는 형용사+-ly	kind 친절한 → kind**ly** 친절하게 quick 빠른 → quick**ly** 빠르게	sad 슬픈 → sad**ly** 슬프게 slow 느린 → slow**ly** 느리게
y로 끝나는 형용사는 y를 i로 바꾸고+-ly	happy 행복한 → happ**ily** 행복하게 lucky 운 좋은 → luck**ily** 운 좋게	easy 쉬운 → eas**ily** 쉽게 busy 바쁜 → bus**ily** 바쁘게
형용사와 부사가 같은 형태	fast 빠른 → fast 빨리 high 높은 → high 높이	late 늦은 → late 늦게 early 이른 → early 일찍

3 빈도부사

주어가 동사의 행동을 '얼마나 자주'하는지 나타내는 부사로, 동사의 종류에 따라 위치가 달라집니다.

always	항상, 언제나	
usually	대개, 보통	조동사 뒤
often	자주, 종종	→ be동사 뒤
sometimes	가끔, 때때로	일반동사 앞
never	절대로 ~않는	

I will **always** love you. 나는 항상 너를 사랑할 거야.
He **often** misses the bus. 그는 종종 그 버스를 놓쳐요.
She is **sometimes** late for school. 그녀는 가끔 학교에 늦어요.

Warm up

1 다음 문장에서 부사를 찾아 동그라미 하세요.

정답 및 해설 p.14

Words

- happily 행복하게
- carefully 주의하여, 조심스럽게
- move 움직이다
- carrot 당근

01 They live (happily).

그들은 행복하게 살아요.

02 He can swim well.

그는 수영을 잘할 수 있어요.

03 Emily speaks fast.

에밀리는 빨리 말해요.

04 The bird flies high.

그 새는 높이 날아요.

05 Linda is very kind.

린다는 매우 친절해요.

06 She is always busy.

그녀는 항상 바빠요.

07 I get up late every day.

나는 매일 늦게 일어나요.

08 Richard drives carefully.

리처드는 조심해서 운전해요.

09 The train is moving slowly.

기차가 천천히 움직이고 있어요.

10 My brother never eats carrots.

내 남동생은 절대로 당근을 먹지 않아요.

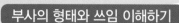tep up   부사의 형태와 쓰임 이해하기

1 다음 형용사의 부사 형태를 쓰세요.

정답 및 해설 p.14

01	kind	kindly	16	wise	
02	soft		17	warm	
03	happy		18	deep	
04	nice		19	busy	
05	sweet		20	late	
06	slow		21	brave	
07	lucky		22	careful	
08	quiet		23	angry	
09	real		24	bad	
10	safe		25	heavy	
11	fast		26	quick	
12	loud		27	early	
13	sad		28	strange	
14	great		29	beautiful	
15	easy		30	sudden	

Words

- soft 부드러운
- real 진짜의
- safe 안전한
- loud (소리가) 큰, 시끄러운
- great 훌륭한
- wise 지혜로운, 현명한
- deep 깊은
- bad 나쁜
- quick 빠른
- strange 이상한
- sudden 갑작스러운

2 다음 괄호 안에서 알맞은 것에 동그라미 하세요.

정답 및 해설 p.15

• kindly 친절하게
• again 다시

01 She walks ((fast) / fastly).

그녀는 빨리 걸어요.

02 They (kind / kindly) help me.

그들은 친절하게 나를 도와줘요.

03 The tea is (very hot / hot very).

차가 정말 뜨거워요.

04 Tim speaks English (good / well).

팀은 영어를 잘해요.

05 I (often clean / clean often) my room.

나는 자주 내 방을 청소해요.

06 It (usually is / is usually) cold in winter.

겨울에는 보통 추워요.

07 Eric (is sometimes / sometimes is) sick.

에릭은 가끔 아파요.

08 Kangaroos can jump very (high / highly).

캥거루는 매우 높이 점프할 수 있어요.

09 I (will never / never will) talk to him again.

나는 다시는 그에게 말하지 않을 거예요.

10 The class (always starts / starts always) at 9.

그 수업은 항상 9시에 시작해요.

Jump up

다음 주어진 빈도부사를 넣어 문장을 다시 쓰세요.

정답 및 해설 p.15

Words

- get up 일어나다
- be absent from ~ 에 결석하다
- after school 방과 후에
- forget 잊어버리다

01 I get up at 7. (usually)

➡ _____ I usually get up at 7 _____.

02 He will come back. (never)

➡ _____.

03 They will miss you. (always)

➡ _____.

04 She is late for school. (often)

➡ _____.

05 It is hot in summer. (always)

➡ _____.

06 I am absent from school. (never)

➡ _____.

07 He goes to school by bus. (usually)

➡ _____.

08 The bird can say "Hi." (sometimes)

➡ _____ "Hi."

09 We play soccer after school. (often)

➡ _____.

10 The teacher forgets my name. (sometimes)

➡ _____.

Build up-Writing

🍎 다음 우리말과 일치하도록, 주어진 단어를 바르게 배열하세요.

정답 및 해설 p.15

· heavily 심하게
· boring 재미없는, 지루한

01 나는 항상 행복해요. (am, I, happy, always)

→ _____I am always happy_____.

02 비가 세차게 내려요. (rains, it, heavily)

→ _____.

03 그는 일찍 자요. (early, goes to bed, he)

→ _____.

04 너는 항상 빨리 말해. (speak, fast, you, always)

→ _____.

05 그녀는 수영을 아주 잘해요. (swims, very, well, she)

→ _____.

06 그 시험은 정말 어려워요. (difficult, the test, very, is)

→ _____.

07 그 책은 정말로 재미없어요. (boring, the book, really, is)

→ _____.

08 우리 아버지는 열심히 일하세요. (works, hard, my father)

→ _____.

09 그는 절대 닭고기를 먹지 않아요. (never, chicken, eats, he)

→ _____.

10 그녀는 종종 그녀의 이모에게 전화해요. (call, often, her aunt, she)

→ _____.

Wrap up unit 1- unit 2 형용사와 부사 최종 점검하기

정답 및 해설 p.15

1 다음 괄호 안에서 알맞은 것을 고르세요.

01 She smiles (happy / happily).
그녀는 행복하게 웃어요.

02 He is a (brave / bravely) man.
그는 용감한 남자입니다.

03 This is a (fresh / freshly) apple.
이것은 신선한 사과입니다.

04 I (real / really) want a pet dog.
나는 정말 애완견을 가지고 싶다.

05 She tells me a (sad / sadly) story.
그녀는 나에게 슬픈 이야기를 해줘요.

06 The teacher speaks (quiet / quietly).
그 선생님은 조용하게 말해요.

07 Trees grow (quick / quickly) in summer.
여름에는 나무들이 빨리 자라요.

08 Jane (is never / never is) late for school.
제인은 절대로 학교에 늦지 않아요.

09 The baby likes the (sweet / sweetly) candy.
그 아기는 그 달콤한 사탕을 좋아해요.

10 He (often visits / visits often) his grandparents.
그는 자주 조부모님을 방문해요.

Words

- smile 웃다, 미소를 짓다
- fresh 신선한
- pet dog 애완견
- quietly 조용하게
- sweet 달콤한
- grandparents 조부모

2 다음 괄호 안에 주어진 단어를 알맞은 곳에 쓰세요.

정답 및 해설 p.15

01 (kind, kindly)
She answers ____kindly____.
My teacher is very ____kind____.

02 (soft, softly)
I like _____ bread.
The wind blows _____.

03 (easy, easily)
It is an _____ question.
I can _____ solve the problem.

04 (quick, quickly)
The boy swims _____.
She wants a _____ answer.

05 (safe, safely)
This is a _____ car.
My father always drives _____.

06 (beautiful, beautifully)
Tina has a _____ voice.
The girl sings _____.

07 (loud, loudly)
Mike listens to _____ music.
The dog barks _____.

Words
· answer 대답하다
· blow (바람이) 불다
· question 질문
· voice 목소리
· bark 짖다

Exercise

정답 및 해설 p.16

1 다음 중 형용사가 <u>아닌</u> 것은?

① beautiful   ② small   ③ cold

④ love   ⑤ cute

2 다음 중 부사가 <u>아닌</u> 것은?

① very   ② well   ③ always

④ kindly   ⑤ angry

3 다음 중 형용사와 부사가 <u>잘못</u> 짝지어진 것은?

① happy - happyly   ② soft - softly

③ slow - slowly   ④ quick - quickly

⑤ loud - loudly

4 다음 빈칸에 공통으로 들어갈 말로 알맞은 것은?

> • How _____ money do you have?
>
> • We don't have _____ time.

① big   ② much   ③ short

④ many   ⑤ great

[5–6] 다음 밑줄 친 부분이 <u>잘못된</u> 것을 고르세요.

5 ① Sally is <u>a girl smart</u>.

② I like <u>this yellow bag</u>.

③ This is <u>my cute sister</u>.

④ <u>These dirty socks</u> smell bad.

⑤ My mother reads <u>many books</u>.

Note

1 형용사는 명사를 수식하거나 주어의 상태나 성질을 나타내요.

2 부사는 동사, 형용사, 다른 부사를 수식해요.

4 뒤에 셀 수 없는 명사가 있어요.

5 socks 양말
smell 냄새가 나다
「관사/소유격/지시사+형용사+명사」의 어순으로 써요.

6
① He runs very <u>fastly</u>.
② Ted plays the piano <u>well</u>.
③ She spends money <u>wisely</u>.
④ The children walk <u>slowly</u>.
⑤ The woman sings <u>beautifully</u>.

7 다음 중 빈도부사의 위치가 바르지 <u>않은</u> 문장은?

① I am always sleepy.
② I will never tell a lie again.
③ He sometimes sees his friends.
④ She is often tired in the afternoon.
⑤ They usually are busy on weekends.

8 다음 밑줄 친 부분을 바르게 고치세요.

1) It is snowing <u>heavy</u>.
2) I like <u>green your shirt</u>.
3) There aren't <u>much</u> cars on the street.

9 다음 괄호 안에서 알맞은 것을 고르세요.

1) Michelle is a (quiet / quietly) girl. She speaks (quiet / quietly).

2) Dave always gets up (late / lately). He is always (late / lately) for school.

10 다음 우리말과 일치하도록, 주어진 단어를 바르게 배열하여 문장을 완성하세요.

1) 나는 종종 라디오를 들어요. (I, listen to, often, the radio)
   ➜ _____.
2) 그는 저 오래된 트럭을 운전해요. (drives, old, that, truck, he)
   ➜ _____.

Note

6 spend (돈을) 쓰다
  wisely 현명하게
  부사가 형태로 바르지 않
  은 것을 찾아보세요.

7 sleepy 졸린
  빈도부사는 be동사, 조
  동사의 뒤, 일반동사의
  앞에 와요.

8 street 거리

형용사에 반의어
CROSSWORD PUZZLE을 풀어보세요.

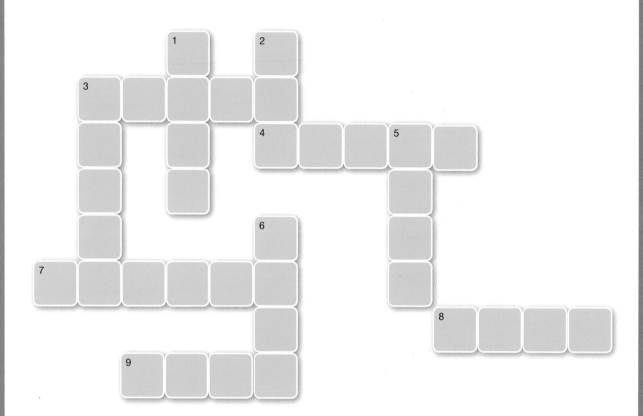

Down	Across
1 slow의 반의어	3 big의 반의어
2 new의 반의어	4 clean의 반의어
3 tall의 반의어	7 weak의 반의어
5 fat의 반의어	8 warm의 반의어
6 beautiful의 반의어	9 difficult의 반의어

Chapter 5

be동사의 과거형

Word Check

- [ ] now
- [ ] yesterday
- [ ] classmate
- [ ] small
- [ ] popular
- [ ] mailbox
- [ ] weak
- [ ] surprised
- [ ] same
- [ ] team
- [ ] ticket
- [ ] free
- [ ] rude
- [ ] sport
- [ ] tasty
- [ ] warm
- [ ] designer
- [ ] fun
- [ ] news
- [ ] playground

be동사의 과거형

현재형은 일반적인 사실, 현재의 상태나 상황을 나타낼 때 쓰고, 과거형은 이미 지나간 과거의 상태나 상황을 나타낼 때 씁니다. be동사의 현재형은 am, are, is이고, 과거형은 was, were입니다.

❶ be동사의 과거형

am, is의 과거형은 was, are의 과거형은 were이고, '~이었다', '(~에) 있었다', '~했다'로 해석합니다.

주어의 형태	현재형	과거형
I	am	was
He, She, It, This, That, 단수 명사	is	was
You, We, They, These, Those, 복수 명사	are	were

I **am** in the kitchen. (현재) 나는 부엌에 있어요.

→ I **was** in the kitchen. (과거) 나는 부엌에 있었어요.

She **is** busy. (현재) 그녀는 바빠요.

→ She **was** busy. (과거) 그녀는 바빴어요.

We **are** students. (현재) 우리는 학생이에요.

→ We **were** students. (과거) 우리는 학생이었어요.

plus 1

인칭대명사와 be동사의 과거형은 줄여 쓸 수 없어요.

I was in my room. (○) 나는 내 방에 있었어요.
I~~'as~~ in my room. (×)
We were friends. (○) 우리는 친구였어요.
~~We're~~ friends. (×)

꼭 기억하기!

과거형은 yesterday(어제), last ~(지난 ~), ~ ago(~ 전에), then(그때) 등 과거를 나타내는 표현과 함께 쓸 수 있어요.

I **was** late for school <u>yesterday</u>. 나는 어제 학교에 지각했어요.
They **were** in Hawaii <u>last summer</u>. 그들은 지난여름에 하와이에 있었어요.

Warm up

1 다음 문장이 과거형인 경우 ○, 현재형인 경우 △ 표시하세요.

정답 및 해설 p.17

01 I am happy.
나는 행복해요.   △

I was sad.
나는 슬펐어요.   ○

02 It was hot yesterday.
어제는 더웠어요.   _____

It is rainy today.
오늘은 비가 와요.   _____

03 He is a doctor now.
그는 지금 의사예요.   _____

He was a nurse.
그는 간호사였어요.   _____

04 We are in London.
우리는 런던에 있어요.   _____

We were in Paris.
우리는 파리에 있었어요.   _____

05 You were in the garden.
너는 정원에 있었어.   _____

You are in the kitchen now.
너는 지금 부엌에 있어.   _____

06 They are teachers.
그들은 선생님이에요.   _____

They were my students.
그들은 내 학생들이었어요.   _____

Words

· yesterday 어제
· today 오늘
· now 지금, 이제

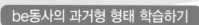

Step up

1 다음 괄호 안에서 알맞은 것을 고르세요.

정답 및 해설 p.17

Words

- classmate 반 친구, 급우
- small 작은

01 I (**was** / were) angry.
나는 화가 났어요.

02 You (was / were) sick.
너는 아팠어.

03 It (was / were) snowy.
눈이 내렸어요.

04 Tom (was / were) fat.
톰은 뚱뚱했어요.

05 They (was / were) lucky.
그들은 운이 좋았어요.

06 We (was / were) at home.
우리는 집에 있었어요.

07 This (was / were) his house.
이것은 그의 집이었어요.

08 Cindy (was / were) my classmate.
신디는 내 반 친구였어요.

09 The boys (was / were) in the park.
그 소년들은 공원에 있었어요.

10 These puppies (was / were) small.
이 강아지들은 작았어요.

2 다음 빈칸에 was 또는 were를 쓰세요.

정답 및 해설 p.17

01 She _____was_____ a singer.
그녀는 가수였어요.

02 The dog _____ hungry.
그 개는 배가 고팠어요.

03 Ross _____ in his room.
로스는 자기 방에 있었어요.

04 It _____ hot yesterday.
어제는 더웠어요.

05 The girls _____ excited.
그 소녀들은 신이 나 있었어요.

06 You _____ in the library.
너는 도서관에 있었어.

07 The food _____ delicious.
그 음식은 맛있었어요.

08 My parents _____ in China.
우리 부모님은 중국에 계셨어요.

09 These books _____ interesting.
이 책들은 재미있었어요.

10 I _____ an elementary school student.
나는 초등학교 학생이었어요.

Words

· excited 신이 난, 흥분한

· elementary school 초등학교

Jump up

be동사의 과거형 문장 완성하기

🍎 다음 현재형 문장을 과거형 문장으로 바꿔 쓰세요.

정답 및 해설 p.17

Words

- sixth 여섯 번째
- grade 학년; 등급
- grape 포도
- famous 유명한
- actress 여배우
- popular 인기 있는

01 We are in Canada.
→ _____We were in Canada_____.

02 I am in sixth grade.
→ _____.

03 Brian is my student.
→ _____.

04 The grapes are fresh.
→ _____.

05 It is snowy and cold.
→ _____.

06 These are on the table.
→ _____.

07 She is a famous actress.
→ _____.

08 They are popular singers.
→ _____.

09 The pencils are on my desk.
→ _____.

10 My uncle is an English teacher.
→ _____.

Build up-Writing

다음 주어진 단어와 be동사의 과거형을 이용해서 문장을 완성하세요.

정답 및 해설 p.17

Words

- shy 부끄럼을 많이 타는
- broken 고장 난, 깨진
- mailbox 우편함

01 _____ I was _____ 12 years old. (I)

02 _____ shy boys. (they)

03 _____ dirty. (my room)

04 _____ in New York. (we)

05 _____ a boring movie. (it)

06 _____ nice. (the weather)

07 _____ difficult. (the exam)

08 _____ broken. (the computer)

09 _____ my best friends. (these)

10 _____ in your bag. (the books)

11 _____ on the bus. (Ben and Ann)

12 _____ in the mailbox. (the letters)

UNIT 02

be동사 과거형의 부정문과 의문문

be동사 과거형 부정문은 be동사의 과거형 뒤에 not을 붙이고, be동사 과거형 의문문은 be동사의 과거형을 주어 앞으로 보내고, 문장의 끝에 물음표를 붙입니다.

❶ be동사 과거형 문장의 부정문

의미	'~가 아니었다', '(~에) 있지 않았다', '~하지 않았다'
형태	be동사(was, were)의 뒤에 not을 붙여 「주어+be동사의 과거형(was, were)+not」

I was in my room. 나는 내 방에 있었어요.

→ I **was not** in my room. 나는 내 방에 있지 않았어요.

They were tired. 그들은 피곤했어요.

→ They **were not** tired. 그들은 피곤하지 않았어요.

 꼭 기억하기!

was not은 wasn't로, were not은 weren't로 줄여 쓸 수 있어요!

I **was not**(=**wasn't**) sick. 나는 아프지 않았어요.

They **were not**(=**weren't**) singers. 그들은 가수가 아니었어요.

❷ be동사 과거형의 의문문과 대답

의미	'~이었니?', '(~에) 있었니?', '~했니?'
형태	be동사(was, were)를 주어 앞으로 보내고, 문장의 맨 뒤에 물음표를 붙여 「Be동사의 과거형(Was, Were)+주어 ~?」 • 긍정의 대답: 「Yes, 주어(대명사)+was/were.」 • 부정의 대답: 「No, 주어(대명사)+wasn't/weren't.」

They were at school. 그들은 학교에 있었어요.

→ **Were they** at school? 그들은 학교에 있었나요?

　Yes, they were. 네, 그래요. / **No, they weren't.** 아니요, 그렇지 않았어요.

She was a teacher. 그녀는 선생님이었어요.

→ **Was she** a teacher? 그녀는 선생님이었나요?

　Yes, she was. 네, 그래요. / **No, she wasn't.** 아니요, 그렇지 않았어요.

Warm up

1 다음 문장을 부정문으로 만들 때, 빈칸에 알맞은 말을 쓰세요.

정답 및 해설 p.18

01 I was at home.

→ I <u>was</u> <u>not</u> at home.

02 The boy was weak.

→ The boy _____ _____ weak.

03 She was my teacher.

→ She _____ _____ my teacher.

04 We were at the party.

→ We _____ _____ at the party.

05 The shoes were new.

→ The shoes _____ _____ new.

___Words___

• weak 약한, 나약한

2 다음 문장을 의문문으로 만들 때, 빈칸에 알맞은 말을 쓰세요.

01 You were sick.

→ <u>Were</u> you sick?

02 He was in his room.

→ _____ he in his room?

03 The weather was good.

→ _____ the weather good?

04 The boxes were heavy.

→ _____ the boxes heavy?

05 They were popular singers.

→ _____ they popular singers?

Step up

be동사 과거형 부정문, 의문문 이해하기

1 다음 빈칸에 wasn't 또는 weren't를 쓰세요.

정답 및 해설 p.18

01 I ___wasn't___ hungry.
나는 배고프지 않았어요.

02 It _____ my car.
그것은 내 차가 아니었어요.

03 They _____ in the gym.
그들은 체육관에 있지 않았어요.

04 My sister _____ in Seoul.
우리 언니는 서울에 있지 않았어요.

05 The cap _____ expensive.
그 모자는 비싸지 않았어요.

06 She _____ a good student.
그녀는 좋은 학생이 아니었어요.

07 We _____ good at English.
우리는 영어를 잘하지 않았어요.

08 My parents _____ at work.
우리 부모님은 회사에 계시지 않았어요.

09 Michelle and Judy _____ surprised.
미셸과 주디는 놀라지 않았어요.

10 The students _____ in the same team.
그 학생들은 같은 팀에 있지 않았어요.

Words

- gym 체육관
- good at ~을 잘하는
- surprised 놀란
- same 같은
- team 팀, 단체

2 다음 대화의 빈칸에 알맞은 말을 쓰세요.

정답 및 해설 p.18

- sunny 화창한
- ticket 표, 티켓
- store 가게
- open (문이) 열려 있는
- yours 너의 것

01 A: ___Was___ he sick yesterday? 그는 어제 아팠나요?
B: No, he wasn't. 아니요, 그렇지 않았어요.

02 A: _____ it sunny yesterday? 어제 화창했나요?
B: Yes, it was. 네, 그랬어요.

03 A: _____ the books interesting? 그 책들은 재미있었나요?
B: Yes, they were. 네, 그랬어요.

04 A: _____ the tickets expensive? 표가 비쌌나요?
B: No, they weren't. 아니요, 그렇지 않았어요.

05 A: Was the store open? 그 가게는 문을 열었었나요?
B: Yes, it _____. 네, 그랬어요.

06 A: Was his father busy? 그의 아버지는 바쁘셨나요?
B: No, he _____. 아니요, 그렇지 않았어요.

07 A: Was the food delicious? 음식은 맛있었나요?
B: Yes, _____ _____. 네, 그랬어요.

08 A: Were they in the kitchen? 그들은 부엌에 있나요?
B: No, they _____. 아니요, 그렇지 않았어요.

09 A: Were you late for school? 너는 학교에 지각했니?
B: No, _____ _____. 아니, 그렇지 않았어.

10 A: Were these balls yours? 이 공들은 너의 것이었니?
B: No, _____ _____. 아니, 그렇지 않았어.

Jump up · be동사의 부정문, 의문문 완성하기

다음 문장을 주어진 지시대로 바꿔 쓰세요.

정답 및 해설 p.19

Words

• with ~와 함께, 같이
• free 한가한
• beach 해변
• hero 영웅
• rude 무례한
• movie star 영화배우

01 The test was easy.

→ 부정문 : ___The test was not[wasn't] easy___ .

02 I was with my friends.

→ 부정문 : _____ .

03 Kevin was free yesterday.

→ 부정문 : _____ .

04 Luise and I were on the beach.

→ 부정문 : _____ .

05 They were quiet in the library.

→ 부정문 : _____ .

06 He was your hero.

→ 의문문 : _____ ?

07 The kids were rude.

→ 의문문 : _____ ?

08 She was a movie star.

→ 의문문 : _____ ?

09 You were absent from school.

→ 의문문 : _____ ?

10 The boys were in the classroom.

→ 의문문 : _____ ?

Build up–Writing

다음 우리말과 일치하도록, 주어진 단어를 이용하여 문장을 완성하세요.

정답 및 해설 p.19

Words

- sport 운동
- tasty 맛있는
- warm 따뜻한
- designer 디자이너
- concert 콘서트, 연주회

01 나는 학교에 없었어요. (I)

_____I was not[wasn't]_____ at school.

02 너희들은 박물관에 있었니? (you)

_____ in the museum?

03 그들은 운동을 잘하지 않았어요. (they)

_____ good at sports.

04 아인슈타인은 과학자였나요? (Einstein)

_____ a scientist?

05 고양이들이 지붕에 있었나요? (the cats)

_____ on the roof?

06 그 케이크는 맛이 없었어요. (the cake)

_____ tasty.

07 내 커피는 따뜻하지 않았어요. (my coffee)

_____ warm.

08 아이들은 신이 나 있었나요? (the children)

_____ excited?

09 그녀의 어머니는 디자이너셨나요? (her mother)

_____ a designer?

10 제이슨과 나는 콘서트에 없었어요. (Jason and I)

_____ at the concert.

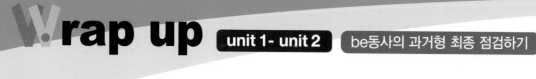

1 다음 우리말과 일치하도록, 밑줄 친 부분을 바르게 고쳐 쓰세요.

정답 및 해설 p.19

• comic book 만화책
• fun 재미있는
• last night 어젯밤
• post office 우체국
• far 먼

01 <u>Was</u> these shoes new?

이 신발들이 새것이었니?

> Were

02 I <u>not was</u> a soccer player.

나는 축구 선수가 아니었어요.

03 Fred <u>weren't</u> at the airport.

프레드는 공항에 없었어요.

04 The comic books <u>wasn't</u> fun.

그 만화책들은 재미있지 않았어요.

05 <u>Is</u> he at the party last night?

그는 어젯밤 파티에 있었나요?

06 <u>Were</u> she your English teacher?

그녀는 너의 영어 선생님이셨니?

07 We <u>are</u> at Jeff's house yesterday.

우리는 어제 제프의 집에 있었어.

08 Her brothers <u>not were</u> kind to me.

그녀의 오빠들은 나에게 친절하지 않았어요.

09 The post office <u>were</u> far from here.

우체국은 여기서 멀었어요.

10 Anna and Jane <u>was</u> here last week.

애나와 제인은 지난주에 여기에 있었어요.

2 다음 우리말과 일치하도록, 주어진 단어를 이용하여 문장을 완성하세요.

정답 및 해설 p.20

01 나는 그때 욕실에 있었어요. (I)

➡ _____ I was _____ in the bathroom then.

02 그녀는 수학을 못했어요. (she, poor)

➡ _____ at math.

03 너 버스 정류장에 있었니? (you)

➡ _____ at the bus stop?

04 어젯밤에 비가 내렸니? (it, rainy)

➡ _____ last night?

05 우드 씨는 작가였나요? (Mr. Wood)

➡ _____ a writer?

06 저것들은 내 것이 아니었어요. (those)

➡ _____ mine.

07 우리 언니들은 간호사였어요. (my sisters)

➡ _____ nurses.

08 그는 어제 피곤하지 않았어요. (he, tired)

➡ _____ yesterday.

09 그들은 지난겨울에 시드니에 있지 않았어요. (they)

➡ _____ in Sydney last winter.

10 네 부모님은 그 소식에 행복해 하셨니? (your parents, happy)

➡ _____ at the news?

Words

• bathroom 욕실, 화장실

• be poor at ~에 서투르다, ~을 못하다

• mine 나의 것

• Sydney 시드니(오스트레일리아의 항구 도시)

• news 소식, 뉴스

1 다음 중 be동사의 과거형으로 알맞은 것을 두 개 고르면?

① am   ② are   ③ is

④ was   ⑤ were

2 다음 빈칸에 들어갈 말로 알맞지 <u>않은</u> 것은?

> Tom was busy _____.

① then   ② tomorrow   ③ yesterday

④ last week   ⑤ two hours ago

3 다음 빈칸에 공통으로 들어갈 말로 알맞은 것은?

> • I _____ at home.
>
> • The boy _____ on the playground.

① is   ② am   ③ are

④ was   ⑤ were

4 다음 질문에 대한 대답으로 알맞은 것은?

> A: Was the girl with her parents?
> B: _____

① Yes, she was.   ② Yes, she wasn't.   ③ Yes, she were.

④ No, she was.   ⑤ No, she weren't.

5 다음 빈칸에 들어갈 말이 나머지 넷과 <u>다른</u> 하나는?

① We _____ in the garden.

② These books _____ interesting.

③ The shirt _____ $5 yesterday.

④ Ben and I _____ at school at 2.

⑤ They _____ my classmates last year.

Note

2 then 그때
   ago ~전에
   was는 be동사의 과거형으로 과거 시간 표현이 와야 해요.

3 playground 운동장
   1인칭 단수, 단수 명사와 함께 쓰는 be동사의 과거형을 생각해 보세요.

4 be동사 과거형 의문문이고, 주어가 the girl이에요.

5 주어의 수가 다른 하나를 찾아보세요.

[6–7] 다음 밑줄 친 부분이 잘못된 것을 고르세요.

6
① My friends <u>was</u> at the party.
② Her parents <u>were</u> painters.
③ We <u>were</u> full after dinner.
④ The man <u>was</u> strong.
⑤ He <u>was</u> in his room.

7
① I <u>was not</u> lonely.
② <u>Was</u> the boys hungry?
③ <u>Were</u> they on vacation?
④ She <u>was not</u> a photographer.
⑤ They <u>were not</u> in the theater.

8 다음 빈칸에 알맞은 be동사를 쓰세요.

> 1) My sisters _____ very busy then.
> 2) I _____ at the museum yesterday.
> 3) _____ he 10 years old last year?
> 4) We _____ not tired last night.

9 다음 빈칸에 알맞은 말을 써서 대화를 완성하세요.

> A: _____ it snowy yesterday?
> B: No, it _____. It _____ rainy.

10 다음 문장을 주어진 지시대로 바꿔 쓰세요.

> 1) Paul was sick last weekend. (부정문)
>   ➞ _____.
> 2) They were tennis players. (의문문)
>   ➞ _____?

Note

6 painter 화가
full 배부른, 가득한
strong 힘이 센, 튼튼한

7 lonely 외로운
on vacation 휴가 중인
photographer 사진
작가
theater 극장

8 then, yesterday, last
year, last night는 모
두 과거 시간 표현이
에요.

9 It은 3인칭 단수이고,
부정의 대답이에요.

Review Test Chapter 1~5

1 다음 주어진 단어를 이용하여 현재진행형 문장을 완성하세요.

01 _____I am writing_____ a letter. (I, write) 나는 편지를 쓰고 있어요.

02 _____? (the food, burn) 음식이 타고 있나요?

03 _____ on her bed. (she, lie) 그녀는 침대에 누워 있어요.

04 _____ to school. (he, run, not) 그는 학교로 달려가고 있지 않아요.

05 _____ ice cream. (you, eat, not) 너는 아이스크림을 먹고 있지 않아.

06 _____ baseball. (the boys, play) 그 소년들은 야구를 하고 있어요.

07 _____ to the music? (they, dance) 그들은 음악에 맞춰 춤추고 있나요?

2 다음을 현재진행형 문장으로 바꿔 쓰세요.

01 I cook dinner.
➡ _____I am cooking dinner_____.

02 They wait for you.
➡ _____.

03 He swims in the lake.
➡ _____.

04 Anna sits on the floor.
➡ _____.

05 The girls make paper dolls.
➡ _____.

1 다음 주어진 단어를 이용하여 미래형 문장을 완성하세요.　　　　　　　Chapter 2

01　I _____will call_____ you later. (will, call)

02　You _____ his music. (will, like)

03　She _____ to the party. (will, come)

04　We _____ a train. (be going to, take)

05　I _____ to Europe. (be going to, travel)

06　Max _____ history at college. (be going to, study)

2 다음 문장을 주어진 지시대로 바꿔 쓰세요.

01　I will watch TV.
　　→ 부정문 : _____I will not[won't] watch TV_____ .

02　Jeff will win the contest.
　　→ 부정문 : _____ .

03　He is going to move soon.
　　→ 부정문 : _____ .

04　You will help me with my report.
　　→ 의문문 : _____ ?

05　They are going to visit us tomorrow.
　　→ 의문문 : _____ ?

06　It is going to be sunny this afternoon.
　　→ 의문문 : _____ ?

Review Test

1 다음 우리말과 일치하도록, 주어진 단어를 이용하여 문장을 완성하세요.

01 <u>   I can play   </u> the cello. (I, play)
나는 첼로를 연주할 수 있어요.

02 _____ now. (we, leave)
우리는 지금 떠나야 해요.

03 _____ lies. (you, tell, not)
너는 거짓말을 하면 안 돼.

04 _____ Korean. (they, speak, not)
그들은 한국어를 말할 수 없어요.

05 _____ the question? (you, answer)
너는 그 질문에 대답할 수 있니?

06 _____ my homework tonight. (I, finish)
나는 내 숙제를 오늘 밤에 끝내야 해요.

2 다음 <보기>에서 알맞은 것을 골라 문장을 완성하세요. (단, 두 번씩 쓸 것)

보기	can	can't

01 It's too dark here. I ____can't____ see anything.

02 Rachel is a good swimmer. She _____ swim very well.

03 The boy is very smart. He _____ solve the puzzle easily.

04 We don't have enough money. We _____ buy the tickets.

보기	must	must not

05 You look very tired. You _____ take a rest.

06 The river is too deep. We _____ swim here.

07 The meeting starts at 10. You _____ be late.

08 I have a big test tomorrow. I _____ study today.

1 다음 괄호 안에서 알맞은 것을 고르세요.

01 This is an ((easy) / easily) test.

02 Kevin walks very (fast / fastly).

03 You are (beautiful / beautifully) tonight.

04 They spend their money (wise / wisely).

05 She doesn't have (many / much) friends.

06 The students listen to their teacher (careful / carefully).

2 다음 우리말과 일치하도록, 주어진 단어를 바르게 배열하여 문장을 완성하세요.

01 나는 절대 늦게 일어나지 않아요. (late, get up, never)

→ I _____ never get up late _____ .

02 너는 내 새 차가 마음에 드는구나. (like, car, my, new)

→ You _____ .

03 그녀는 항상 빨간 모자를 써요. (always, a, hat, wears, red)

→ She _____ .

04 제리는 종종 학교에 지각해요. (often, for school, late, is)

→ Jerry _____ .

05 우리는 맛있는 케이크 하나를 살 거예요. (buy, cake, delicious, a, will)

→ We _____ .

06 그는 이 귀여운 어린이들을 가르쳐요. (teaches, children, cute, these)

→ He _____ .

Review Test

1 다음 주어진 단어와 be동사의 과거형을 이용하여 문장을 완성하세요.

01 _____I was_____ sick last night. (I)

02 _____ at home. (you, not)

03 _____ a good cook. (she, not)

04 _____ your tenth birthday? (it)

05 _____ in the swimming pool. (we)

06 _____ surprised at the news? (he)

07 _____ in the classroom? (the students)

2 다음 문장을 과거형으로 바꿔 쓰세요.

01 I am 11 years old.
➜ _____I was 11 years old_____.

02 They are great painters.
➜ _____.

03 Is this sofa comfortable?
➜ _____?

04 Are her parents nice to you?
➜ _____?

05 Robert is not good at science.
➜ _____.

06 My sisters are not in the kitchen.
➜ _____.

1 다음 우리말과 일치하도록, 주어진 단어를 이용해서 문장을 완성하세요.

01 나는 지금 빨간색 드레스를 입고 있어요. (wear)

→ I _____ am wearing _____ a red dress now.

02 그는 절대로 진실을 알지 못할 거예요. (know, will)

→ He _____ the truth.

03 그녀는 인기 있는 가수였어요. (a, popular)

→ She was _____.

04 그 소년은 이 무거운 상자를 옮길 수 있어요. (move)

→ The boy _____ this heavy box.

05 우리는 거기에 가지 않을 거예요. (be going to)

→ We _____ go there.

2 다음 우리말과 일치하도록, 주어진 단어를 바르게 배열하세요.

01 나는 자주 따뜻한 물을 마셔요. (drink, warm, often, water)

→ I _____ often drink warm water _____.

02 우리는 길을 건너면 안 돼. (not, cross, the street, must)

→ We _____.

03 그녀는 그 약속을 깨지 않을 거예요. (break, the promise, won't)

→ She _____.

04 그 남자는 그의 더러운 손을 씻고 있어요. (his, hands, is, dirty, washing)

→ The man _____.

05 너는 이 비싼 컴퓨터를 살 예정이니? (buy, this, expensive, going to, computer)

→ Are you _____?

Achievement Test **Chapter 1-5**

[1–2] 다음 중 동사의 **-ing**형이 <u>잘못</u> 연결된 것을 고르세요.

1
① do - doing
② sit - sitting
③ lie - lieing
④ ask - asking
⑤ make - making

2
① speak - speaking
② live - living
③ eat - eating
④ die - dying
⑤ run - runing

[3–7] 다음 빈칸에 들어갈 말로 알맞은 것을 고르세요.

3

| Rachel _____ a newspaper now. |

① read
② can reads
③ will reads
④ is reading
⑤ be going to read

4

| I _____ you tomorrow. |

① visits
② visiting
③ will visit
④ is going to visit
⑤ be going to visit

5

| They _____ in Canada last summer. |

① am   ② is
③ are   ④ was
⑤ were

6

| The puzzle is too difficult.
We _____ solve it. |

① can   ② will
③ must   ④ cannot
⑤ must not

7

| I _____. |

① blue your sweater
② your sweater blue
③ blue sweater your
④ your blue sweater
⑤ sweater blue your

[8–9] 다음 빈칸에 들어갈 말로 알맞지 <u>않은</u> 것을 고르세요.

8

| Greg _____ tennis. |

① plays
② will play
③ can play
④ is playing
⑤ are going to play

9

> They are _____.

① surprised   ② quietly

③ excited   ④ lucky

⑤ late

[10–11] 다음 대화의 빈칸에 들어갈 말이 바르게 짝지어진 것을 고르세요.

10

> A: Will you go shopping with me?
> B: No, I _____. I have a big test tomorrow. I _____ study.

① will - can   ② will - must

③ won't - must   ④ won't - cannot

⑤ won't - must not

11

> A: It is too noisy. I _____ hear you well.
> B: Okay. I _____ say that again.

① can - will   ② can - won't

③ can - won't   ④ can't - will

⑤ can't - must not

12 다음 빈칸에 들어갈 말이 나머지 넷과 다른 하나는?

① I _____ in my room.

② _____ she beautiful?

③ _____ it rainy yesterday?

④ Brian _____ a good student.

⑤ _____ you sick last night?

[13–14] 다음 중 올바른 문장을 고르세요.

13 ① Are you going go to Paris?

② The boys was in the gym.

③ She always is late for work.

④ You not must waste time.

⑤ Will Jane like my gift?

14 ① My father eats very fastly.

② I am do my homework now.

③ Tim cans play the piano well.

④ Do you will buy a new house?

⑤ She is not going to believe the story.

[15–19] 다음 중 밑줄 친 부분이 잘못된 것을 고르세요.

15 ① I can swim in the sea.

② You must not run here.

③ She cannot reads English.

④ Can you finish the report on time?

⑤ Students must follow school rules.

16 ① I'm sitting on the bench.

② He isn't drawing a picture.

③ They are making a snowman.

④ Is you listening to the radio?

⑤ The kids are flying kites in the park.

17 ① I feel sometimes lonely.

② She always smiles happily.

③ There isn't much snow on the mountain.

④ The boy has many toys in his room.

⑤ My mom is never angry with me.

18 ① I <u>won't fight</u> with him again.
② Alex <u>is going to bring</u> a camera.
③ They <u>will be going to move</u> soon.
④ <u>Are you going to try</u> again?
⑤ Sarah <u>will stay</u> here with us.

19 다음 중 대화가 <u>어색한</u> 것은?

① A: Can you ride a bike?
  B: Yes, I can.
② A: What are you doing now?
  B: I was in the kitchen.
③ A: Wow, she is singing beautifully.
  B: Yeah. She has a sweet voice, too.
④ A: Was Isaac Newton an artist?
  B: No, he wasn't. He was a scientist.
⑤ A: Will you go to the concert?
  B: No, I won't.

[20–22] 다음 우리말과 의미가 같은 것을 고르세요.

20

케빈은 월요일에 항상 바쁘다.

① Kevin is never busy on Mondays.
② Kevin often is busy on Mondays.
③ Kevin usually is busy on Mondays.
④ Kevin is always busy on Mondays.
⑤ Kevin is sometimes busy on Mondays.

21

너는 이 그림을 만지면 안 돼.

① You won't touch this painting.
② You can't touching this painting.
③ You must not touch this painting.
④ You are not touching this painting.
⑤ You are not going to touch this painting.

22

아기가 지금 자고 있어요.

① The baby sleeps now.
② The baby can sleep now.
③ The baby will sleep now.
④ The baby is sleeping now.
⑤ The baby is going to sleep now.

23 다음 우리말과 일치하도록, 주어진 단어를 이용하여 문장을 완성하세요.

1)

그는 나를 그의 파티에 초대하지 않을 것이다.
(be going to, invite)

➜ He _____
me to his party.

2)

나는 종종 그의 이름을 잊어버린다. (forget)

➜ I _____ his name.

3)

나무들이 지금 죽어가고 있어. (die)

➜ Trees _____ now.

24 다음 밑줄 친 부분을 바르게 고치세요.

1)
> I'm going ⓐ <u>clean</u> the house. Mom will ⓑ <u>is</u> happy.
>
> ⓐ _____
>
> ⓑ _____

2)
> A: Can you ⓐ <u>answering</u> the question?
> B: No, I ⓑ <u>don't</u>.
>
> ⓐ _____
>
> ⓑ _____

3)
> A: How ⓐ <u>much</u> people were there at the party?
> B: There ⓑ <u>was</u> thirty people.
>
> ⓐ _____
>
> ⓑ _____

[25-27] 다음 문장을 주어진 지시대로 바꿔 쓰세요.

25
> My friends play soccer after school. (미래형)
>
> ➡ _____
>
> _____ .

26
> He will eat fast food. (부정문)
>
> ➡ _____
>
> _____ .

27
> They can arrive on time. (의문문)
>
> ➡ _____
>
> _____ ?

[28-30] 다음 우리말과 일치하도록, 주어진 단어를 바르게 배열하여 문장을 완성하세요.

28
> 제인은 중국어를 배우고 있어요.
> (is, Chinese, learning, Jane)
>
> ➡ _____ .

29
> 나는 내 하얀 고양이를 찾을 수 없어요.
> (can't, cat, I, find, white, my)
>
> ➡ _____ .

30
> 그는 보통 학교에 버스를 타고 가요.
> (usually, goes, he, to school)
>
> ➡ _____ by bus.

그림에 해당하는 **단어**를 아래에서 찾고, 빈칸에
알맞은 말을 쓰세요.

```
F U M K J Z C I O G
B T D A A Q A H N M
S N W X S L K Z I V
O S P A G H E T T I
U W C Y R E D B K P
P I X M F A V L G I
H A M B U R G E R Z
B R E A D N U E I Z
U B O M P A Y I N A
S A N D W I C H T X
```

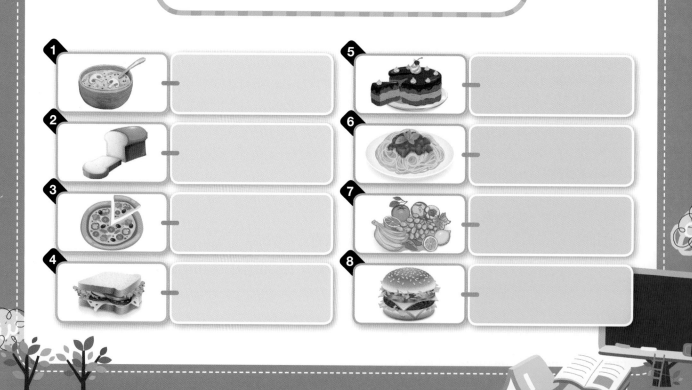

Chapter 6

일반동사의 과거형 I

Word Check

☐ drop	☐ hope	☐ step	☐ hug	☐ face
☐ about	☐ month	☐ each other	☐ picnic	☐ jump
☐ end	☐ suddenly	☐ hit	☐ think	☐ throw
☐ see	☐ find	☐ paper	☐ hear	☐ lose

일반동사의 과거형 규칙 변화

일반동사의 과거형은 과거에 일어난 주어의 동작이나 상태를 냅니다. '~했다', '~이었다'라고 해석하고, yesterday(어제), last ~(지난 ~), ~ ago(~ 전에), then(그때) 등 과거를 나타내는 표현과 함께 쓸 수 있습니다.

❶ 일반동사의 과거형

1) 일반동사의 과거형은 규칙 변화 동사와 불규칙 변화 동사로 나뉩니다.

I **watched** TV last night. (규칙 변화 동사) 나는 어젯밤에 TV를 봤어요.

I **did** my homework last night. (불규칙 변화 동사) 나는 어젯밤에 숙제를 했어요.

2) 일반동사의 과거형은 주어와 수와 인칭에 관계없이 같은 형태를 씁니다.

I **studied** hard. (주어: 1인칭 단수) 나는 열심히 공부했어요.

He **studied** hard. (주어: 3인칭 단수) 그는 열심히 공부했어요.

They **studied** hard. (주어: 3인칭 복수) 그들은 열심히 공부했어요.

❷ 규칙 변화

대부분의 동사	동사원형+-ed	call → called talk → talked work → worked
e로 끝나는 동사	동사원형+-d	live → lived move → moved dance → danced
「자음+y」로 끝나는 동사	y를 i로 바꾸고+-ed	cry → cried study → studied worry → worried
「단모음+단자음」으로 끝나는 동사	마지막 자음을 한 번 더 쓰고+-ed	stop → stopped plan → planned drop → dropped

Warm up

1 다음 과거형 만드는 규칙에 해당하는 동사를 <보기>에서 찾아 쓰고, 과거형으로 바꾸세요.

정답 및 해설 p.26

• pass 지나가다, 건네주다
• drop 떨어지다, 떨어뜨리다
• try 시도하다, 노력하다

보기

cry	stop	like	move
pass	smile	stay	drop
study	walk	try	plan

01

대부분의 동사:
동사원형+-ed

pass → passed

_____ → _____

_____ → _____

02

e로 끝나는 동사:
동사원형+-d

_____ → _____

_____ → _____

_____ → _____

03

「자음+y」로 끝나는 동사:
y를 i로 바꾸고+-ed

_____ → _____

_____ → _____

_____ → _____

04

「단모음+단자음」으로 끝나는 동사:
마지막 자음을 한 번 더 쓰고+-ed

_____ → _____

_____ → _____

_____ → _____

Step up 일반동사의 규칙 변화 과거형 학습하기

1 다음 동사의 과거형을 쓰세요.

정답 및 해설 p.26

01	work	worked	16	arrive	
02	call		17	worry	
03	study		18	mix	
04	hope		19	move	
05	stop		20	enjoy	
06	wash		21	push	
07	play		22	ask	
08	love		23	try	
09	watch		24	carry	
10	dance		25	visit	
11	cry		26	cook	
12	plan		27	listen	
13	rain		28	step	
14	help		29	invite	
15	wait		30	finish	

Words

- hope 희망하다
- mix 섞다
- push 밀다
- ask 묻다
- step 밟다
- invite 초대하다

2 다음 괄호 안에서 알맞은 것을 고르세요.

정답 및 해설 p.26

- hug 껴안다, 포옹하다
- a lot 많이
- face 얼굴
- month 달, 월
- about ~에 대한
- each other 서로

01 Peggy (huged / (hugged)) her son.
페기는 그녀의 아들을 껴안았어요.

02 It (rain / rained) a lot last week.
지난주에 비가 많이 내렸어요.

03 The girl (liked / likeed) love stories.
그 소녀는 사랑 이야기를 좋아했어요.

04 The boy (droped / dropped) the ball.
그 소년은 공을 떨어뜨렸어요.

05 I (wash / washed) my face an hour ago.
나는 한 시간 전에 세수했어요.

06 He (helps / helped) his mother yesterday.
그는 어제 어머니를 도와드렸어요.

07 We (arrive / arrived) Australia last month.
우리는 지난달에 오스트레일리아에 도착했어요.

08 Jack (worryed / worried) about his brother.
잭은 자신의 형을 걱정했어요.

09 You (enjoyed / enjoied) the party last night.
너는 어젯밤에 파티를 즐겼어.

10 Tom and Mary (loved / loveed) each other.
톰과 메리는 서로 사랑했어요.

11 I (watch / watched) the TV news last night.
나는 어젯밤에 TV 뉴스를 봤어요.

12 Jane and I (walk / walked) to school this morning.
제인과 나는 오늘 아침에 학교에 걸어갔어요.

Jump up

🍎 다음 주어진 동사의 과거형을 써서 문장을 완성하세요.

정답 및 해설 p.26

Words

- all night 밤새도록
- jump 뛰다, 점프하다
- picnic 소풍

01 I ___played___ tennis. (play)

02 She _____ in Seoul. (live)

03 Linda _____ for us. (wait)

04 He _____ the game. (stop)

05 They _____ the class. (start)

06 The baby _____ all night. (cry)

07 My sister _____ well. (dance)

08 Helen _____ in New York. (stay)

09 Her brother _____ high. (jump)

10 The man _____ my teacher. (visit)

11 My friends _____ a picnic. (plan)

12 The students _____ hard. (study)

Build up–Writing

🍎 다음 문장을 과거형 문장으로 바꿔 쓰세요.

정답 및 해설 p.27

- turn on 켜다
- fork 포크
- end 끝나다
- suddenly 갑자기
- hurry 급히 가다

01 I turn on the radio.

➡ _____I turned on the radio_____.

02 I drop a fork.

➡ _____.

03 Isabel learns the guitar.

➡ _____.

04 The movie ends at five.

➡ _____.

05 The car stops suddenly.

➡ _____.

06 Peter enjoys the festival.

➡ _____.

07 Daniel hurries to his home.

➡ _____.

08 The lovely girl smiles at me.

➡ _____.

09 The man carries my heavy bag.

➡ _____.

10 My mom bakes chocolate cookies.

➡ _____.

일반동사의 과거형 불규칙 변화

일반동사 과거형이 「동사원형+-(e)d」의 형태가 아닌 동사를 불규칙 변화 동사라고 합니다. 불규칙 변화 동사에는 현재형과 과거형의 형태가 같은 동사, 현재형과 과거형이 다른 동사가 있으며 불규칙 변화 동사는 암기해야 합니다.

❶ 불규칙 변화 동사

동사원형	과거형	동사원형	과거형	동사원형	과거형
begin 시작하다	began	give 주다	gave	send 보내다	sent
build 짓다, 만들다	built	grow 자라다	grew	sing 노래하다	sang
buy 사다	bought	have 가지고 있다	had	sit 앉다	sat
come 오다	came	hear 듣다	heard	sleep 자다	slept
cut 자르다	cut	hit 치다	hit	speak 말하다	spoke
do 하다	did	know 알다	knew	spend (돈, 시간을) 쓰다	spent
draw 그리다	drew	leave 떠나다	left	stand 서다	stood
drink 마시다	drank	lose 잃다, 지다	lost	swim 수영하다	swam
drive 운전하다	drove	make 만들다	made	take 가져가다	took
eat 먹다	ate	meet 만나다	met	teach 가르치다	taught
fall 떨어지다	fell	pay 지불하다	paid	tell 말하다	told
feel 느끼다	felt	read 읽다	read	think 생각하다	thought
find 찾다	found	ride 타다	rode	throw 던지다	threw
fly 날다	flew	run 달리다	ran	understand 이해하다	understood
forget 잊다	forgot	say 말하다	said	wear 입다	wore
go 가다	went	see 보다	saw	win 이기다	won
get 얻다	got	sell 팔다	sold	write 쓰다	wrote

Warm up

1 다음 동사의 과거형을 쓰세요.

정답 및 해설 p.27

* hit 치다, 때리다
* throw 던지다
* see 보다
* think 생각하다
* feel 느끼다

01	cut	cut	16	build	
02	hit		17	eat	
03	read		18	sing	
04	say		19	see	
05	pay		20	fly	
06	run		21	buy	
07	sit		22	think	
08	win		23	teach	
09	go		24	ride	
10	do		25	stand	
11	draw		26	swim	
12	grow		27	drink	
13	throw		28	sleep	
14	send		29	feel	
15	spend		30	wear	

Step up 일반동사 불규칙 변화 과거형 학습하기

1 다음 괄호 안에서 알맞은 것을 고르세요.

정답 및 해설 p.27

Words

- find 찾다, 발견하다
- diamond 다이아몬드
- paper 종이
- doll 인형
- forget 잊다

01 The boy (telled / (told)) a lie.
그 소년은 거짓말을 했어요.

02 They (eated / ate) dinner at 8.
그들은 8시에 저녁을 먹었어요.

03 My uncle (drived / drove) a bus.
우리 삼촌은 버스를 운전했어요.

04 The man (finded / found) the diamond.
그 남자는 다이아몬드를 발견했어요.

05 Tina (writes / wrote) a letter last night.
티나는 어젯밤에 편지를 썼어요.

06 I (make / made) a paper doll yesterday.
나는 어제 종이 인형을 만들었어요.

07 The teacher (forgetted / forgot) my name.
그 선생님은 내 이름을 잊으셨어요.

08 The girls (weared / wore) school uniforms.
그 소녀들은 교복을 입었어요.

09 She (meet / met) her friends two days ago.
그녀는 이틀 전에 그녀의 친구들을 만났어요.

10 We (swim / swam) in the river last weekend.
우리는 지난 주말에 강에서 수영했어요.

11 I (drink / drank) a cup of coffee an hour ago.
나는 한 시간 전에 커피 한 잔을 마셨어요.

12 Jason (reads / read) a newspaper this morning.
제이슨은 오늘 아침에 신문을 읽었어요.

2 다음 주어진 동사의 과거형을 써서 문장을 완성하세요.

정답 및 해설 p.27

Words

• toy 장난감
• robot 로봇
• bridge 다리

01 I _____cut_____ the paper. (cut)

02 We _____ the game. (win)

03 He _____ a toy robot. (buy)

04 The kid _____ a bike. (ride)

05 The baby _____ well. (sleep)

06 A man _____ to me. (speak)

07 They _____ my name. (know)

08 Mr. Kim _____ science. (teach)

09 She _____ back home late. (come)

10 We _____ to school yesterday. (go)

11 The soccer game _____ at 9. (begin)

12 They _____ a very long bridge. (build)

Jump up

다음 우리말과 일치하도록, <보기>에서 알맞은 단어를 골라 과거형으로 바꿔 쓰세요.

정답 및 해설 p.28

Words

- lose 잃어버리다
- hear 듣다
- next to ~옆에
- stand in line 줄을 서다
- princess 공주
- favorite 매우 좋아하는

보기

| sing | stand | feel | fly | draw |
| sit | lose | do | begin | hear |

01 나는 그때 행복하다고 느꼈어요.

I ___felt___ happy then.

02 테드는 내 옆에 앉았어요.

Ted _____ next to me.

03 그 소년은 줄을 섰어요.

The boy _____ in line.

04 그 소녀는 공주를 그렸어요.

The girl _____ a princess

05 두 마리 새가 하늘을 날았어요.

Two birds _____ in the sky.

06 그들은 함께 노래를 불렀어요.

They _____ a song together.

07 그녀는 그녀가 좋아하는 가방을 잃어버렸어요.

She _____ her favorite bag.

08 우리 부모님이 그 소식을 들었어요.

My parents _____ the news.

09 콘서트는 6시에 시작했어요.

The concert _____ at six o'clock.

10 그는 저녁을 먹기 전에 숙제를 했어요.

He _____ his homework before dinner.

Build up–Writing

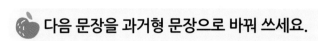

🍎 다음 문장을 과거형 문장으로 바꿔 쓰세요.

정답 및 해설 p.28

- email 이메일
- sunrise 해돋이
- bookstore 서점
- pay for ~의 값을 내다
- run after 뒤쫓다

01 I make a big kite.

➜ _____I made a big kite_____ .

02 Sue gets an email.

➜ _____ .

03 We see the sunrise.

➜ _____ .

04 He sleeps on the sofa.

➜ _____ .

05 I go to the bookstore.

➜ _____ .

06 Walter pays for dinner.

➜ _____ .

07 The dog runs after me.

➜ _____ .

08 A man gives a rose to me.

➜ _____ .

09 Bill drives the car slowly.

➜ _____ .

10 My brother buys a nice cap.

➜ _____ .

Wrap up

1 다음 우리말과 일치하도록, 밑줄 친 부분을 바르게 고쳐 쓰세요.

정답 및 해설 p.28

01 I <u>droped</u> the dish.
나는 접시를 떨어뜨렸어요.

> dropped

02 She <u>telled</u> the secret.
그녀가 그 비밀을 말했어요.

03 He <u>takes</u> a shower then.
그는 그때 샤워를 했어요.

04 Mr. Charlie <u>teached</u> music.
찰리 씨는 음악을 가르쳤어요.

05 I <u>get</u> a haircut a week ago.
나는 일주일 전에 머리를 잘랐어요.

06 The boys <u>swimed</u> in the river.
그 소년들은 강에서 수영했어요.

07 My mom <u>works</u> at a bank last year.
우리 엄마는 작년에 은행에서 일했어요.

08 Cindy <u>plaied</u> the piano at the concert.
신디는 연주회에서 피아노를 연주했어요.

09 The museum <u>opens</u> at ten yesterday.
박물관은 어제 10시에 문을 열었어요.

10 My brother <u>doed</u> the dishes after lunch.
내 남동생이 점심을 먹은 후 설거지를 했어요.

Words

- secret 비밀
- take a shower 샤워를 하다
- week 주, 일주일
- do the dishes 설거지하다
- after ~후에, ~뒤에

② **다음 우리말과 일치하도록, 주어진 단어를 이용하여 과거형 문장을 완성하세요.**

정답 및 해설 p.28

Words

- sunglasses 선글라스
- machine 기계
- postcard 엽서
- vegetable 채소

01 그는 자신의 낡은 자동차를 팔았어요. (he, sell)

➝ _____He sold_____ his old car.

02 그 부인은 선글라스를 썼어요. (the lady, wear)

➝ _____ sunglasses.

03 닉이 공을 높이 쳤어요. (Nick, hit)

➝ _____ the ball high.

04 그 남자가 기계를 멈췄어요. (the man, stop)

➝ _____ the machine.

05 샘이 어젯밤에 나에게 전화했어요. (Sam, call)

➝ _____ me last night.

06 나는 그녀를 5년 전에 만났어요. (I, meet)

➝ _____ her five years ago.

07 그녀가 어제 우리 집에 왔어요. (she, come)

➝ _____ to my house yesterday.

08 그는 파리에서 나에게 엽서 한 장을 보냈어요. (he, send)

➝ _____ me a postcard in Paris.

09 그들은 정원에 채소를 키웠어요. (they, grow)

➝ _____ vegetables in the garden.

10 너는 숙제를 한 시간 전에 끝냈어. (you, finish)

➝ _____ your homework an hour ago.

Exercise

정답 및 해설 p.29

1 다음 중 동사의 과거형이 <u>잘못</u> 연결된 것은?

① do - did   ② rain - rained

③ stop - stopped   ④ write - wrote

⑤ enjoy - enjoied

2 다음 빈칸에 들어갈 말로 알맞은 것은?

> I _____ English last night.

① study   ② studied   ③ will study

④ am studying   ⑤ am going to study

3 다음 빈칸에 들어갈 말로 알맞지 <u>않은</u> 것은?

> We played soccer _____.

① in the afternoon   ② an hour ago

③ last Sunday   ④ yesterday

⑤ tomorrow

[4–5] 다음 밑줄 친 부분이 <u>잘못된</u> 것을 고르세요.

4 ① He <u>told</u> me a funny story.

② They <u>came</u> back early.

③ I <u>watched</u> TV all day.

④ She <u>slept</u> on the floor.

⑤ We <u>ate</u> lunch at noon.

5 ① She <u>knew</u> my address.

② Nancy <u>turned off</u> the computer.

③ We <u>painted</u> the wall a week ago.

④ Max <u>carried</u> the boxes yesterday.

⑤ They <u>moved</u> to Seoul next month.

Note

2 last month는 과거 시간 표현이에요.

3 played는 과거형이에 요.

4 all day 온종일
floor 바닥
noon 정오
과거형의 형태가 잘못 된 것을 찾아보세요.

5 address 주소
turn off 끄다
문장의 시제와 시간 표 현을 확인하세요.

6 다음 빈칸에 들어갈 말이 바르게 짝지어진 것은?

> • I _____ to school.
> • She _____ in the sea.
> • He _____ to work.

① went - swam - drove　　　② went - swam - drived
③ goed - swam - drived　　　④ went - swimmed - drove
⑤ goed - swimmed - drived

6 go, swim, drive는 불규칙 변화 동사예요.

7 다음 우리말을 영어로 바르게 옮긴 것은?

> 야구 경기는 5시에 시작했어요.

① The baseball game begins at five.
② The baseball game began at five.
③ The baseball game beginned at five.
④ The baseball game will begin at five.
⑤ The baseball game was begin at five.

7 begin은 불규칙 변화 동사예요.

8 다음 문장을 과거형으로 바꿔 쓰세요.

> 1) I do my homework.
>   ➡ _____.
> 2) She hears a strange sound.
>   ➡ _____.

8 strange 이상한
sound 소리
do, hear는 불규칙 변화 동사예요.

9 다음 주어진 동사를 이용해서 문장을 완성하세요.

> 1) We _____ the house last year. (build)
> 2) I _____ early this morning. (get up)

9 last night, this morning은 과거 시간 표현으로 과거형으로 써야 해요.

10 다음 주어진 우리말과 일치하도록, 주어진 단어를 이용하여 문장을 완성하세요.

> 우리는 그때 행복하다고 느꼈어요. (feel, happy)
> ➡ _____ then.

Take a break !

다양한 장소를 영어로 어떻게 말하는지 알아보자!

airport	공항	hairdresser's	미용실
amusement park	놀이공원	hospital	병원
art gallery	미술관	hotel	호텔
bakery	빵집	library	도서관
bank	은행	museum	박물관
bookstore	서점	park	공원
church	교회	pharmacy/drugstore	약국
cinema/theater	영화관/극장	police station	경찰서
city hall	시청	post office	우체국
court	법원	school	학교
department store	백화점	square	광장
fire station	소방서	station	역
gas station	주유소	supermarket	슈퍼마켓
grocery store	식료품 가게	temple	절, 사원
gym	체육관	zoo	동물원

Chapter 7

일반동사의 과거형 ||

☐ lock	☐ prize	☐ change	☐ plan	☐ enough
☐ first	☐ take	☐ stay	☐ hotel	☐ textbook
☐ ago	☐ mistake	☐ spoon	☐ fight	☐ rumor
☐ everything	☐ fail	☐ brush	☐ near	☐ spicy

일반동사의 과거형 부정문

일반동사 과거형 부정문은 '～하지 않았다'라는 의미로 과거에 일어난 일을 부정하는 문장으로 did와 not을 이용해 만듭니다.

❶ 일반동사의 과거형 부정문

의미	'～하지 않았다'라는 의미로 과거에 일어난 일을 부정
형태	동사의 앞에 did not을 붙이고, 동사를 원형으로 바꿔 「주어+did not[didn't]+동사원형~.」 * did not은 didn't로 줄여 쓸 수 있어요.

I lived in Seoul. 나는 서울에 살았어요.

→ I **did not**(=**didn't**) **live** in Seoul. 나는 서울에 살지 않았어요.

You called me last night. 너는 어젯밤에 나에게 전화했어.

→ You **did not**(=**didn't**) **call** me last night. 너는 어젯밤에 나에게 전화하지 않았어.

She sang a song. 그녀는 노래를 불렀어요.

→ She **did not**(=**didn't**) **sing** a song. 그녀는 노래를 부르지 않았어요.

We played soccer yesterday. 우리는 어제 축구를 했어요.

→ We **did not**(=**didn't**) **play** soccer yesterday. 우리는 어제 축구를 하지 않았어요.

 꼭 기억하기!

① did not[didn't] 뒤에는 반드시 동사원형이 와요.

He didn't ~~eats~~ breakfast. (×)
He didn't ~~ate~~ breakfast. (×)
→ He didn't **eat** breakfast. (○) 그는 아침을 먹지 않았어요.

② 주어의 인칭과 수에 상관없이 did not[didn't]을 써요.

I didn't clean my room. (1인칭 단수) 나는 내 방을 청소하지 않았어요.
You didn't meet Jason. (2인칭 단수) 너는 제이슨을 만나지 않았어.
It didn't rain last week. (3인칭 단수) 지난주에 비가 오지 않았어요.
We didn't go to school yesterday. (1인칭 복수) 우리는 어제 학교에 가지 않았어요.
Betty and Ben didn't like each other. (3인칭 복수) 베티와 벤은 서로 좋아하지 않았어요.

Warm up

1 다음 문장을 부정문으로 바꿀 때, 빈칸에 알맞은 말을 쓰세요.

정답 및 해설 p.29

Words

· Spanish 스페인어

01 They felt happy. 그들은 행복했어요.

→ They ___did not[didn't]___ feel happy.

02 He loved Mary. 그는 메리를 사랑했어요.

→ He _____ love Mary.

03 I studied math. 나는 수학을 공부했어요.

→ I _____ study math.

04 We played baseball. 우리는 야구를 했어요.

→ We _____ play baseball.

05 Harry drank water. 해리는 물을 마셨어요.

→ Harry _____ drink water.

06 It snowed a lot. 눈이 많이 내렸어요.

→ It didn't _____ a lot.

07 Jacob read the book. 제이콥은 그 책을 읽었어요.

→ Jacob didn't _____ the book.

08 She closed the window. 그녀가 창문을 닫았어요.

→ She didn't _____ the window.

09 They learned Spanish. 그들은 스페인어를 배웠어요.

→ They didn't _____ Spanish.

10 Kevin and Kelly watched TV. 케빈과 켈리는 TV를 봤어요.

→ Kevin and Kelly didn't _____ TV.

Step up 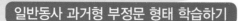 일반동사 과거형 부정문 형태 학습하기

1 다음 괄호 안에서 알맞은 것을 고르세요.

정답 및 해설 p.29

• lock 잠그다

01 They didn't ((lose) / lost) their dog.
그들은 개를 잃어버리지 않았어요.

02 I didn't (know / knew) the answer.
나는 답을 몰랐어요.

03 She didn't (buy / buys) the sweater.
그녀는 그 스웨터를 사지 않았어요.

04 You (don't / didn't) lock the door then.
너는 그때 문을 잠그지 않았어.

05 He (doesn't / didn't) play golf last weekend.
그는 지난 주말에 골프를 치지 않았어요.

06 The bus didn't (stop / stopped) at the library.
그 버스는 도서관에서 정차하지 않았어요.

07 We (don't / didn't) enjoy the party last night.
우리는 어젯밤에 파티를 즐기지 않았어요.

08 The students didn't (do / did) their homework.
그 학생들은 숙제를 하지 않았어요.

09 Eric (doesn't / didn't) walk to school yesterday.
에릭은 어제 학교에 걸어가지 않았어요.

10 My parents (don't / didn't) go to work last week.
우리 부모님은 지난주에 출근하지 않으셨어요.

2 다음 주어진 단어를 이용하여 과거형 부정문을 완성하세요.

정답 및 해설 p.30

01 I _____did not[didn't] eat_____ the cake. (eat)

02 He _____ first prize. (win)

03 It _____ yesterday. (rain)

04 You _____ me last night. (call)

05 The man _____ Korean. (speak)

06 My father _____ his car. (wash)

07 They _____ the plan. (change)

08 The movie _____ on time. (start)

09 Hannah _____ her report. (finish)

10 We _____ bikes in the park. (ride)

11 Ross _____ early this morning. (get up)

12 The teacher _____ my name. (remember)

~Words~

• first 첫, 첫 번째의
• prize 상
• first prize 1등 상
• change 바꾸다; 변하다
• plan 계획
• remember 기억하다

Jump up 일반동사 과거형 부정문 완성하기

🍎 다음 문장을 부정문으로 바꿔 쓰세요. (단, 축약형으로 쓸 것)

정답 및 해설 p.30

Words

• color 색, 색깔
• push 밀다, 밀치다
• enough 충분한
• hair 머리(털)

01 I liked the color.
➡ _____ I didn't like the color _____ .

02 Mark worked here.
➡ _____ .

03 The boy pushed me.
➡ _____ .

04 They had enough time.
➡ _____ .

05 She listened to the radio.
➡ _____ .

06 Jane worried about him.
➡ _____ .

07 My parents lived in Busan.
➡ _____ .

08 We took a walk last night.
➡ _____ .

09 They went to the same school.
➡ _____ .

10 Emma washed her hair this morning.
➡ _____ .

Build up-Writing

다음 우리말과 일치하도록, 주어진 단어를 이용하여 과거형 문장을 완성하세요.

정답 및 해설 p.30

Words

- take 가져가다
- birthday 생일
- ticket 표, 티켓

01 나는 이 그림을 그리지 않았어요. (I, draw)

➡ _____I did not[didn't] draw_____ this picture.

02 사람들은 줄을 서지 않았어요. (people, stand)

➡ _____ in line.

03 그는 내 가방을 가져가지 않았어요. (he, take)

➡ _____ my bag.

04 그녀는 이 책들을 쓰지 않았어요. (she, write)

➡ _____ these books.

05 너는 나를 기다리지 않았어. (you, wait for)

➡ _____ me.

06 우리는 그의 생일을 잊지 않았어요. (we, forget)

➡ _____ his birthday.

07 그들은 나를 이해하지 못했어요. (they, understand)

➡ _____ me.

08 기차는 제시간에 떠나지 않았어요. (the train, leave)

➡ _____ on time.

09 그 남자는 표 값을 지불하지 않았어요. (the man, pay for)

➡ _____ the ticket.

10 우리 언니는 그 스파게티를 요리하지 않았어요. (my sister, cook)

➡ _____ the spaghetti.

일반동사의 과거형 의문문

일반동사의 과거형 의문문은 '~했니?'라는 의미로 과거에 일어난 일을 물을 때 사용하며, Did를 이용해 만듭니다.

❶ 일반동사의 과거형 의문문

의미	'~했니?'라는 의미로 과거의 일을 물을 때 사용
형태	주어 앞에 Did를 쓰고 동사를 원형으로 바꾼 뒤, 문장의 끝에 물음표를 붙여 「Did+주어+동사원형 ~?」

You moved to Busan. 너는 부산으로 이사했어.

→ **Did you move** to Busan? 너는 부산으로 이사했니?

He rode a bike after school. 그는 방과 후에 자전거를 탔어요.

→ **Did he ride** a bike after school? 그는 방과 후에 자전거를 탔나요?

 꼭 기억하기!

주어의 인칭과 수에 상관없이 Did를 쓰고 주어 다음에는 동사원형이 와요.
Did you <u>clean</u> your rooms? (2인칭 복수) 너희들은 너희 방을 청소했니?
Did it <u>rain</u> last week? (3인칭 단수) 지난주에 비가 내렸나요?

❷ 일반동사 과거형 의문문 대답

주어의 인칭과 수에 상관없이 did를 이용해 대답합니다.

질문	긍정의 대답: 네, 그랬어요.	부정의 대답: 아니요, 그러지 않았어요.
Did 주어 ~?	「Yes, 주어(대명사)+did.」	「No, 주어(대명사)+didn't.」

Did you hear the news? 너 그 소식 들었니?
Yes, I did. 응, 그랬어. / **No, I didn't.** 아니, 그러지 않았어.

Did the girl draw this? 그 소녀가 이것을 그렸나요?
Yes, she did. 네, 그랬어요. / **No, she didn't.** 아니요, 그러지 않았어요.

 꼭 기억하기!

일반동사의 과거형 의문문은 did를 이용해 대답해요. 다른 의문문과 같이 1인칭으로 물으면 2인칭으로 대답하고, 2인칭으로 물으면 1인칭으로 대답하며, 주어가 명사일 경우 대명사 주어로 바꿔 대답해야 해요.

Warm up

1 다음 문장을 의문문으로 바꿀 때, 빈칸에 알맞은 말을 쓰세요.

정답 및 해설 p.31

- stay 머무르다, 묵다
- hotel 호텔
- textbook 교과서

01 You had dinner. 너는 저녁을 먹었어.

➡ ___Did___ you have dinner?

02 She helped you. 그녀가 너를 도와주었어.

➡ _____ she help you?

03 They met Sarah. 그들은 사라를 만났어요.

➡ _____ they meet Sarah?

04 Greg threw the ball. 그레그가 그 공을 던졌어요.

➡ _____ Greg throw the ball?

05 You stayed at a hotel. 너희는 호텔에서 묵었어.

➡ _____ you stay at a hotel?

06 My dad cut the tree. 우리 아빠가 그 나무를 잘랐어요.

➡ Did my dad _____ the tree?

07 He used my computer. 그가 내 컴퓨터를 사용했어요.

➡ Did he _____ my computer?

08 Your mother came home. 너의 어머니는 집에 돌아오셨어.

➡ Did your mother _____ home?

09 The boy lost his textbook. 그 소년은 교과서를 잃어버렸어요.

➡ Did the boy _____ his textbook?

10 Your sisters cleaned the house. 네 여동생들이 집을 청소했어.

➡ Did your sisters _____ the house?

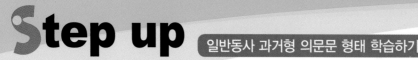
1 다음 괄호 안에서 알맞은 것을 고르세요.

정답 및 해설 p.31

Words

- look ~처럼 보이다
- ago ~ 전에
- magazine 잡지
- music 음악

01 Did she ((buy) / buys) the car?
그녀가 그 차를 샀나요?

02 (Does / Did) I speak too fast?
내가 너무 빨리 말했나요?

03 Did Helen (drink / drank) coffee?
헬렌이 커피를 마셨나요?

04 Did the girls (look / looked) happy?
그 소녀들은 행복해 보였나요?

05 (Does / Did) he visit you yesterday?
그가 어제 너를 방문했니?

06 (Do / Did) we see her two days ago?
우리가 이틀 전에 그녀를 봤니?

07 Did you (read / reading) the magazine?
너는 그 잡지를 읽었니?

08 (Does / Did) Paula teach music last year?
폴라 선생님이 작년에 음악을 가르쳤나요?

09 Did the children (love / loved) the books?
그 아이들은 그 책들을 좋아했나요?

10 (Do / Did) you go to bed early last night?
너는 어젯밤에 일찍 잠을 잤니?

2 다음 주어진 단어를 이용하여 과거형 의문문을 완성하세요.

정답 및 해설 **p.31**

- yoga 요가
- mistake 실수
- make a mistake 실수하다
- take a test 시험을 보다
- work late 늦게까지 일하다

01 ___Did___ he ___find___ his bike? (find)

02 _____ Anna _____ yoga? (learn)

03 _____ I _____ a mistake? (make)

04 _____ you _____ English? (study)

05 _____ the boy _____ the box? (move)

06 _____ the man _____ your name? (ask)

07 _____ it _____ a lot last summer? (rain)

08 _____ the students _____ a test? (take)

09 _____ she _____ late yesterday? (work)

10 _____ we _____ all our money? (spend)

11 _____ you _____ the moon last night? (see)

12 _____ they _____ camping last weekend? (go)

Jump up

일반동사 과거형 의문문 완성하기

🍎 다음 문장을 의문문으로 바꾸고, 알맞은 대답을 쓰세요.

정답 및 해설 p.31

Words

- spoon 숟가락
- game 경기, 게임

01 The store opened at 9.

➡ _____ Did the store open at 9 _____ ?

Yes, ___it___ ___did___.

02 She dropped a spoon.

➡ _____ ?

No, _____ _____.

03 You found the key. (you: 단수)

➡ _____ ?

Yes, _____ _____.

04 Mike lost the game.

➡ _____ ?

No, _____ _____.

05 You swam in the sea. (you: 복수)

➡ _____ ?

Yes, _____ _____.

06 Your father fixed the bike.

➡ _____ ?

No, _____ _____.

07 The girl wrote this story.

➡ _____ ?

Yes, _____ _____.

08 Jeff and Clare had lunch together.

➡ _____ ?

No, _____ _____.

Build up-Writing

🍎 다음 우리말과 일치하도록, 주어진 단어를 이용하여 과거형 문장을 완성하세요.

정답 및 해설 p.32

Words

• fight 싸우다
• rumor 소문
• everything 모든 것
• list 목록, 리스트
• fail 실패하다, (시험에) 떨어지다

01 너 데이브랑 싸웠니? (you, fight)

➡ _____ Did you fight _____ with Dave?

02 너희들 그 소문 들었니? (you, hear)

➡ _____ the rumor?

03 그들은 영어를 썼나요? (they, speak)

➡ _____ English?

04 그는 서울까지 운전했나요? (he, drive)

➡ _____ to Seoul?

05 알렉스는 축구를 좋아했나요? (Alex, like)

➡ _____ soccer?

06 우리 목록에 있는 거 다 샀니? (we, buy)

➡ _____ everything on the list?

07 내가 너에게 내 가족에 대해 말했니? (I, tell)

➡ _____ you about my family?

08 기차가 제시간에 도착했나요? (the train, arrive)

➡ _____ on time?

09 프레드는 학교에 버스를 타고 갔나요? (Fred, go)

➡ _____ to school by bus?

10 그 학생들은 시험에 떨어졌나요? (the student, fail)

➡ _____ the test?

1 다음 우리말과 일치하도록, 밑줄 친 부분을 바르게 고쳐 쓰세요.

정답 및 해설 p.32

01 Did he <u>has</u> enough time?
그에게 충분한 시간이 있었나요?

have

02 I didn't <u>answered</u> the phone.
나는 그 전화를 받지 않았어요.

03 <u>Does</u> she cry a lot last night?
그녀가 어젯밤에 많이 울었니?

04 Did you <u>making</u> this sandwich?
네가 이 샌드위치를 만들었니?

05 Did she <u>slept</u> late this morning?
그녀는 오늘 아침에 늦잠을 잤니?

06 I <u>don't</u> brush my teeth last night.
나는 어젯밤에 이를 닦지 않았어요.

07 They didn't <u>playing</u> computer games.
그들은 컴퓨터 게임을 하지 않았어요.

08 The girl didn't <u>lives</u> near my house.
그 소녀는 우리 집 가까이에 살지 않았어요.

09 <u>Do</u> you buy a new camera yesterday?
너는 어제 새 카메라를 샀니?

10 The festival <u>doesn't</u> begin last Sunday.
그 축제는 지난 일요일에 시작하지 않았어요.

Words

- answer 대답하다
- phone 전화
- sandwich 샌드위치
- sleep late 늦잠을 자다
- brush 닦다
- near 가까이

2 다음 문장을 주어진 지시대로 바꿔 쓰세요.

정답 및 해설 p.32

- pizza 피자
- spicy 매운
- diary 일기, 수첩
- keep a diary 일기를 쓰다
- take a picture 사진을 찍다

01 We ate the pizza.
→ 부정문 : ___We did not[didn't] eat the pizza___ .

02 He had breakfast.
→ 부정문 : _____ .

03 The boy studied hard.
→ 부정문 : _____ .

04 I forgot your birthday.
→ 부정문 : _____ .

05 My sisters liked spicy food.
→ 부정문 : _____ .

06 Anne kept a diary.
→ 의문문 : _____ ?

07 We locked the door.
→ 의문문 : _____ ?

08 They built the house.
→ 의문문 : _____ ?

09 Mary sent you a letter.
→ 의문문 : _____ ?

10 The girl took this picture.
→ 의문문 : _____ ?

Exercise

정답 및 해설 p.33

[1–2] 다음 빈칸에 공통으로 들어갈 말로 알맞은 것을 고르세요.

1

- I _____ watch TV yesterday.
- She _____ listen to the radio last night.

① isn't   ② wasn't   ③ don't
④ doesn't   ⑤ didn't

2

- _____ you eat breakfast?
- _____ he visit your country?

① Do   ② Did   ③ Does
④ Was   ⑤ Were

3 다음 빈칸에 들어갈 말로 알맞은 것은?

He didn't _____ the dishes.

① washes   ② washed   ③ wash
④ washing   ⑤ is washing

[4–5] 다음 밑줄 친 부분이 잘못된 것을 고르세요.

4
① I didn't help my mother.
② Tom didn't go outside.
③ Ben didn't ride a bike.
④ They didn't met her.
⑤ He didn't sleep well.

5
① Did the boy swim in the pool?
② Did Peter play the piano?
③ Did you like Korean food?
④ Did it snows yesterday?
⑤ Did he stop the car?

Note

1 yesterday와 last night는 과거 시간 표현이에요.

2 country 나라, 국가
주어가 you와 I로 인칭에 상관없이 공통으로 쓸 수 있는 것을 생각해 보세요.

3 일반동사 과거형 부정문은 「주어+did not[didn't]+동사원형」의 형태예요.

4 outside 밖에, 밖으로

5 일반동사 과거형 의문문은 「Did+주어+동사원형~?」의 형태예요.

6 다음 중 어법상 바른 문장을 고르면?

① Were you buy a new cell phone?
② Did she have long hair now?
③ Did he read the newspaper?
④ Did Sam finished the work?
⑤ Was she sing a song?

> **Note**
>
> 6 cell phone 휴대 전화

7 다음 질문에 대한 대답으로 가장 알맞은 것은?

A: Did Jane hear the news?
B: _____

① Yes, she was.   ② Yes, she does.
③ No, she wasn't.   ④ No, she did.
⑤ No, she didn't.

> 7 일반동사 과거형 의문
> 문으로 did를 써서 대
> 답해요.

8 다음 문장을 주어진 지시대로 바꿔 쓰세요.

1) Mike did his homework. (부정문)
   ➜ _____.

2) Jenny studied hard. (의문문)
   ➜ _____?

9 다음 문장에서 <u>잘못된</u> 부분을 찾아 바르게 고치세요.

1) Rachel doesn't call me yesterday.
2) Were you see Stan last night?

10 다음 우리말과 일치하도록, 주어진 단어를 이용하여 과거형 문장을 완성하세요.

1) 그는 집에 돌아오지 않았어요. (come home)
   ➜ _____.

2) 네가 그 문을 닫았니? (close, the door)
   ➜ _____?

Take a break !

다음 주어진 **철자**를 **순서대로** 바르게 쓰세요.

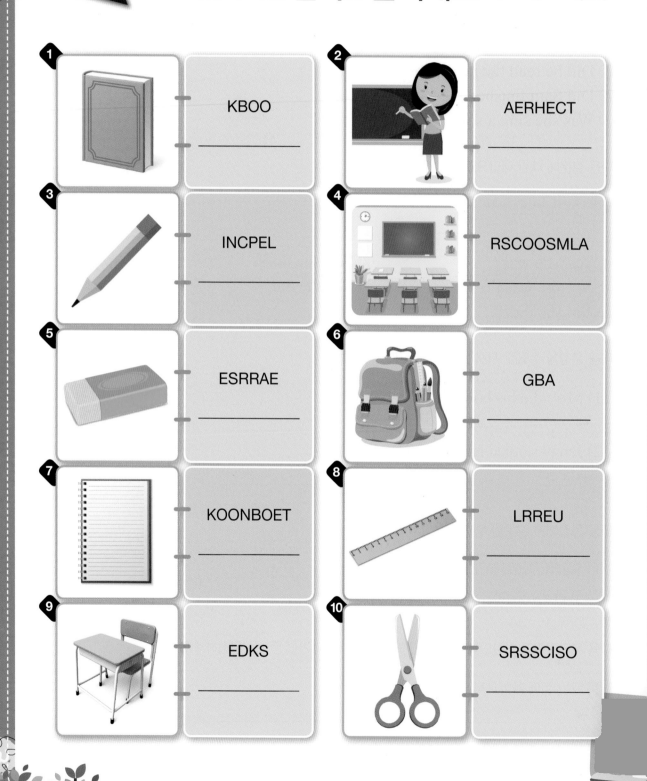

1 KBOO
_____

2 AERHECT
_____

3 INCPEL
_____

4 RSCOOSMLA
_____

5 ESRRAE
_____

6 GBA
_____

7 KOONBOET
_____

8 LRREU
_____

9 EDKS
_____

10 SRSSCISO
_____

Chapter 8

전치사

Word Check

- [ ] o'clock
- [ ] spring
- [ ] evening
- [ ] afternoon
- [ ] gallery
- [ ] breakfast
- [ ] present
- [ ] lunch
- [ ] stair
- [ ] lamp
- [ ] hill
- [ ] mountain
- [ ] church
- [ ] theater
- [ ] crawl
- [ ] hide
- [ ] fall
- [ ] lie
- [ ] lesson
- [ ] art

UNIT 01

시간을 나타내는 전치사

전치사는 명사 또는 대명사 앞에 쓰여 시간, 장소, 방향 등을 나타낼 때 사용합니다. 시간을 나타내는 전치사에는 at, on, in 등이 있습니다.

① 시간의 전치사

'5시에', '월요일에', '11월에'와 같이 우리말은 시간 표현을 할 때 모두 '~에'를 붙이지만, 영어에서는 시간 길이에 따라 다른 전치사를 씁니다.

at	구체적인 시각 또는 하루의 때 (시간, 밤, 정오, 자정 등)	**at** seven o'clock 7시에 **at** 9:30 9시 반에 **at** night 밤에 **at** noon 정오에 **at** midnight 자정에
on	요일 날짜 특별한 날	**on** Monday 월요일에 **on** January 1st 1월 1일에 **on** my birthday 내 생일에
in	오전, 오후, 저녁, 월, 계절, 연도 등	**in** the morning 아침에 **in** May 5월에 **in** spring 봄에 **in** 2016 2016년에

We eat lunch **at** noon. 우리는 정오에 점심을 먹어요.

I usually get up **at** six. 나는 보통 6시에 일어나요.

He goes fishing **on** Sundays. 그는 일요일에 낚시하러 가요.

My vacation starts **on** July 20th. 내 휴가는 7월 20일부터야.

They go skiing **in** winter. 그들은 겨울에 스키 타러 가요.

She moved to Seattle **in** 2015. 그녀는 2015년에 시애틀로 이사했어요.

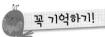 **꼭 기억하기!**

하루 중 시간은 다음과 같이 나타내요.

in the morning → at noon → in the afternoon → in the evening → at night → at midnight
아침에   정오에   오후에   저녁에   밤에   자정에

Warm up

1 다음 그림을 보고, 빈칸에 공통으로 들어갈 전치사를 쓰세요.

정답 및 해설 p.34

Words

• o'clock ~시
• noon 정오

01

___on___ Saturday

_____ May 5th

_____ Christmas Day

02

_____ eight o'clock

_____ noon

_____ night

03

2020
2019
2018

_____ the morning

_____ summer

_____ 2019

 Step up 전치사의 쓰임 구분하기

1 다음 괄호 안에서 알맞은 것을 고르세요.

정답 및 해설 **p.34**

01	7월에	(on / (in)) July
02	2010년에	(at / in) 2010
03	겨울에	(at / in) winter
04	밤에	(at / on) night
05	11시 30분에	(at / on) 11:30
06	금요일에	(on / in) Friday
07	봄에	(on / in) spring
08	3시에	(at / on) 3 o'clock
09	3월 1일에	(on / in) March 1st
10	저녁에	(at / in) the evening
11	9월에	(on / in) September
12	아침에	(at / in) the morning
13	내 생일에	(at / on) my birthday
14	오후에	(at / in) the afternoon
15	새해 첫날에	(on / in) New Year's Day

Words

- spring 봄
- March 3월
- evening 저녁
- afternoon 오후
- New Year's Day
  1월 1일, 새해 첫날

2 다음 괄호 안에서 알맞은 것을 고르세요.

정답 및 해설 p.34

01 I get up (at / on / in) 7 o'clock.
나는 7시에 일어나요.

02 Tom goes to work (at / on / in) 8:30.
톰은 8시 30분에 출근해요.

03 I will visit my uncle (at / on / in) June.
나는 6월에 내 삼촌을 방문할 거예요.

04 She studies English (at / on / in) night.
그녀는 밤에 영어를 공부해요.

05 Bill and Rachel met (at / on / in) 2014.
빌과 레이첼은 2014년에 만났어요.

06 School starts (at / on / in) March 2nd.
학교는 3월 2일에 시작해요.

07 I have five classes (at / on / in) Mondays.
나는 월요일에 5개의 수업이 있어요.

08 We go to the beach (at / on / in) summer.
우리는 여름에 해변에 가요.

09 She goes jogging (at / on / in) the morning.
그녀는 아침에 조깅하러 가요.

10 My parents gave me a puppy (at / on / in) my birthday.
우리 부모님께서 내 생일에 나에게 강아지를 주셨어요.

Jump up

🍎 다음 주어진 단어와 전치사를 이용하여 문장을 완성하세요.

정답 및 해설 p.34

Words

- go skating 스케이트 타러 가다
- get married 결혼하다
- gallery 미술관, 화랑
- art gallery 미술관
- carnation 카네이션
- Mother's Day 어머니날(미국에서는 5월 두 번째 일요일)

01 We go skating _____in winter_____. (winter)

02 Spring comes _____. (March)

03 He has breakfast _____. (7:30)

04 I meet James _____. (Sundays)

05 My parents got married _____. (2010)

06 She doesn't drink coffee _____. (night)

07 The concert ended _____. (9 o'clock)

08 Sue will come back _____. (May 3rd)

09 They play soccer _____. (the afternoon)

10 My brother watches TV _____. (the evening)

11 The art gallery doesn't open _____. (Mondays)

12 I gave carnations to my mom _____. (Mother's Day)

Build up-Writing

 다음 우리말과 일치하도록, <보기>에서 알맞은 단어를 고르고 전치사를 써서 문장을 완성하세요.

정답 및 해설 p.34

- present 선물
- each other 서로

보기

night	2012	July 2nd	5 o'clock	the morning
summer	noon	August	Saturdays	Christmas Day

01 여름에 비가 많이 와요.

It rains a lot _____in summer_____ .

02 그들은 밤에는 집에 있어요.

They stay at home _____.

03 나는 5시에 숙제를 해요.

I do my homework _____.

04 그는 2012년에 캐나다에 갔어요.

He went to Canada _____.

05 토미는 7월 2일에 시험이 있어요.

Tommy has a test _____.

06 그녀는 대개 정오에 점심을 먹어요.

She usually has lunch _____.

07 우리는 8월에 큰 축제가 있어요.

We have a big festival _____.

08 내 친구들은 토요일에 축구를 해요.

My friends play soccer _____.

09 우리 엄마는 아침에 일찍 일어나세요.

My mom gets up early _____.

10 우리는 크리스마스 날에 서로에게 선물을 줘요.

We give presents to each other _____.

UNIT 02

장소를 나타내는 전치사

장소를 나타내는 전치사에는 at, in, on 등이 있고, 위치 · 방향을 나타내는 전치사에는 beside/next to, in front of, behind, under, up, down 등이 있습니다.

❶ 장소의 전치사

장소가 내부인지, 한 지점인지, 표면에 닿은 상태인지에 따라 각각 다른 전치사를 씁니다.

at	좁은 장소, 지점	~에(서)	**at** home 집에(서) **at** school 학교에(서) **at** the bus stop 버스 정류장에(서)
in	나라 · 도시 이름, 넓은 장소, 내부	~에(서), ~안에(서)	**in** Korea 한국에(서) **in** the box 상자 안에 **in** the room 방에(서)
on	접촉해 있는 상태	~에(서), ~위에(서)	**on** the table 테이블 위에(서) **on** the floor 바닥 위에(서) **on** the wall 벽에(서)

I saw Brian **at** the bus stop. 나는 버스 정류장에서 브라이언을 봤어요.

My uncle lives **in** London. 우리 삼촌은 런던에 살아요.

She put a bag **on** the desk. 그녀는 책상 위에 가방을 놓았어요.

❷ 위치 · 방향을 나타내는 전치사

beside / next to	~ 옆에(서)	**beside / next to** the desk 그 책상 옆에(서)
in front of	~ 앞에(서)	**in front of** the house 그 집 앞에(서)
behind	~ 뒤에(서)	**behind** the door 문 뒤에(서)
under	~ 아래에(서)	**under** the tree 나무 아래에
up	~ 위로	**up** the stairs 계단 위로
down	~ 아래로	**down** the stairs 계단 아래로

I sat **behind** you. 나는 네 뒤에 앉았어.

The dog is **under** the bed. 그 개는 침대 아래에 있어요.

The boy climbed **up** the tree. 그 소년은 나무에 올라갔어요.

Warm up

1 다음 그림을 보고, 괄호 안에서 알맞은 전치사를 고르세요.

정답 및 해설 p.34

Words

- vase 꽃병
- teddy bear 곰 인형
- stairs 계단
- hill 언덕
- lamp 램프, 등

01 a vase (in / (on)) the table

02 a boy (on / at) the bus stop

03 a teddy bear (in / on) the box

04 run (up / down) the stairs

05 sit (behind / in front of) the TV

06 a cat (under / beside) the desk

07 ride a bike (up / down) the hill

08 a lamp (next to / under) the chair

09 a dog (behind / in front of) the tree

Step up

장소 전치사 쓰임 구분하기

1 다음 괄호 안에서 알맞은 것을 고르세요.

정답 및 해설 p.35

Words

· floor 바닥
· mountain 산

01	집에(서)	((at)/ on / in) home
02	벽에	(at / on / in) the wall
03	일본에	(at / on / in) Japan
04	학교에(서)	(at / on / in) school
05	테이블 위에	(at / on / in) the table
06	뉴욕에	(at / on / in) New York
07	바닥 위에	(at / on / in) the floor
08	네 옆에	(next to / behind) you
09	계단 아래로	(up / down) the stairs
10	너의 방 안에	(at / on / in) your room
11	산 위로	(up / down) the mountain
12	그 남자 옆에	(beside / behind) the man
13	도서관 뒤에	(under / behind) the library
14	침대 아래에	(in front of / under) the bed
15	내 집 앞에	(beside / in front of) my house

2 다음 괄호 안에서 알맞은 전치사를 고르세요.

정답 및 해설 p.35

• pencil case 필통
• theater 극장

01 There is a doll (at / (on) / in) the piano.
피아노 위에 인형 하나가 있어요.

02 There is a picture (at / on / in) the wall.
벽에는 그림 하나가 있어요.

03 There is a boy (beside / behind) the door.
문 뒤에 한 소년이 있어요.

04 There is a table (behind / next to) the sofa.
그 소파 옆에 테이블이 하나 있어요.

05 There are many students (at / on / in) school.
학교에는 많은 학생이 있어요.

06 There are two girls (under / beside) the tree.
나무 아래에 두 명의 소녀가 있어요.

07 There are two people (in front of / next to) me.
내 앞에 두 사람이 있어요.

08 There are many flowers (at / on / in) my garden.
내 정원 안에는 많은 꽃이 있어요.

09 There are five pens (at / on / in) the pencil case.
필통 안에 5개의 연필이 있어요.

10 There is a theater (in front of / beside) the store.
그 가게 옆에 극장이 있어요.

다음 그림을 보고, <보기>에서 알맞은 전치사를 골라 문장을 완성하세요.

정답 및 해설 **p.35**

Words

· hide(-hid) 숨다
· spider 거미
· crawl 기어가다

보기
beside   in   in front of   on   under

01 A chair is **beside** the desk.

02 A computer is _____ the desk.

03 A soccer ball is _____ the desk.

04 Two books are _____ the bag.

05 Three pencils are _____ the computer.

보기
up   next to   at   down   behind

06 There is a dog _____ the door.

07 A man is walking _____ the stairs.

08 A tree stands _____ the house.

09 A boy is hiding _____ the tree.

10 A spider is crawling _____ the wall.

Build up-Writing

 다음 우리말과 일치하도록, 주어진 단어와 전치사를 이용하여 문장을 완성하세요.

정답 및 해설 p.36

01 에릭은 항상 내 옆에 앉아요. (me)

→ Eric always sits ___beside[next to] me___.

02 그의 삼촌은 중국에 살아요. (China)

→ His uncle lives _____.

03 우리 엄마는 집에서 일하세요. (home)

→ My mom works _____.

04 알렉스는 너의 뒤에 서 있었어. (you)

→ Alex stood _____.

05 그는 거리를 걸어 올라갔어요. (the street)

→ He walked _____.

06 우리는 역 앞에서 만날 거예요. (the station)

→ We will meet _____.

07 나는 계단에서 굴러 떨어졌어요. (the stairs)

→ I fell _____.

08 그녀는 침대 위에 누웠어요. (the bed)

→ She lay down _____.

09 고양이가 의자 밑에서 자고 있어요. (the chair)

→ A cat is sleeping _____.

10 그 공원은 박물관 옆에 있어요. (the museum)

→ The park is _____.

Words

- station 역
- fall(-fell) 떨어지다
- lie(-lay) 눕다, 누워 있다

Wrap up

1 다음 우리말과 일치하도록, 밑줄 친 부분을 바르게 고쳐 쓰세요.

정답 및 해설 **p.36**

01 A rabbit is <u>behind</u> the car.

토끼 한 마리가 차 아래에 있어요.

under

02 Fall starts <u>at</u> September.

가을은 9월에 시작돼요.

03 I'm always tired <u>in</u> Mondays.

나는 월요일엔 항상 피곤해요.

04 School is over <u>on</u> three o'clock.

학교는 3시에 끝나요.

05 We had a good time <u>on</u> the party.

우리는 파티에서 즐거운 시간을 보냈어요.

06 I heard the doorbell ring <u>in</u> midnight.

나는 자정에 초인종 소리를 들었어요.

07 Mr. Glen is teaching English <u>at</u> Korea.

글렌 씨는 한국에서 영어를 가르쳐요.

08 She put her family picture <u>in</u> the wall.

그녀는 가족사진을 벽에 걸었어요.

09 The boy went <u>under</u> the ladder carefully.

소년은 조심해서 사다리를 올라갔어요.

10 The post office is <u>in front of</u> the church.

우체국은 교회 옆에 있어요.

Words

- fall 가을
- September 9월
- be over 끝나다
- have a good time 즐거운 시간을 보내다
- doorbell 초인종
- ring 종 소리
- midnight 자정
- ladder 사다리
- church 교회

160 •

2 다음 우리말에 일치하도록, 주어진 단어와 전치사를 이용하여 문장을 완성하세요.

정답 및 해설 p.36

01 이 버스는 9시에 출발해요. (9 o'clock)

→ This bus leaves _____at 9 o'clock_____.

Words

· leave 떠나다, 출발하다
· people 사람들
· lesson 수업, 교습

02 예쁜 소녀가 내 옆에 섰어요. (me)

→ The pretty girl stood _____.

03 그는 바닥에서 잠을 잤어요. (the floor)

→ He slept _____.

04 많은 사람이 문 앞에 있어요. (the door)

→ There are many people _____.

05 나는 내 생일에 파티를 할 거야. (my birthday)

→ I will have a party _____.

06 우리는 여름에 수영을 즐겨요. (summer)

→ We enjoy swimming _____.

07 그 남자는 언덕을 뛰어 내려가고 있어요. (the hill)

→ The man is running _____.

08 그 소녀는 자신의 아버지 뒤에 숨었어요. (her father)

→ The girl hid _____.

09 나는 화요일에 피아노 수업을 받아요. (Tuesdays)

→ I have a piano lesson _____.

10 그는 버스 정류장에서 그녀를 보았어요. (the bus stop)

→ He saw her _____.

Exercise

정답 및 해설 p.36

[1–2] 다음 빈칸에 공통으로 들어갈 말로 알맞은 것을 고르세요.

1

> • It is cold _____ winter.
> • Kevin lives _____ England.

① at   ② on   ③ in
④ up   ⑤ down

2

> • He works _____ Sundays.
> • The boy is lying _____ the grass.

① at   ② on   ③ in
④ up   ⑤ down

3 다음 두 문장의 의미가 같도록 할 때, 빈칸에 들어갈 알맞은 단어는?

> There is a bookstore next to the flower shop.
> = There is a bookstore _____ the flower shop.

① beside   ② behind   ③ under
④ down   ⑤ in front of

[4–5] 다음 밑줄 친 부분이 잘못된 것을 고르세요.

4
① I fell <u>down the stairs</u>.
② She had lunch <u>at noon</u>.
③ My vacation starts <u>in July 1st</u>.
④ We will meet Joe <u>at the bus stop</u>.
⑤ We often go on a picnic <u>in spring</u>.

5
① What is it <u>in the box</u>?
② The table is <u>next to the bed</u>.
③ The boys are <u>on school</u> now.
④ They are running <u>up the street</u>.
⑤ There is a mountain <u>behind</u> the hotel.

6   다음 중 어법상 바른 문장을 고르면?

① We first met on 2014.
② Jessica is at his room.
③ The truck is in front of my car.
④ She hung the picture at the wall.
⑤ My brother is studying art on Paris.

6 first 처음(으로)
hang(-hung) 걸다
art 미술, 예술

7   다음 빈칸에 들어갈 전치사가 나머지 넷과 <u>다른</u> 하나는?

① I go to bed _____ 9:30.
② She plays tennis _____ Fridays.
③ I saw Melissa _____ the party.
④ He came back home _____ midnight.
⑤ We stayed _____ home last weekend.

8   다음 우리말과 일치하도록, 빈칸에 알맞은 전치사를 쓰세요.

1) 그들은 언덕을 걸어 올라갔어요.
   → They walked _____ the hill.
2) 나는 소파 아래에서 동전 몇 개를 찾았어요.
   → I found some coins _____ the sofa.

9   다음 빈칸에 공통으로 들어갈 알맞은 전치사를 쓰세요.

- I usually watch TV _____ the evening.
- There is some water _____ the bottle.

9 저녁, 장소의 내부 앞
에 쓰는 전치사를 생각
해 보세요.

10   다음 우리말과 일치하도록, 주어진 단어를 이용하여 문장을 완성하세요.

1) 제인은 톰 뒤에 앉아 있어요. (sit)
   → Jane _____ Tom.
2) 나는 그 식당 앞에 있어요. (be, the restaurant)
   → I _____ .

날짜, 연도 읽는 방법을 알아보자!

날짜 「월+(the) 날짜(서수)」 또는 「the 날짜(서수) of+월」 순서로 읽어요.

1월 2일	January (the) second the second of January
5월 23일	May (the) twenty third the twenty third of May
8월 1일	August (the) first the first of August
12월 18일	December (the) eighteenth the eighteenth of December

연도 일반적으로 두 자리씩 끊어 읽어요.

675년	six hundred seventy-five
1997년	nineteen nine ninety seven
1803년	eighteen (and 또는 oh) three
1780년	seventeen eighty
2000년에서 2099년까지	일반 숫자처럼 읽을 수도 있어요.
2000년	two thousand
2008년	twenty eight two thousand eight
2013년	twenty thirteen two thousand thirteen

chapter 9

접속사

Word Check

- ☐ dangerous
- ☐ handsome
- ☐ rich
- ☐ lonely
- ☐ there
- ☐ calm
- ☐ slippery
- ☐ yell
- ☐ thick
- ☐ thirsty
- ☐ dentist
- ☐ young
- ☐ accident
- ☐ practice
- ☐ get
- ☐ windy
- ☐ everybody
- ☐ nervous
- ☐ wet
- ☐ still

UNIT 01

접속사 and · or · but

접속사는 단어와 단어, 구와 구, 문장과 문장을 연결하는 말입니다. and, or, but은 연결 대상으로 동등한 문법 요소가 옵니다.

1 and

and	~와[과], 그리고	둘 이상의 비슷한 대상(내용)을 연결할 때 사용

I like soccer **and** baseball. (명사+명사)
나는 축구와 야구를 좋아해요.

I did the dishes, **and** he cleaned the house. (문장+문장)
나는 설거지를 하고, 그는 집을 청소했어요.

2 or

or	또는, 혹은	연결되는 대상 중 하나를 선택할 때 사용

I will have water **or** juice. (명사+명사)
나는 물이나 주스로 할게요.

We can take a bus **or** ride a bike. (구+구)
우리는 버스를 타거나 자전거를 탈 수 있어.

> **plus 1**
> 구는 두 개 이상의 단어가 모여 문장의 일부가 되는 단위예요.
> car → 단어   a nice car → 구
> I will buy a nice car. → 문장

 꼭 기억하기!

or는 어느 한 쪽을 선택할 것을 요구하는 선택의문문에 써요. which는 '어떤', '어떤 것'이라는 의미의 의문사입니다.

Which do you like, oranges **or** apples? 너는 오렌지와 사과 중 어떤 것을 좋아하니?
Who broke the window, Brian **or** Ted? 브라이언과 테드 중 누가 창문을 깼나요?

3 but

but	그러나, 그런데	서로 반대되는 대상(내용)을 연결

He is smart **but** lazy. (형용사+형용사)
그는 똑똑하지만 게을러요.

Brian studied hard, **but** he failed the test. (문장+문장)
브라이언은 공부를 열심히 했지만, 시험에서 떨어졌어요.

Warm up

1 다음 밑줄 친 부분에 유의하여, 괄호 안에서 알맞은 것을 고르세요.

정답 및 해설 p.37

- poor 가난한
- skate 스케이트를 타다
- sunglasses 선글라스

01 줄리와 나는 친구예요.

→ Juile (**and** / or) I are friends.

02 나는 수학과 과학을 좋아해요.

→ I like math (and / or) science.

03 그것은 멋지지만 비싸요.

→ It is nice (and / but) expensive.

04 그녀는 친절하고 예뻐요.

→ She is kind (and / but) pretty.

05 그들은 가난하지만 행복해요.

→ They are poor (and / but) happy.

06 너는 버스 또는 택시를 탈 수 있어.

→ You can take a bus (and / or) a taxi.

07 나는 스케이트를 탈 수 있지만, 그녀는 스케이트를 탈 수 없어요.

→ I can skate, (and / but) she can't skate.

08 그는 차를 천천히 그리고 조심해서 운전해요.

→ He drives a car slowly (and / but) carefully.

09 너는 모자 또는 선글라스를 가져와야 해.

→ You must bring a hat (and / or) sunglasses.

10 그녀는 아침에 커피 또는 차를 마셔요.

→ She drinks coffee (and / or) tea in the morning.

Step up `and, or, but 쓰임 학습하기`

1 다음 괄호 안에서 알맞은 것을 고르세요.

정답 및 해설 **p.37**

01 Max is thin (and /(but)) strong.
맥스는 말랐지만 힘이 세요.

02 I like him, (and / but) he likes me.
나는 그를 좋아하고, 그는 나를 좋아해요.

03 I'll be a painter (and / or) a pianist.
나는 화가나 피아니스트가 될 거예요.

04 France (and / but) Italy are in Europe.
프랑스와 이탈리아는 유럽에 있어요.

05 He will go home (and / or) take a rest.
그는 집에 가서 쉴 거예요.

06 Is it Monday (and / or) Tuesday today?
오늘이 월요일이니 화요일이니?

07 She loves Greg, (and / but) he loves Jane.
그녀는 그레그를 사랑하지만, 그는 제인을 사랑해요.

08 Who is your brother, Tom (and / or) Jack?
톰과 잭 중 너의 오빠는 누구니?

09 Nora has a sandwich (and / or) milk for lunch.
노라는 점심으로 샌드위치와 우유를 먹어요.

10 The sweater is nice, (and / but) I don't want it.
그 스웨터는 멋지지만 나는 그것을 원하지 않아요.

Words

- thin 마른
- strong 힘이 센, 튼튼한
- pianist 피아니스트
- Europe 유럽
- take a rest 휴식을 취
  하다

2 다음 우리말과 일치하도록, 빈칸에 알맞은 접속사를 쓰세요.

정답 및 해설 p.37

• Let's+동사원형 ~하자
• fun 재미있는
• dangerous 위험한
• address 주소
• America 미국

01 Is Jenny tall _____ or _____ short?

제니는 키가 크니 아니면 작니?

02 Let's meet at 5 _____ 7.

5시나 7시에 만나자.

03 It is cold _____ snowy today.

오늘은 춥고 눈이 와요.

04 Diving is fun _____ dangerous.

다이빙은 재미있지만 위험해요.

05 He knows my name _____ address.

그는 내 이름과 주소를 알고 있어요.

06 I have two sisters _____ a brother.

나는 언니 두 명과 오빠 한 명이 있어요.

07 I am hungry, _____ I won't eat dinner.

나는 배가 고프지만 저녁을 먹지 않을 거예요.

08 Which do you want, milk _____ juice?

너는 우유와 주스 중 어떤 것을 원하니?

09 My father _____ mother are teachers.

우리 아버지와 어머니는 선생님이세요.

10 He lives in America, _____ he can't speak English.

그는 미국에 살지만, 영어를 못해요.

Jump up

and, or, but으로 문장 연결하기

🍎 다음 〈보기〉에서 알맞은 접속사를 골라 두 문장을 연결하세요. (단, 세 번씩 쓸 것)

정답 및 해설 p.37

Words

- handsome 잘생긴
- chicken 닭, 닭고기
- beef 소고기
- too 너무
- work 작동되다

> **보기**
>
> and   or   but

01 Matt is handsome. He is kind.

➡ Matt is handsome _____and_____ kind.

02 Joan likes swimming. I like swimming.

➡ Joan _____ I like swimming.

03 Do you want chicken? Do you want beef?

➡ Do you want chicken _____ beef?

04 I can play the piano. I can play the violin.

➡ I can play the piano _____ the violin.

05 Will you go out? Will you stay at home?

➡ Will you go out _____ stay at home?

06 She called me. I didn't answer it.

➡ She called me, _____ I didn't answer it.

07 The movie was interesting. It was too long.

➡ The movie was interesting _____ too long.

08 He will fix his car. He will buy a new car.

➡ He will fix his car _____ buy a new car.

09 My computer is very old. It works well.

➡ My computer is very old, _____ it works well.

Build up–Writing

다음 우리말과 일치하도록, 주어진 단어를 이용하여 문장을 완성하세요.

정답 및 해설 p.38

Words

· brush one's teeth
  이를 닦다
· rich 부유한, 돈 많은
· lonely 외로운
· try one's best 최선을
  다하다
· there 거기에, 그쪽에

01 그녀는 키가 크고 날씬해요. (tall, thin)

→ She is _____tall and thin_____.

02 그는 이를 닦고 잠을 잤어요. (go to bed)

→ He brushed his teeth _____.

03 그 노인은 부유하지만 외로워요. (rich, lonely)

→ The old man is _____.

04 우리 언니와 나는 산책을 했어요. (my sister, I)

→ _____ took a walk.

05 그는 나를 잘 알지만, 나는 그를 몰라요. (know)

→ He knows me well, _____.

06 그들은 최선을 다했지만, 그들은 실패했어요. (fail)

→ They tried their best, _____.

07 나는 드레스 하나와 가방 하나를 샀어요. (a dress, a bag)

→ I bought _____.

08 그는 월요일 또는 화요일에 올 거예요. (Monday, Tuesday)

→ He will come on _____.

09 파랑과 초록 중 네가 좋아하는 색은 어떤 거니? (blue, green)

→ Which is your favorite color, _____?

10 당신은 여기에 앉거나 저기에 서 있으세요. (sit here, stand there)

→ You can _____.

접속사 so · because · when

두 문장을 연결하는 접속사는 여러 가지가 있습니다. so는 결과를, because는 이유나 원인을, when은 시간을 나타냅니다.

① so

so	그래서	결과를 나타낼 때 사용 「so+결과를 나타내는 문장」

Sarah is kind, **so** everybody likes her. (원인, so 결과)
사라는 친절해서 모든 사람들이 그녀를 좋아해요.

The room was hot, **so** I opened the window. (원인, so 결과)
방이 더워서 나는 창문을 열었어요.

② because

because	~하기 때문에	일의 원인을 나타낼 때 사용 「because+원인을 나타내는 문장」

I feel sad **because** my dog is sick. (결과 because 원인)
내 강아지가 아프기 때문에 나는 슬퍼요.

Because it rained, we stayed at home. (Because 원인, 결과)
비가 왔기 때문에 우리는 집에 있었어요.

plus 1

「원인, so 결과」 형태의 문장은 「결과 because 원인」 형태의 문장으로 바꿔 쓸 수 있어요.

It rained, **so** we stayed at home. → We stayed at home **because** it rained.

③ when

when	~할 때	같은 때에 일어난 일을 나타낼 때 사용

When I was young, I had a lot of toys.
내가 어렸을 때 나는 장난감이 많았어요.

It was five o'clock **when** I got home.
내가 집에 도착했을 때 5시였어요.

꼭 기억하기!

so, because, when은 문장과 문장을 연결하는 접속사로 접속사 뒤에 문장(주어+동사~)이 와요.

Warm up

❶ 다음 밑줄 친 부분에 유의하여, 괄호 안에서 알맞은 것을 고르세요.

정답 및 해설 p.38

01 캠핑은 재미있기 때문에 나는 그것을 좋아해요.

➜ I like camping (so / (because)) it's fun.

02 나는 아파서 침대에 누워 있었어요.

➜ I was sick, (so / when) I stayed in bed.

03 그가 정직하기 때문에 우리는 그를 좋아해요.

➜ We like him (so / because) he is honest.

04 내가 바쁘기 때문에 너를 도와줄 수 없어.

➜ I can't help you (so / because) I'm busy.

05 내가 열 살 때 나는 보스턴으로 이사했어요.

➜ I moved to Boston (so / when) I was ten.

06 내가 일어났을 때 밖은 어두웠어요.

➜ It was dark outside (so / when) I woke up.

07 버스가 늦게 와서 내가 늦었어요.

➜ The bus came late, (so / because) I was late.

08 그녀는 늦게까지 일해서 피곤했어요.

➜ She worked late, (so / because) she felt tired.

09 비가 왔기 때문에 그녀는 창문을 닫았어요.

➜ She closed the window (so / because) it rained.

10 그는 한가할 때 책을 읽어요.

➜ (When / Because) he has free time, he reads a book.

Step up so, because, when 쓰임 학습하기

1 다음 괄호 안에서 알맞은 것을 고르세요.

정답 및 해설 p.38

Words

- believe 믿다
- Toronto 토론토(캐나다에 있는 도시)
- tonight 오늘 밤

01 I felt sad ((when) / so) I heard the news.
내가 그 소식을 들었을 때 나는 슬펐어.

02 I don't believe him (so / because) he tells lies.
그가 거짓말을 하기 때문에 나는 그를 믿지 않아요.

03 My room was dirty, (so / because) I cleaned it.
내 방이 지저분해서 나는 청소를 했어요.

04 It was very hot, (so / because) I took a shower.
너무 더워서 나는 샤워를 했어요.

05 She met James (when / so) she was in Toronto.
그녀가 토론토에 있을 때 제임스를 만났어요.

06 I was hungry, (so / because) I made a sandwich.
나는 배가 고파서 샌드위치를 만들었어요.

07 Can you call me (because / when) you have time?
시간 있을 때 나에게 전화를 해줄래?

08 I finished the report (because / when) you helped me.
네가 나를 도와줬기 때문에 내가 그 보고서를 끝냈어.

09 I have a test tomorrow, (so / when) I must study tonight.
내일 시험이 있어서 나는 오늘 밤 공부해야 해요.

10 I didn't buy the dress (so / because) it was expensive.
나는 그 드레스가 비싸서 그것을 사지 않았어요.

2 다음 우리말과 일치하도록, 빈칸에 알맞은 접속사를 쓰세요.

정답 및 해설 p.38

01 나는 요가를 할 때 차분해져요.

___When___ I do yoga, I feel calm.

02 엄마가 아프기 때문에 그 소녀는 슬퍼요.

The girl is sad _____ her mom is sick.

03 내가 이탈리아에 있을 때 나는 파스타를 많이 먹었어요.

_____ I was in Italy, I ate a lot of pasta.

04 추워서 나는 히터를 틀었어요.

It was cold, _____ I turned on the heater.

05 제인은 열심히 공부해서 좋은 점수를 받았어요.

Jane studied hard, _____ she got good grades.

06 눈이 많이 와서 도로가 길이 미끄러웠어요.

It snowed a lot, _____ the roads were slippery.

07 내가 집에 늦게 들어와서 부모님이 화가 나셨어요.

I came home late, _____ my parents were angry.

08 아이들이 산타를 보았을 때 소리를 질렀어요.

The children yelled _____ they saw Santa Claus.

09 그가 나를 초대하지 않았기 때문에 나는 그 파티에 가지 않았어요.

I didn't go to the party _____ he didn't invite me.

10 비가 오기 때문에 우리는 캠핑하러 가지 않을 거예요.

We're not going to go camping _____ it's raining.

- yoga 요가
- calm 차분한, 침착한
- a lot of 많은
- pasta 파스타
- heater 히터, 난방기
- grade 점수; 등급; 학년
- road 도로, 길
- slippery 미끄러운
- yell 소리 지르다
- Santa Claus 산타클로스

Jump up

🍎 다음 주어진 접속사를 이용하여 두 문장을 연결하세요.

정답 및 해설 p.39

Words

- thick 두꺼운
- coat 외투, 코트
- leave 남기다
- salty 짠
- thirsty 목이 마른
- toothache 치통
- dentist 치과의사
- miss 놓치다

01 Ben was tired. He took a rest. (so)
➡ Ben was tired, _____so he took a rest_____.

02 It was cold. I wore a thick coat. (so)
➡ It was cold, _____.

03 He wasn't at home. I visited him. (when)
➡ He wasn't at home _____.

04 I feel happy. I play with my dog. (when)
➡ I feel happy _____.

05 She left the soup. It was too salty. (because)
➡ She left the soup _____.

06 We saw koalas. We went to the zoo. (when)
➡ We saw koalas _____.

07 Kelly drank water. She was thirsty. (because)
➡ Kelly drank water _____.

08 I had a toothache. I went to the dentist. (so)
➡ I had a toothache, _____.

09 Pitt missed the bus. He slept late. (because)
➡ Pitt missed the bus _____.

10 I live near my grandparents. I often visit them. (so)
➡ I live near my grandparents, _____.

Build up–Writing

🍎 다음 우리말과 일치하도록, 주어진 단어를 이용하여 문장을 완성하세요.

정답 및 해설 p.39

Words

- young 어린, 젊은
- heavily 세차게
- exercise 운동하다
- regularly 규칙적으로
- healthy 건강한
- hospital 병원
- practice 연습하다

01 그가 어렸을 때 그는 뚱뚱했어요. (he, be)

→ _____When he was_____ young, he was fat.

02 비가 많이 와서 나는 택시를 탔어요. (I, take)

→ It rained heavily, _____ a taxi.

03 그녀는 슬플 때 그 노래를 불러요. (she, feel sad)

→ _____, she sings the song.

04 내가 거기에서 너를 보았을 때 나는 행복했어. (I, see)

→ I was happy _____ there.

05 그녀는 바쁘기 때문에 내일 올 수 없어요. (she, busy)

→ She can't come tomorrow _____.

06 그녀가 거짓말을 했을 때 나는 화가 났어요. (she, tell)

→ _____ a lie, I was angry.

07 그는 규칙적으로 운동해서 그는 건강해요. (he, healthy)

→ He exercises regularly, _____.

08 그는 매우 아프기 때문에 병원에 있어요. (he, very sick)

→ He is in hospital _____.

09 그들은 열심히 연습해서 그 경기에서 이겼어요. (they, win)

→ They practiced hard, _____ the game.

10 물이 차가웠기 때문에 나는 수영을 하지 않았어요. (the water, cold)

→ I didn't swim _____.

Wrap up unit 1- unit 2 접속사 최종 점검하기

정답 및 해설 p.39

1 다음 우리말과 일치하도록, 밑줄 친 부분을 바르게 고쳐 쓰세요.

01 I will visit Paris <u>but</u> Rome.
나는 파리와 로마를 방문할 거예요.

`and`

02 Is the baby a boy <u>and</u> a girl?
그 아기는 남자애니 아니면 여자애니?

03 I can ski, <u>or</u> my brother can't ski.
나는 스키를 탈 수 있지만, 우리 형은 스키를 못 타요.

04 These jeans are nice <u>so</u> expensive.
이 청바지는 멋있지만 비싸요.

05 <u>Because</u> I was a kid, I lived in Japan.
내가 어렸을 때 나는 일본에서 살았어요.

06 She was surprised <u>so</u> she got the letter.
그 편지를 받았을 때 그녀는 놀랐어요.

07 Sarah is popular <u>so</u> she sings very well.
사라는 노래를 매우 잘하기 때문에 인기가 있어요.

08 Which do you want, ice cream <u>and</u> apple pie?
너는 아이스크림과 사과 파이 중 어떤 것을 원하니?

09 The weather was hot, <u>when</u> we went swimming.
날씨가 더워서 우리는 수영하러 갔어요.

10 Peter asked me a question, <u>because</u> I answered it.
피터가 나에게 질문을 해서 나는 대답했어요.

Words

• Rome 로마
• jeans 청바지
• kid 아이
• surprised 놀란
• get 받다, 얻다
• pie 파이
• go swimming 수영하러 가다

2 다음 우리말에 일치하도록, 주어진 단어와 접속사를 이용하여 문장을 완성하세요.

정답 및 해설 p.39

Words

- windy 바람이 많이 부는
- go out 외출하다
- eat out 외식하다

01 나는 아파서 학교에 가지 않았어요. (sick)

→ I didn't go to school _____because I was sick_____.

02 그는 배가 고프고 피곤했어요. (hungry, tired)

→ He was _____.

03 바람이 세게 불어서 나는 추웠어요. (feel cold)

→ It was very windy, _____.

04 그는 외출할 때 문을 잠그지 않았어요. (go out)

→ He didn't lock the door _____.

05 그 소년은 어렸지만 용감했어요. (young, brave)

→ The boy was _____.

06 나는 버터 또는 치즈가 필요해요. (butter, cheese)

→ I need _____.

07 나는 커피는 좋아하지만, 차는 좋아하지 않아요. (like, tea)

→ I like coffee, _____.

08 내 생일이었기 때문에 우리는 외식했어요. (it, my birthday)

→ We ate out _____.

09 우리는 박물관까지 걸어가거나 버스를 탈 수 있어. (walk, take a bus)

→ We can _____ to the museum.

10 내 이름은 레이첼이고, 내가 여러분의 새로운 선생님이에요. (I, new teacher)

→ My name is Rachel, _____.

Exercise

정답 및 해설 p.40

[1-2] 다음 빈칸에 말로 알맞은 것을 고르세요.

1

Is this a fox _____ a wolf?

① and   ② or   ③ so

④ but   ⑤ because

> 1 연결 대상 중 하나를 선택하는 의문문이에요.

2

I need milk _____ eggs.

① so   ② and   ③ but

④ when   ⑤ because

> 2 비슷한 내용을 연결하고 있어요.

3 다음 빈칸에 공통으로 들어갈 말로 알맞은 것은?

- Yesterday was sunny, _____ today is snowy.
- Mike is smart _____ lazy.

① and   ② or   ③ but

④ so   ⑤ when

> 3 서로 반대되는 내용을 연결하고 있어요.

4 다음 빈칸에 들어갈 말이 바르게 짝지어진 것은?

- I read a lot of comic books _____ I was young.
- I can't go out with you _____ I'm very busy.

① so - when   ② when - so

③ so - because   ④ because - when

⑤ when - because

> 4 comic book 만화책 같은 때에 일어난 일을 내는 접속사, 원인을 나타내는 접속사가 무엇인지 생각해 보세요.

5 다음 빈칸에 들어갈 접속사가 나머지 넷과 <u>다른</u> 것은?

① I know your name _____ phone number.

② He can play the piano _____ the guitar.

③ She studied hard _____ passed the test.

④ My sister likes chocolate _____ ice cream.

⑤ Which is your favorite color, pink _____ blue?

[6–7] 다음 밑줄 친 부분이 <u>잘못된</u> 것을 고르세요.

6
① Her best friends are Jane <u>and</u> Mary.
② I like winter <u>because</u> I can go skiing.
③ Nick is kind, <u>but</u> everybody likes him.
④ He has a big test, <u>so</u> he feels nervous.
⑤ <u>When</u> I was in Paris, I visited the Eiffel Tower.

7
① Clare is tired <u>and</u> sleepy.
② I'm not hungry <u>so</u> I just ate dinner.
③ I got wet, <u>because</u> it rained suddenly.
④ You can wear this skirt <u>or</u> those pants.
⑤ He was happy <u>when</u> he won the contest.

8 다음 빈칸에 알맞은 접속사를 쓰세요.

> 1) It is fall, _____ it is still hot.
> 2) English is interesting, _____ I like it.
> 3) I was late for school _____ I got up late.

9 다음 두 문장을 주어진 단어를 이용하여 한 문장으로 연결할 때 빈칸에 알맞은 말을 쓰세요.

> 1) I stayed at home. I watched TV. (and)
>   → I stayed at home _____.
> 2) He said good-bye. She cried. (when)
>   → She cried _____.

10 다음 우리말과 일치하도록, 주어진 단어를 이용하여 문장을 완성하세요.

> 1) 나는 하와이나 발리를 여행할 거예요. (Hawaii, Bali)
>   → I will travel to _____.
> 2) 내가 집에 도착했을 때 아무도 없었어요. (get home)
>   → _____, there was no one.

Note

6 everybody 모든 사람
nervous 긴장한, 초조한
the Eiffel Tower 에펠 타워

7 just 막, 방금
wet 젖은

8 still 여전히
good-bye 안녕, 작별 인사
travel 여행하다
1) 앞뒤 내용이 반대예요.
2) 뒤 내용이 결과에 해당해요.
3) 뒤 내용이 원인에 해당해요.

과목을 영어로 어떻게 말하는지 알아보자!

math
(수학)

art
(미술)

English
(영어)

P.E.
(=physical education)
(체육)

science
(과학)

Social Studies
(사회)

history
(역사)

geography
(지리)

music
(음악)

information technology
(정보 기술)

명령문과 제안문

Word Check

☐ polite	☐ minute	☐ lean	☐ turn	☐ page
☐ noisy	☐ trust	☐ liar	☐ okay	☐ eat out
☐ afraid	☐ snack	☐ order	☐ trouble	☐ raincoat
☐ inside	☐ serious	☐ save	☐ energy	☐ word

명령문

명령문은 상대방에게 명령이나 지시, 경고 등을 할 때 사용하며, '~해라'라는 의미의 긍정명령문과, '~하지 마라'라는 의미의 부정명령문이 있습니다.

1 명령문의 의미

상대방이 해야 할 일 또는 하지 말아야 할 일을 명령하거나 지시, 또는 경고하는 문장으로 '~해라', '~하지 마라'라고 해석합니다.

Close the door. 문을 닫아라.
Don't go there. 거기에 가지 마라.

2 명령문의 형태

1) 긍정명령문: 주어(You)를 빼고, 동사원형으로 시작합니다.

동사원형 ~ **Be ~**	~ 해라

You come here. → **Come** here. 여기로 와라.

You are quiet. → **Be** quiet. 조용히 해라.

명령문의 앞이나 뒤에 please를 붙이면 좀 더 부드럽고, 공손한 표현이 됩니다.

Please open the window. 창문을 열어주세요.
Close the door, **please**. 문을 닫아 주세요.

2) 부정명령문: 주어(You)를 빼고, Don't 뒤에 동사원형을 씁니다.

Don't [Do not] 동사원형 ~ **Don't be ~**	~ 하지 마라

You don't stand up. → **Don't stand** up. 일어서지 마라.

You are not late. → **Don't be** late. 늦지 마라.

부정명령문에서 Don't 대신에 Never를 쓰기도 하며, '절대~ 하지 마'로 해석합니다.

Never tell a lie. 절대 거짓말을 하지 마라.
Never be late. 절대 늦지 마라.

Warm up

1 다음 문장을 명령문으로 만들 때, 빈칸에 알맞은 말을 고르세요.

정답 및 해설 p.40

Words

• rude 무례한, 버릇없는
• waste 낭비하다
• grass 잔디

01 You help me.
→ (Helps / (Help)) me.

02 You are honest.
→ (Is / Be) honest.

03 You are happy.
→ (Are / Be) happy.

04 You come here.
→ (Come / Coming) here.

05 You open the box.
→ (Open / Opens) the box.

06 You are not late.
→ (Not / Don't) be late.

07 You are not rude.
→ (Don't / Doesn't) be rude.

08 You don't waste money.
→ Don't (waste / wastes) money.

09 You don't walk on the grass.
→ Don't (walk / walking) on the grass.

10 You don't take pictures here.
→ (Not / Don't) take pictures here.

Step up 명령문 형태 학습하기

1 다음 빈칸에 알맞은 것을 고르세요.

정답 및 해설 p.40

Words

• polite 예의 바른, 공손한
• take care 몸조심하다;
  돌보다
• minute 분; 잠깐
• lean 기대다
• against ~에 기대어서,
  ~을 향하여
• fight 싸우다

01 ((Be) / Being) polite.

예의 바르게 행동해라.

02 (Not / Don't) be sad.

슬퍼하지 마라.

03 (Be take / Take) care!

몸조심해!

04 (Be / Are) a good boy.

착한 소년이 되어라.

05 (Wait / Waiting) a minute.

잠깐 기다려.

06 (Not / Don't) eat too much.

너무 많이 먹지 마라.

07 (Do / Does) your homework.

숙제 해라.

08 (Turn off / Turns off) the TV.

TV를 꺼라.

09 (Don't / Doesn't) lean against the door.

문에 기대지 마라.

10 Don't (fight / fighting) with your brother.

네 남동생과 싸우지 마라.

2 다음 그림을 보고, 주어진 단어를 이용하여 명령문을 완성하세요.

정답 및 해설 p.41

Words

· quiet 조용한
· turn (책장을) 넘기다;
  돌다, 돌리다
· page 페이지, 쪽
· bring 가져오다
· pick (꽃 등을) 꺾다

01 _____Be_____ quiet! (be)

02 _____ the door. (close)

03 _____ the dishes. (wash)

04 _____ to page 25. (turn)

05 _____ any food. (bring)

06 _____ in the library. (run)

07 _____ the flowers. (pick)

08 _____ the painting. (touch)

Jump up 명령문 완성하기

정답 및 해설 p.41

🍎 다음 문장을 명령문으로 바꿔 쓰세요.

Words

• careful 조심하는

• speak up 더 크게 말하다

• noisy 시끄러운

01 You sit down.

➡ _____ Sit down _____.

02 You are careful.

➡ _____.

03 You speak up.

➡ _____.

04 You get up early.

➡ _____.

05 You are not lazy.

➡ _____.

06 You are not noisy.

➡ _____.

07 You don't stand up.

➡ _____.

08 You don't come here.

➡ _____.

09 You exercise regularly.

➡ _____.

10 You are kind to your friends.

➡ _____.

Build up–Writing

🍎 다음 우리말과 일치하도록, 주어진 단어를 이용하여 문장을 완성하세요.

정답 및 해설 p.41

01 우리 늦었어. 서둘러라! (hurry up)

→ We are late. _____Hurry up_____ !

02 너무 늦었어. 외출하지 마라. (go out)

→ It's too late. _____.

03 다시 해 봐라. 넌 할 수 있어. (try, again)

→ _____. You can do it.

04 그를 믿지 마라. 그는 거짓말쟁이야. (trust, him)

→ _____. He is a liar.

05 저녁 준비됐어! 네 손을 씻어라. (wash, hands)

→ Dinner's ready! _____.

06 너 피곤해 보여. 일찍 자라. (go to bed, early)

→ You look tired. _____.

07 밖이 추워. 네 코트를 입어라. (put on, coat)

→ It's cold outside. _____.

08 물이 지저분해. 여기서 수영하지 마라. (swim, here)

→ The water is dirty. _____.

09 걱정하지 마라. 모든 게 괜찮아질 거야. (worry)

→ _____. Everything will be okay.

10 내가 너와 함께 여기 있을게. 두려워하지 마라. (be, afraid)

→ I'll be here with you. _____.

Words

• try 해 보다; 노력하다
• trust 믿다, 신뢰하다
• liar 거짓말쟁이
• ready 준비가 된
• put on 입다, 쓰다, 착용하다
• everything 모든 것
• okay 괜찮은
• afraid 두려워하는, 겁내는

UNIT 02 제안문

> 제안문은 상대방에게 권유, 요청 또는 제안할 때 사용합니다. Let's 제안문은 '~하자'라는 의미이며, Let's not 제안문은 '~하지 말자'라는 의미입니다.

❶ Let's 제안문의 의미

상대방에게 어떤 것을 권유, 요청하거나 제안하는 문장으로, '~하자', '~하지 말자'라고 해석합니다.

Let's play tennis. 테니스 치자.

Let's go home now. 이제 집에 가자.

Let's not waste time. 시간 낭비하지 말자.

❷ Let's 제안문의 형태

1) Let's 제안문: Let's 다음에 동사원형을 씁니다.

Let's + 동사원형 / **be ~**	(우리) ~하자

Let's go out. 외출하자.

Let's be honest. 정직해지자.

2) Let's not 제안문: Let's+동사원형의 부정형으로 Let's 다음에 not을 쓰고 동사원형을 씁니다.

Let's not + 동사원형 / **be ~**	(우리) ~ 하지 말자

Let's not take a bus. 버스 타지 말자.

Let's not be angry with him. 그에게 화내지 말자.

plus 1

Let's 제안문은 「Shall we+동사원형~?」, 「Why don't we+동사원형~?」, 「How[What] about ~ing?」로 바꿔 쓸 수 있어요.

Let's go shopping. 쇼핑하러 가자.

= **Shall we go** shopping? 쇼핑하러 갈까요?

= **Why don't we go** shopping? 쇼핑하러 가는 게 어때?

= **How[What] about going** shopping? 쇼핑하러 가는 게 어때?

 # Warm up

1 다음 문장을 제안문으로 만들 때, 빈칸에 알맞은 말을 고르세요.

정답 및 해설 p.41

· eat out 외식하다

01 We dance.
→ (Let /(Let's)) dance.

02 We sit here.
→ Let's (sit / sitting) here.

03 We play soccer.
→ (Let / Let's) play soccer.

04 We take a walk.
→ Let's (take / taking) a walk.

05 We don't eat out.
→ Let's (eat not / not eat) out.

06 We go on a picnic.
→ Let's (going / go) on a picnic.

07 We are kind to them.
→ (Let / Let's) be kind to them.

08 We don't waste money.
→ Let's (waste not / not waste) money.

09 We don't swim in the sea.
→ (Not let's / Let's not) swim in the sea.

10 We are not late for school.
→ (Not let's / Let's not) be late for school.

1 다음 빈칸에 알맞은 것을 고르세요.

정답 및 해설 p.42

· think 생각하다

01 (Let / Let's) go home.
집에 가자.

02 (Let / Let's) meet at five.
5시에 만나자.

03 Let's (leave / leaving) early.
일찍 나가자.

04 Let's (think / thinking) again.
다시 생각해 보자.

05 Let's (not tell / tell not) a lie.
거짓말하지 말자.

06 (Not let's / Let's not) watch TV.
TV를 보지 말자

07 Let's (listens / listen) to music.
음악 듣자.

08 Let's (do / does) our homework.
숙제하자.

09 Let's (study / studying) together.
같이 공부하자.

10 (Not let's / Let's not) play a computer game.
컴퓨터 게임을 하지 말자.

2 다음 우리말과 일치하도록, 주어진 단어와 Let's 또는 Let's not을 이용하여 제안문을 완성하세요.

정답 및 해설 p.42

Words

- snack 간식
- paint 페인트를 칠하다
- sweet 단것
- about ~에 대한

01 야구 하자. (play)

➡ _____ Let's play _____ baseball.

02 용감해지자. (be)

➡ _____ brave.

03 택시 타자. (take)

➡ _____ a taxi.

04 간식을 좀 사자. (buy)

➡ _____ some snacks.

05 영화 보러 가자. (go)

➡ _____ to the movies.

06 점심 같이 먹자. (have)

➡ _____ lunch together.

07 벽에 페인트칠하자. (paint)

➡ _____ the wall.

08 도서관에서 뛰지 말자. (run)

➡ _____ in the library.

09 단것을 먹지 말자. (eat)

➡ _____ sweets.

10 이것에 대해 싸우지 말자. (fight)

➡ _____ about this.

Jump up

다음 빈칸에 Let's 또는 Let's not을 쓰세요.

정답 및 해설 p.42

01 It's too late. ___Let's not___ go out.

02 I'm hungry. _____ order a pizza.

03 Mark is in trouble. _____ help him.

04 We have enough time. _____ hurry.

05 I'm bored. _____ do something fun.

06 It's your birthday. _____ have a party.

07 It's cold inside. _____ turn on the heater.

08 The weather is nice. _____ stay at home.

09 It's going to rain. _____ take our raincoats.

10 _____ eat fast food. It's not good for health.

11 This movie looks interesting. _____ watch it.

12 We have lots of snow. _____ make a snowman.

 Words

· order 주문하다
· trouble 곤란, 곤경
· enough 충분한
· bored 지루한, 심심한
· inside 안, ~의 안
· raincoat 우비
· lots of 많은

Build up–Writing

🍎 다음 우리말과 일치하도록, 주어진 단어를 바르게 배열하세요.

정답 및 해설 p.42

01 조용히 하자. (be, quiet, let's)

→ _____ Let's be quiet _____ .

02 친구 하자. (let's, friends, be)

→ _____ .

03 캠핑 가자. (go, let's, camping)

→ _____ .

04 영어 공부하자. (English, let's, study)

→ _____ .

05 스케이트 타지 말자. (skate, let's, not)

→ _____ .

06 그녀를 기다리지 말자. (let's, wait, not)

→ _____ for her.

07 너무 걱정하지 말자. (not, worry, Let's)

→ _____ too much.

08 스파게티를 만들자. (let's, spaghetti, make)

→ _____ .

09 그들을 저녁 식사에 초대하자. (invite, them, let's)

→ _____ to dinner.

10 엄마 생신을 잊지 말자. (not, forget, let's)

→ _____ Mom's birthday.

 **Words**

- skate 스케이트 타다
- invite 초대하다
- forget 잊다

1 다음 우리말과 일치하도록, 밑줄 친 부분을 바르게 고쳐 쓰세요.

정답 및 해설 p.42

01 <u>Stands</u> in line.
줄을 서.

Stand

02 <u>Not</u> be serious.
심각해 하지 마.

03 <u>Does</u> your best.
최선을 다해.

04 <u>Taking</u> your time.
천천히 해.

05 <u>Are</u> here at five.
5시에 여기에 와.

06 <u>Let</u> eat something.
뭐 좀 먹자.

07 <u>Don't let's</u> tell him.
그에게는 말하지 말자.

08 <u>Drink don't</u> the water.
그 물을 마시지 마.

09 Let's <u>are</u> kind to them.
그들에게 친절하게 대하자.

10 Let's <u>saving</u> the energy.
에너지를 절약하자.

Words

- serious 심각한, 진지한
- do one's best 최선을 다하다
- take one's time 천천히 하다
- save 절약하다, 저축하다
- energy 에너지

2 다음 우리말에 일치하도록, 주어진 단어를 이용하여 문장을 완성하세요.

정답 및 해설 p.43

- go for a swim 수영하러 가다
- give up 포기하다
- bad 나쁜
- word 말, 단어

01 그만 울어라. (stop)

➡ _____ Stop _____ crying.

02 산책하자. (take)

➡ _____ a walk.

03 수영하러 가자. (go)

➡ _____ for a swim.

04 포기하지 마라. (give up)

➡ _____.

05 여기서 기다려라. (wait)

➡ _____ here.

06 이 소파를 사지 말자. (buy)

➡ _____ this sofa.

07 나쁜 말을 사용하지 마라. (use)

➡ _____ bad words.

08 내 말을 잘 들어봐라. (listen to)

➡ _____ carefully.

09 네 여동생들에게 친절하게 대해라. (be, nice)

➡ _____ to your sisters.

10 이렇게 늦은 시간에 그에게 전화하지 말자. (call)

➡ _____ him at this late hour.

Exercise

정답 및 해설 p.43

[1-2] 다음 빈칸에 들어갈 말로 알맞은 것을 고르세요.

1

_____ go to the party.

① Not let   ② Not let's   ③ Let not
④ Let's not   ⑤ Don't let's

2

Don't _____ late again.

① be   ② is   ③ am
④ are   ⑤ being

3 다음 대화의 빈칸에 들어갈 말로 알맞은 것은?

A: The weather is nice. _____ go on a picnic.
B: That's a good idea.

① Be   ② Do   ③ Don't
④ Let   ⑤ Let's

[4-5] 다음 밑줄 친 부분이 <u>잘못된</u> 것을 고르세요.

4
① <u>Be</u> honest.
② <u>Don't</u> be sad.
③ <u>Take</u> your umbrella.
④ <u>Don't</u> eat too many sweets.
⑤ <u>Going</u> straight and turn right.

5
① <u>Let's not is</u> noisy.
② <u>Let's go</u> to bed early.
③ <u>Let's eat</u> dinner together.
④ <u>Let's watch</u> a fun movie.
⑤ <u>Let's not run</u> in the classroom.

Note

6 다음 중 어법상 바른 문장을 고르면?

① Not be shy.
② Drive carefully.
③ Let's playing outside.
④ Not let's waste money.
⑤ Please does the dishes.

7 다음 문장을 명령문으로 바꾼 것으로 알맞은 것은?

> You don't open the box.

① Do open the box.
② Not open the box.
③ Don't open the box.
④ Doesn't open the box.
⑤ Don't be open the box.

8 다음 문장에서 <u>잘못된</u> 부분을 찾아 바르게 고치세요.

> 1) Is careful! The window is broken.
> 2) Let's eating something.

8 broken 깨진, 부서진, 부러진
1) 긍정명령문은 동사원형 또는 Be로 시작해요.
2) 제안문 Let's 다음에는 동사원형이 와요.

9 다음 주어진 단어를 이용하여 주어진 지시대로 문장을 완성하세요.

> 1) The baby is sleeping. _____ a noise. (not, make) (명령문)
> 2) The water is cold. _____ here. (not, swim) (Let's 제안문)

10 다음 우리말과 일치하도록, 주어진 단어를 바르게 배열하세요.

10 turn off 끄다

> 1) 휴대 전화를 꺼라. (cell phone, turn off, your)
>   ➜ _____.
> 2) 도서관에서 만나자. (meet, at, let's, the library)
>   ➜ _____.

Review Test　Chapter 1~10

1 다음 괄호 안에서 알맞은 것을 고르세요.　Chapter 1-3

01　Will she (pass / passes) the test?

02　He (not can / cannot) speak Korean.

03　They are (play / playing) baseball now.

04　I'm (not listening / listening not) to music.

05　You must (finish / finishing) your homework now.

06　We (are not going to / are going not to) buy the car.

2 다음 우리말과 일치하도록, 주어진 단어를 이용하여 문장을 완성하세요.

01　우리는 교실에서 뛰면 안 돼. (we, run)

　➜ ＿＿＿＿＿＿We must not run＿＿＿＿＿＿ in the classroom.

02　나는 내일 그녀를 만날 거예요. (I, meet, will)

　➜ ＿＿＿＿＿＿＿＿＿＿＿＿＿＿＿＿＿＿ tomorrow.

03　그녀는 지금 영어 공부를 하고 있어요. (she, study)

　➜ ＿＿＿＿＿＿＿＿＿＿＿＿＿＿＿＿＿＿ now.

04　너는 연을 만들고 있는 중이니? (you, make a kite)

　➜ ＿＿＿＿＿＿＿＿＿＿＿＿＿＿＿＿＿＿?

05　너는 피아노를 연주할 수 있니? (you, play the piano)

　➜ ＿＿＿＿＿＿＿＿＿＿＿＿＿＿＿＿＿＿?

06　오후에 비가 내리지 않을 거예요. (it, be going to, rain)

　➜ ＿＿＿＿＿＿＿＿＿＿＿＿＿＿＿＿ in the afternoon.

1 다음 괄호 안에서 알맞은 것을 고르세요.   Chapter 4-5

01 She has (a nice car / a car nice)

02 I (was / were) at Max's house then.

03 Steve and Cindy live (happy / happily).

04 How (much / many) pets do you have?

05 You (are always / always are) late for school.

06 (Was / Were) you absent from school yesterday?

2 다음 우리말과 일치하도록, 주어진 단어를 이용하여 문장을 완성하세요.

01 너는 그 소식을 듣고 슬펐니? (sad)
→ _____Were you sad_____ at the news?

02 그는 어젯밤 그 파티에 없었어. (at the party)
→ _____ last night.

03 그들은 작년에 같은 반 친구였어요. (classmates)
→ _____ last year.

04 나는 이 빨간 신발을 원해요. (shoes, these, red)
→ _____.

05 나는 너를 절대 잊지 않을 거야. (never, forget, will)
→ _____.

06 그는 대개 저녁에는 집에 있어요. (stay at home, usually)
→ _____ in the evening.

Review Test

1 다음 동사의 과거형을 쓰세요.

01	call	called	16	talk	
02	play		17	hurry	
03	go		18	smile	
04	ask		19	ride	
05	do		20	try	
06	carry		21	love	
07	visit		22	hear	
08	run		23	enjoy	
09	live		24	lose	
10	walk		25	have	
11	come		26	want	
12	make		27	feel	
13	think		28	drop	
14	read		29	sleep	
15	cry		30	stop	

1 다음 괄호 안에서 알맞은 것을 고르세요.

01 Did he (find / finds) his dog?

02 We didn't (win / won) the game.

03 Kelly didn't (come / comes) to the party.

04 I (don't / didn't) paint the wall last week.

05 Did you (go / went) fishing last weekend?

06 (Does / Did) they play basketball yesterday?

2 다음 문장을 지시대로 바꿔 쓰세요.

01 He worked hard last year. (의문문)

→ _____ Did he work hard last year _____ ?

02 You got up early this morning. (의문문)

→ _____ ?

03 The man remembered my name. (부정문)

→ _____ .

04 We walked to school yesterday. (부정문)

→ _____ .

05 I watched the movie last Sunday. (부정문)

→ _____ .

06 Nancy wore a red dress last night. (의문문)

→ _____ ?

Review Test

1 다음 괄호 안에서 알맞은 전치사를 고르세요.

01 I was born (on /(in)) 2007.
나는 2007년에 태어났어요.

02 We play baseball (on / in) Sundays.
우리는 일요일에 야구를 해요.

03 There is a family picture (at / on) the wall.
벽에 가족사진이 있어요.

04 She sat (next to / under) a handsome boy.
그녀는 잘생긴 소년 옆에 앉았어요.

05 My father doesn't drink coffee (at / in) night.
우리 아버지는 밤에 커피를 마시지 않으세요.

06 The post office is (behind / in front of) the library.
우체국은 도서관 뒤에 있어요.

2 다음 우리말과 일치하도록, 주어진 단어를 이용하여 문장을 완성하세요.

01 나는 9시에 잠을 자요. (nine)

→ I go to bed _____at nine_____.

02 겨울에는 눈이 많이 내려요. (winter)

→ We have a lot of snow _____.

03 우리 오빠는 그의 방에 없어요. (his room)

→ My brother is not _____.

04 침대 밑에 그의 신발들이 있어요. (the bed)

→ There are his shoes _____.

05 그 소년은 언덕을 뛰어 내려오고 있어요. (the hill)

→ The boy is running _____.

06 많은 사람이 그 식당 앞에 있었어요. (the restaurant)

→ There were a lot of people _____.

1 다음 주어진 접속사를 이용하여 두 문장을 연결할 때, 빈칸에 알맞은 말을 쓰세요. Chapter 9

01 I practiced hard. I lost the race. (but)
→ I practiced hard, _____ but I lost the race _____.

02 You can have coffee. You can have tea. (or)
→ You can have _____.

03 He received her letter. He felt happy. (when)
→ He felt happy _____.

04 She had a big lunch. She isn't hungry. (so)
→ She had a big lunch, _____.

05 Jason is from Canada. Clare is from Canada. (and)
→ _____ are from Canada.

06 He had a headache. He went to the doctor. (because)
→ He went to the doctor _____.

2 다음 우리말과 일치하도록, 주어진 단어를 이용해서 문장을 완성하세요.

01 밖이 화창하지만 추워요. (sunny, cold)
→ It's _____ sunny but cold _____ outside.

02 내가 어렸을 때 나는 수영을 잘했어요. (young)
→ I was good at swimming _____.

03 나는 늦게 일어나서 버스를 놓쳤어요. (miss the bus)
→ I got up late, _____.

04 오늘이 휴일이기 때문에 우리는 학교에 안 가요. (today, a holiday)
→ We don't go to school _____.

05 내 남동생은 곤충을 좋아하지만, 나는 그것들을 싫어해요. (hate, them)
→ My brother likes insects, _____.

Review Test

1 다음 주어진 단어를 이용하여 문장을 완성하세요.

01 It is raining heavily. <u>Let's not go</u> out. (let's, not, go)

02 It's hot. _____ swimming in the sea. (let's, go)

03 The coffee is hot. _____ it now. (not, drink)

04 This is too expensive. _____ it. (let's, not, buy)

05 Your room is very dirty. _____ your room now. (clean)

06 You must not leave any food. _____ your meal. (finish)

2 다음 우리말과 일치하도록, 주어진 단어를 바르게 배열하세요.

01 수줍어하지 마. (be, don't, shy)
   ➡ _____ Don't be shy _____ .

02 음악에 맞춰 춤추자. (dance, let's)
   ➡ _____ to the music.

03 라디오를 켜. (the radio, turn on)
   ➡ _____ .

04 나를 위해 노래를 불러줘. (a song, sing)
   ➡ _____ for me.

05 방과 후에 축구 하자. (play, let's, soccer)
   ➡ _____ after school.

06 쇼핑하러 가지 말자. (let's, go shopping, not)
   ➡ _____ .

1 다음 우리말과 일치하도록, 주어진 단어를 바르게 배열하세요.

01 7시에 집으로 와. (home, at, come, seven)

➡ _____ Come home at seven _____ .

02 3월이지만 매우 춥다. (cold, but, it's, very)

➡ It is March, _____ .

03 그 벤치 위에 앉지 마. (sit, the bench, on, don't)

➡ _____ .

04 버스 정류장에서 만나자. (meet, the bus stop, let's, at)

➡ _____ .

05 그의 방에는 책이 많지 않아요. (books, his room, in, many)

➡ There aren't _____ .

06 그는 절대로 일요일에 집에 있지 않아요. (home, Sundays, on, at)

➡ He is never _____ .

07 이 의자를 소파 옆에 놓자. (put, this chair, the sofa, beside, let's)

➡ _____ .

08 그가 그 소식을 들었을 때 그는 슬펐어요. (when, heard, he, the news)

➡ He felt sad _____ .

09 그녀와 나는 그때 뉴욕에 있지 않았어요. (and, were, she, not, I, in)

➡ _____ New York then.

10 너는 그녀를 은행 앞에서 보았니? (you, her, in front of, see, did, the bank)

➡ _____ ?

[1-2] 다음 중 동사의 과거형이 <u>잘못</u> 연결된 것을 고르세요.

1
① like - liked
② rain - rained
③ plan - planed
④ stay - stayed
⑤ teach - taught

2
① go - went
② call - called
③ know - knew
④ write - writed
⑤ study - studied

[3-8] 다음 빈칸에 들어갈 말로 알맞은 것을 고르세요.

3
> We _____ watch TV last night.

① weren't
② aren't
③ don't
④ doesn't
⑤ didn't

4
> It's warm _____ spring.

① at
② on
③ in
④ up
⑤ down

5
> _____ you visit your grandparents last Saturday?

① Are
② Were
③ Do
④ Does
⑤ Did

6
> I _____ this book yesterday.

① buy
② bought
③ will buy
④ am buying
⑤ am going to buy

7
> A: _____ take a walk after dinner.
> B: That sounds great.

① Be
② Do
③ Does
④ Let
⑤ Let's

8
> _____ afraid of the dog.

① Doesn't be
② Don't be
③ Not be
④ No be
⑤ Never

[9-10] 다음 빈칸에 공통으로 들어갈 말로 알맞은 것을 고르세요.

9
> • There are dirty cups _____ the table.
> • I will see him _____ Sunday.

① at
② on
③ in
④ behind
⑤ under

27-30 Excellent   22-26 Good   16-21 Not bad   15 이하 Try Again

10

> • The man is rich _____ unhappy.
> • I like swimming, _____ my brother likes reading.

① and   ② or   ③ but
④ so   ⑤ when

[11-12] 다음 대화의 빈칸에 들어갈 말이 바르게 짝지어진 것을 고르세요.

11

> A: _____ you take a shower last night?
> B: No, I _____ .

① Do - aren't   ② Do - do
③ Does - don't   ④ Did - did
⑤ Did - didn't

12

> A: _____ drive so fast.
> B: Okay. I will drive _____ .

① Not - slow   ② Not - slowly
③ Never - slow   ④ Don't - slowly
⑤ Don't be - slow

[13-14] 다음 빈칸에 들어갈 말이 나머지 넷과 <u>다른</u> 하나를 고르세요.

13 ① Brian works ___ night.
② School starts ___ March.
③ I first met Eric ___ 2010.
④ My uncle studies ___ London.
⑤ There is a ring ___ the small box.

14 ① Linda is smart ____ pretty.
② My sister ____ I are twins.
③ Which do you like, coffee ___ tea?
④ I met Jane, ____ we went shopping.
⑤ Matt eats toast ____ milk for breakfast.

[15-16] 다음 중 올바른 문장을 고르세요.

15 ① I can play the piano but the cello.
② I went to bed early so I was tired.
③ It was hot, because I opened the window.
④ When Sue came home, there was no one.
⑤ He will visit us on Thursday so on Friday.

16 ① I didn't stayed at a hotel.
② Did he called you last night?
③ They moved to Toronto in 2015.
④ We not did go to school yesterday.
⑤ Does you sent this letter last week?

[17-19] 다음 중 밑줄 친 부분이 <u>잘못된</u> 것을 고르세요.

17 ① He <u>ate</u> all the pizza.
② I <u>knew</u> the answer then.
③ The girls <u>sang</u> beautifully.
④ Jeff <u>taked</u> my bike yesterday.
⑤ My father <u>built</u> this house last year.

18 ① Jacob is <u>behind</u> the tree.
② She is running <u>up</u> the stairs.
③ Mandy and I were <u>at</u> school.
④ My aunt lives <u>on</u> New Zealand.
⑤ The cat is sleeping <u>under</u> the table.

19 ① <u>Wear</u> a helmet.
② <u>Let's not hurry</u> up.
③ <u>Don't using</u> my computer.
④ <u>Let's play</u> hide and seek.
⑤ <u>Let's not turn off</u> the light.

[20-22] 다음 우리말과 의미가 같은 것을 고르세요.

20
| 슬퍼하지 마. |

① Not sad.
② Not be sad.
③ Don't be sad.
④ Don't are sad.
⑤ Doesn't be sad.

21
| 그는 포도를 좋아하지만, 포도 주스는 마시지 않아요. |

① He likes grapes, or he doesn't drink grape juice.
② He likes grapes, but he doesn't drink grape juice.
③ He likes grapes, so he doesn't drink grape juice.
④ He likes grapes when he doesn't drink grape juice.
⑤ He likes grapes because he doesn't drink grape juice.

22
| 나는 그 영화를 즐기지 않았어. |

① I not enjoyed the movie.
② I didn't enjoy the movie.
③ I don't enjoyed the movie.
④ I didn't enjoyed the movie.
⑤ I not did enjoyed the movie.

23 다음 주어진 우리말과 일치하도록, 주어진 단어를 이용하여 문장을 완성하세요.

1)
| 나는 한가할 때 자전거를 타요. (have free time) |

➡ _____, I ride a bike.

2)
| 숙제하자. (do) |

➡ _____ our homework.

3)
| 그가 너에게 많은 질문을 했니? (ask) |

➡ _____ you many questions?

[24-25] 다음 밑줄 친 부분을 바르게 고치세요.

24
| It's raining ⓐ <u>heavy</u>. ⓑ <u>Not</u> open the windows. |

ⓐ _____

ⓑ _____

25

A: Did they ⓐ <u>went</u> skiing last
   weekend?
B: Yes, they ⓑ <u>do</u>.

ⓐ _____

ⓑ _____

[26-27] 다음 문장을 주어진 지시대로 바꿔 쓰세요.

26

She finished the report. (부정문)

➜ _____ .

27

Mr. Green taught English last year.
(의문문)

➜ _____ ?

28 다음 두 문장이 같은 뜻이 되도록 빈칸에 알맞은 말을
쓰세요.

1)

The school is next to the park.

➜ The school is _____ the park.

2)

I was happy because I won first prize.

➜ I won first prize, _____ I was happy.

[29-30] 다음 우리말과 일치하도록, 주어진 단어를 바르게 배열
하세요.

29

그것에 대해 걱정하지 말자. (not, worry, let's)

➜ _____ about it.

30

나는 영화를 좋아해서 나는 영화감독이 될 거예요.
(be, I, so, a movie director, will)

➜ I like movies, _____

_____ .

CROSSWORD PUZZLE을 풀어보세요.

House

Down

1 화장실

2 창문

4 정원

7 지붕

Across

3 부엌

5 바닥

6 침실

8 문

Grammar mentor joy

START
2

Vocabulary 미니북

Grammar mentor joy

Vocabulary 미니북

2 start

PEARSON
Longman

현재진행형

01	tie 묶다 [tai]	She ties her hair back.	그녀는 뒤로 머리를 묶는다.
02	sit 앉다 [sit]	I'm sitting on a bench.	나는 벤치에 앉아 있다.
03	grow 기르다, 재배하다; [grou] 자라다	The tree grows well.	그 나무는 잘 자란다.
04	pay (돈을) 지불하다 [pei]	I'll pay for dinner.	내가 저녁 식사 값을 낼 것이다.
05	give 주다 [giv]	They give money to poor people.	그들은 가난한 사람들에게 돈을 준다.
06	ask 묻다 [æsk]	He asks me a question.	그는 나에게 질문을 한다.
07	die 죽다 [dai]	We all die someday.	우리 모두는 언젠가는 죽는다.
08	win 이기다 [win]	I never win at chess.	나는 체스에서 이긴 적이 없다.
09	move 옮기다, 움직이다 [mu:v]	They are moving a bed.	그들은 침대를 옮기고 있다.
10	shop 쇼핑하다 [ʃɑp]	She shops at the store.	그녀는 그 가게에서 쇼핑한다.
11	vegetable 채소 [védʒitəbl]	I don't like vegetables.	나는 채소를 좋아하지 않는다.
12	skate 스케이트를 타다 [skeit]	We skate in winter.	우리는 겨울에 스케이트를 탄다.

13	kite 연 [kait]	The boy is flying a kite. 소년은 연을 날리고 있다.
14	email 이메일, 전자 우편 [imeil]	I am writing an email. 나는 이메일을 쓰고 있다.
15	history 역사 [hístri]	We learn history at school. 우리는 학교에서 역사를 배운다.
16	paint 페인트를 칠하다 [peint]	They will paint the room. 그들은 방에 페인트를 칠할 것이다.
17	pick (꽃을) 꺾다, [pik] (과일을) 따다	Don't pick the flowers. 꽃을 꺾지 마라.
18	phone 전화기 [foun]	He needs a new phone. 그는 새 전화기기 필요하다.
19	line 줄, 선 [lain]	Draw two lines on the paper. 종이에 선 두 개를 그려라.
20	grass 잔디 [græs]	My brother is cutting the grass. 우리 오빠는 잔디를 깎고 있다.
21	beach 해변 [biːtʃ]	We often go to the beach. 우리는 자주 해변에 간다.
22	push 누르다, 밀다 [puʃ]	Don't push me. 나 밀지 마.
23	button 버튼, 단추 [bʌtn]	Push the power button on the radio. 라디오의 전원 버튼을 눌러.
24	something 무엇, 어떤 것 [sʌ́mθiŋ]	There is something in my eye. 내 눈에 뭔가가 들어갔다.

Check Up

1 다음 우리말 뜻에 해당하는 영어 단어를 쓰세요.

01 무엇, 어떤 것

02 주다

03 기르다, 재배하다; 자라다

04 묶다

05 누르다, 밀다

06 앉다

07 (돈을) 지불하다

08 잔디

09 묻다

10 이기다

11 전화기

12 쇼핑하다

13 페인트를 칠하다

14 스케이트를 타다

15 이메일, 전자 우편

② 다음 영어 단어에 해당하는 우리말 뜻을 쓰세요.

01 move

02 grass

03 button

04 die

05 beach

06 vegetable

07 line

08 kite

09 pick

10 history

③ 다음 우리말과 일치하도록, 빈칸에 알맞은 단어를 쓰세요.

01 The tree _____ well. 그 나무는 잘 자란다.

02 I'll _____ for dinner. 내가 저녁 식사값을 낼 것이다.

03 We _____ in winter. 우리는 겨울에 스케이트를 탄다.

04 There is _____ in my eye. 내 눈에 뭔가가 들어갔다.

05 The boy is flying a(n) _____. 소년은 연을 날리고 있다.

5

01	soon 곧 [su:n]	He will come back soon. 그는 곧 돌아올 것이다.
02	tomorrow 내일 [tɔ́mɔːrou]	It'll rain tomorrow. 내일 비가 올 것이다.
03	next 다음 [nekst]	When is the next bus? 다음 버스는 언제 오니?
04	weekend 주말 [wíːkend]	I get up late on weekends. 나는 주말에 늦게 일어난다.
05	hard 열심히 [hɑːrd]	He works hard all day. 그는 온종일 열심히 일한다.
06	forget 잊다, 잊어버리다 [fərgét]	I forget her name easily. 나는 그녀의 이름을 쉽게 잊는다.
07	gift 선물 [gift]	Here is a gift for you. 여기에 너에게 줄 선물이 있다.
08	contest 대회, 시합 [kɑ́ːntest]	Tim will win the singing contest. 팀이 그 노래 대회에서 우승할 것이다.
09	bring 가져오다, 데리고 오다 [briŋ]	Brian always brings a camera. 브라이언은 항상 카메라를 가져온다.
10	cloudy 흐린, 잔뜩 구름 낀 [kláudi]	It is cloudy today. 오늘은 흐리다.
11	sea 바다 [siː]	Fish live in the sea. 물고기는 바다에 산다.
12	homework 숙제 [hóumwə̀ːrk]	They are doing their homework. 그들은 숙제를 하고 있다.

13	start 시작하다 [staːrt]	The movie will start soon. 영화가 곧 시작할 것이다.
14	guitar 기타 [gitáː(r)]	My father plays the guitar well. 우리 아버지는 기타를 잘 치신다.
15	join 가입하다 [dʒɔin]	Will you join the yoga class? 너 요가 수업에 등록할 거니?
16	club 클럽, 동호회 [klʌb]	We are in the music club at school. 우리는 학교에서 음악 클럽에 가입해 있다.
17	festival 축제, 페스티벌 [féstivl]	People enjoy the flower festival. 사람들은 그 꽃 축제를 즐긴다.
18	tonight 오늘 밤 [tənáit]	I'll go to bed early tonight. 나는 오늘 밤에 일찍 잘 것이다.
19	uniform 교복, 유니폼 [júːnəfɔ̀ːrm]	The students wear uniforms. 그 학생들은 교복을 입는다.
20	build 짓다, 건설하다 [bild]	They are building a bridge. 그들은 다리를 건설하고 있다.
21	fine 좋은 [fain]	The weather is fine. 날씨가 좋다.
22	concert 콘서트, 음악회 [káːnsərt]	I am going to go to the concert. 나는 콘서트에 갈 것이다.
23	invite 초대하다 [inváit]	How many people will you invite? 너는 몇 명을 초대할 거니?
24	snowman 눈사람 [snóumæn]	We will make a big snowman. 우리는 큰 눈사람을 만들 것이다.

Check Up

1 다음 우리말 뜻에 해당하는 영어 단어를 쓰세요.

01 눈사람

02 콘서트, 음악회

03 숙제

04 기타

05 흐린, 잔뜩 구름 낀

06 대회, 시합

07 오늘 밤

08 잊다, 잊어버리다

09 짓다, 건설하다

10 주말

11 내일

12 클럽, 동호회

13 다음

14 곧

15 열심히

② 다음 영어 단어에 해당하는 우리말 뜻을 쓰세요.

01　gift

02　homework

03　invite

04　fine

05　bring

06　uniform

07　festival

08　sea

09　join

10　start

③ 다음 우리말과 일치하도록, 빈칸에 알맞은 단어를 쓰세요.

01　It is _____ today. 오늘은 흐리다.

02　He will come back _____. 그는 곧 돌아올 것이다.

03　Here is a _____ for you. 여기에 너에게 줄 선물이 있다.

04　I'll go to bed early _____. 나는 오늘 밤에 일찍 잘 거야.

05　How many people will you _____? 너는 몇 명을 초대할 거니?

01	well 잘 [wel]	She dances well. 그녀는 춤을 잘 춘다.
02	report 보고서, 리포트 [ripɔ́ːrt]	He is writing his report. 그는 자신의 보고서를 쓰고 있다.
03	follow 따르다; 따라가다 [fáːlou]	You must follow my advice. 너는 내 충고를 따라야 한다.
04	rule 규칙 [ruːl]	We must follow the rule. 우리는 그 규칙을 따라야 한다.
05	listen (귀 기울여) 듣다 [lísn]	My brother doesn't listen to me. 내 남동생은 내 말을 듣지 않는다.
06	hurry 서두르다, 급히 가다 [hə́ːri]	Hurry up! You're late. 서둘러! 너는 늦었어.
07	solve 풀다 [saːlv]	I can solve this puzzle easily. 나는 이 퍼즐을 쉽게 풀 수 있다.
08	problem 문제 [práːbləm]	I have a problem with my computer. 내 컴퓨터에 문제가 있다.
09	enter 들어가다; 입학하다 [éntər]	Don't enter my room. 내 방에 들어오지 마.
10	park 주차하다 [paːrk]	You can't park here. 너는 여기에 주차할 수 없다.
11	carefully 주의하여, [kɛ́ərfəli] 조심스럽게	My mom drives carefully. 우리 엄마는 조심해서 운전하신다.
12	pass 합격하다, 통과하다 [pæs]	Smith will pass the test. 스미스는 그 시험을 통과할 것이다.

13	exercise 운동하다 [éksərsàiz]	I exercise every day. 나는 매일 운동한다.
14	rest 휴식 [rest]	Let's take a rest. 좀 쉬자.
15	climb 오르다 [klaim]	The boy can climb the tree. 그 소년은 그 나무를 오를 수 있다.
16	understand 이해하다 [ʌndərstǽnd]	He doesn't understand English. 그는 영어를 이해하지 못한다.
17	quiet 조용한 [kwáiət]	Ron is a quiet boy. 론은 조용한 소년이다.
18	touch 만지다 [tʌtʃ]	Don't touch it. It's mine. 그거 만지지 마. 내 거야.
19	painting 그림 [péintiŋ]	There is a painting on the wall. 벽에 그림이 하나 있다.
20	umbrella 우산 [ʌmbrélə]	I always lose my umbrella. 나는 항상 내 우산을 잃어버린다.
21	lie 거짓말; 거짓말하다 [lai]	You must not tell a lie. 너는 거짓말을 하면 안 된다.
22	exam 시험 [igzǽm]	The students are taking an exam. 그 학생들은 시험을 보고 있다.
23	remember 기억하다 [rimémbər]	I don't remember his name. 나는 그의 이름이 기억이 나지 않는다.
24	question 질문 [kwéstʃən]	It's not an easy question. 그건 쉬운 질문이 아니다.

Check Up

1 다음 우리말 뜻에 해당하는 영어 단어를 쓰세요.

01 질문

02 잘

03 따르다, 따라가다

04 보고서, 리포트

05 시험

06 규칙

07 우산

08 서두르다, 급히 가다

09 만지다

10 문제

11 이해하다

12 주차하다

13 휴식

14 (귀 기울여) 듣다

15 합격하다, 통과하다

② 다음 영어 단어에 해당하는 우리말 뜻을 쓰세요.

01 solve

02 rule

03 remember

04 enter

05 lie

06 carefully

07 painting

08 exercise

09 quiet

10 climb

③ 다음 우리말과 일치하도록, 빈칸에 알맞은 단어를 쓰세요.

01 She dances _____. 그녀는 춤을 잘 춘다.

02 Ron is a(n) _____ boy. 론은 조용한 소년이다.

03 It's not an easy _____. 그건 쉬운 질문이 아니야.

04 He doesn't _____ English. 그는 영어를 이해하지 못한다.

05 I can _____ this puzzle easily. 나는 이 퍼즐을 쉽게 풀 수 있다.

형용사와 부사

01	lady 여성, 숙녀 [léidi]	The lady is singing a song. 그 여성은 노래를 부르고 있다.
02	best 최고의, 제일 좋은 [best]	You are my best friend. 너는 내 제일 친한 친구이다.
03	lovely 사랑스러운 [lʌ́vli]	She is a lovely girl. 그녀는 사랑스러운 소녀이다.
04	hat 모자 [hæt]	The old lady always wears a hat. 그 노부인은 항상 모자를 쓴다.
05	honest 정직한 [ɑ́:nist]	Mark is an honest man. 마크는 정직한 사람이다.
06	lazy 게으른 [léizi]	He is slow and lazy. 그는 느리고 게으르다.
07	wrong 틀린, 잘못된 [rɔ:ŋ]	Your answer is wrong. 너의 답은 틀렸다.
08	coin 동전 [kɔin]	I have some coins in my pocket. 나는 주머니에 동전이 몇 개 있다.
09	number 수, 숫자 [nʌ́mbə(r)]	Five is my lucky number. 5는 내 행운의 숫자이다.
10	large 큰, 커다란 [lɑːrdʒ]	London is a large city. 런던은 큰 도시이다.
11	happily 행복하게 [hǽpəli]	They live happily. 그들은 행복하게 산다.
12	soft 부드러운 [sɔːft]	This cake is soft and sweet. 이 케이크는 부드럽고 달콤하다.

13	real 진짜의, 진정한 [ríːəl]	This is not a real snake. It's a toy. 이것은 진짜 뱀이 아니다. 그것은 장난감이다.
14	safe 안전한 [seif]	People feel safe in their homes. 사람들은 집에 있을 때 안전함을 느낀다.
15	loud (소리가) 큰, 시끄러운 [laud]	My brother plays loud music. 우리 오빠는 시끄러운 음악을 튼다.
16	wise 지혜로운, 현명한 [waiz]	Mr. Frank is a wise man. 프랭크 씨는 현명한 사람이다.
17	quick 빠른 [kwik]	I need a quick answer. 나는 빠른 대답이 필요하다.
18	strange 이상한 [streindʒ]	There is a strange sound outside. 밖에서 이상한 소리가 난다.
19	again 다시 [əgén]	I won't be late again. 나는 다시는 늦지 않을 것이다.
20	heavily 심하게, 세차게 [hévili]	It is snowing heavily. 눈이 세차게 내리고 있다.
21	smile 웃다, 미소를 짓다 [smail]	The girl smiles brightly. 그 소녀는 밝게 미소 짓는다.
22	blow (바람이) 불다 [blou]	The wind blows softly. 바람이 솔솔 분다.
23	voice 목소리 [vɔis]	The singer has a beautiful voice. 그 가수는 목소리가 예쁘다.
24	bark 짖다 [bɑːrk]	The dog barks at me. 그 개는 나를 보고 짖는다.

Check Up

1 다음 우리말 뜻에 해당하는 영어 단어를 쓰세요.

01 (바람이) 불다

02 최고의, 제일 좋은

03 짖다

04 모자

05 심하게, 세차게

06 게으른

07 여성, 숙녀

08 이상한

09 동전

10 지혜로운, 현명한

11 큰, 커다란

12 사랑스러운

13 안전한

14 정직한

15 부드러운

2 다음 영어 단어에 해당하는 우리말 뜻을 쓰세요.

01 wrong

02 safe

03 voice

04 number

05 smile

06 happily

07 quick

08 real

09 again

10 loud

3 다음 우리말과 일치하도록, 빈칸에 알맞은 단어를 쓰세요.

01 The wind _____ softly. 바람이 솔솔 분다.

02 Your answer is _____. 너의 답은 틀렸다.

03 It is snowing _____. 눈이 세차게 내리고 있다.

04 London is a(n) _____ city. 런던은 큰 도시이다.

05 You are my _____ friend. 너는 내 제일 친한 친구이다.

be동사의 과거형

01	now 지금, 이제 [nau]	He is in his room now. 그는 지금 자기 방에 있다.
02	yesterday 어제 [jéstərdei]	I was sick yesterday. 나는 어제 아팠다.
03	classmate 반 친구, 급우 [klǽsmèit]	Greg is my classmate. 그레그는 우리 반 친구이다.
04	small 작은 [smɔ:l]	She lives in a small house. 그녀는 작은 집에 산다.
05	popular 인기 있는 [pápjələ(r)]	Jason is popular at school. 제이슨은 학교에서 인기가 있다.
06	broken 고장 난, 깨진 [bróukən]	My computer is broken again. 내 컴퓨터가 또 고장 났다.
07	mailbox 우편함 [méilbà:ks]	There are some letters in the mailbox. 우편함에 몇 통의 편지가 있다.
08	weak 약한, 나약한 [wi:k]	We must help weak people. 우리는 약한 사람을 도와야 한다.
09	surprised 놀란 [sərpráizd]	I'm very surprised at you. 나는 너 때문에 정말 놀랐다.
10	same 같은 [seim]	Mandy and I go to the same school. 맨디와 나는 같은 학교에 다닌다.
11	team 팀, 단체 [ti:m]	Ted plays for the basketball team. 테드는 그 농구 팀에서 뛴다.
12	ticket 표, 티켓 [tíkit]	How much is the festival ticket? 축제 티켓은 얼마예요?

13	yours 너의 것, 너희들 것 [juərz]	This is not my book. Is it yours? 이것은 내 책이 아니야. 그것은 너의 것이니?
14	free 한가한, 자유로운 [friː]	I'll be free tomorrow. 나는 내일 한가할 것이다.
15	rude 무례한, 버릇없는 [ruːd]	The boy is very rude. 그 소년은 매우 무례하다.
16	sport 운동 [spɔːrt]	Jim is good at sports. 짐은 운동을 잘 한다.
17	tasty 맛있는 [téisti]	This spaghetti is tasty. 이 스파게티는 맛있다.
18	warm 따뜻한 [wɔːrm]	It is warm and sunny today. 오늘은 따뜻하고 화창하다.
19	designer 디자이너 [dizáinə(r)]	My aunt is a fashion designer. 우리 이모는 패션 디자이너이다.
20	fun 재미있는 [fʌn]	The puzzle is really fun. 그 퍼즐은 정말 재미있다.
21	news 소식, 뉴스 [nuːz]	I have good news and bad news. 나에게 좋은 소식과 나쁜 소식이 있다.
22	playground 운동장, [pléigràund] 놀이터	They are playing in the playground. 그들은 운동장에서 놀고 있다.
23	full 배부른; 가득한 [ful]	No more for me. I'm really full. 난 그만 먹을래. 정말 배불러.
24	photographer 사진작가 [fətá:grəfər]	David is a great photographer. 데이비드는 훌륭한 사진작가이다.

Check Up

1 다음 우리말 뜻에 해당하는 영어 단어를 쓰세요.

01 배부른; 가득한

02 지금, 이제

03 운동장, 놀이터

04 반 친구, 급우

05 재미있는

06 인기 있는

07 따뜻한

08 어제

09 운동

10 작은

11 한가한, 자유로운

12 약한, 나약한

13 표, 티켓

14 고장 난, 깨진

15 같은

2 다음 영어 단어에 해당하는 우리말 뜻을 쓰세요.

01 mailbox

02 ticket

03 news

04 surprised

05 designer

06 photographer

07 tasty

08 team

09 rude

10 yours

3 다음 우리말과 일치하도록, 빈칸에 알맞은 단어를 쓰세요.

01 I was sick _____. 나는 어제 아팠다.

02 Jim is good at _____. 짐은 운동을 잘 한다.

03 My computer is _____ again. 내 컴퓨터가 또 고장 났다.

04 Jason is _____ at school. 제이슨은 학교에서 인기가 있다.

05 We must help _____ people. 우리는 약한 사람을 도와야 한다.

일반동사의 과거형 I

01	drop 떨어지다, 떨어뜨리다 [drɑp]	I dropped a cup. 나는 컵을 떨어뜨렸다.
02	hope 희망하다 [houp]	We hope for good weather. 우리는 날씨가 좋기를 희망한다.
03	step 밟다 [step]	He stepped on my foot. 그가 내 발을 밟았다.
04	hug 껴안다, 포옹하다 [hʌg]	Mom hugs me warmly. 엄마는 나를 따뜻하게 껴안으신다.
05	face 얼굴 [feis]	The girl has a pretty face. 그 소녀는 얼굴이 예쁘다.
06	about ~에 대한 [əbáut]	I don't know about his family. 나는 그의 가족에 대해 알지 못한다.
07	month 달, 월 [mʌnθ]	A year has twelve months. 1년은 열두 달이다.
08	each other 서로	They love each other. 그들은 서로 사랑한다.
09	picnic 소풍 [píknik]	We are going on a picnic. 우리는 소풍을 가고 있다.
10	jump 뛰다, 점프하다 [dʒʌmp]	A kangaroo can jump high. 캥거루는 높이 뛸 수 있다.
11	turn on 켜다	Can I turn on the radio? 내가 라디오를 켜도 될까?
12	end 끝나다 [end]	The movie ends at seven. 그 영화는 7시에 끝난다.

13	suddenly 갑자기 [sʌ́dənli]	Suddenly, it rained heavily. 갑자기, 비가 세차게 내렸다.
14	hit 치다, 때리다 [hit]	He hit a ball with a bat. 그는 배트로 공을 쳤다.
15	think 생각하다 [θiŋk]	He always thinks of her. 그는 항상 그녀를 생각한다.
16	throw 던지다 [θrou]	Can you throw a ball fast? 너는 빨리 공을 던질 수 있니?
17	see 보다 [si:]	I see Henry every day. 나는 매일 헨리를 본다.
18	find 찾다, 발견하다 [faind]	I can't find my car key. 나는 내 자동차 열쇠를 못 찾겠다.
19	paper 종이 [péipər]	She needs paper and a pen. 그녀는 종이와 펜이 필요하다.
20	princess 공주 [prínses]	There was a beautiful princess. 아름다운 공주가 있었다.
21	hear 듣다 [hiər]	Did you hear the news? 너는 그 소식을 들었니?
22	lose 잃어버리다; 지다 [lu:z]	He often loses his bag. 그는 종종 자신의 가방을 잃어버린다.
23	sunrise 해돋이 [sʌ́nràiz]	We saw the sunrise this morning. 우리는 오늘 아침에 해돋이를 보았다.
24	secret 비밀 [sí:krət]	Isabel told her secret to me. 이사벨이 자신의 비밀을 나에게 말해주었다.

Check Up

1 다음 우리말 뜻에 해당하는 영어 단어를 쓰세요.

01 비밀

02 얼굴

03 밟다

04 잃어버리다; 지다

05 떨어지다, 떨어뜨리다

06 공주

07 희망하다

08 찾다, 발견하다

09 껴안다, 포옹하다

10 던지다

11 ~에 대한

12 치다, 때리다

13 서로

14 끝나다

15 뛰다, 점프하다

2 다음 영어 단어에 해당하는 우리말 뜻을 쓰세요.

01 picnic

02 paper

03 month

04 suddenly

05 hear

06 think

07 sunrise

08 see

09 secret

10 turn on

3 다음 우리말과 일치하도록, 빈칸에 알맞은 단어를 쓰세요.

01 They love _____. 그들은 서로 사랑한다.

02 A year has twelve _____. 1년은 열두 달이다.

03 The girl has a pretty _____. 그 소녀는 얼굴이 예쁘다.

04 I can't _____ my car key. 나는 내 자동차 열쇠를 못 찾겠다.

05 He often _____ his bag. 그는 종종 자신의 가방을 잃어버린다.

일반동사의 과거형 II

01	lock 잠그다 [lɑːk]	I didn't lock the door. 나는 문을 잠그지 않았다.	
02	first 첫, 첫 번째의 [fəːrst]	My sister is in first grade. 내 여동생은 1학년이다.	
03	prize 상 [praiz]	She won a prize in the contest. 그녀는 대회에서 상을 받았다.	
04	change 바꾸다, 변하다 [tʃeindʒ]	I won't change my mind. 나는 내 마음을 바꾸지 않을 것이다.	
05	plan 계획; 계획하다 [plæn]	I have a good plan. 나에게 좋은 계획이 있다.	
06	enough 충분한 [inʌf]	We don't have enough time. 우리는 시간이 충분하지 않다.	
07	take 가져가다 [teik]	Did you take my bike? 네가 내 자전거를 가져갔니?	
08	stay 머무르다, 묵다 [stei]	Ben will stay with us. 벤은 우리와 함께 머무를 것이다.	
09	hotel 호텔 [houtél]	The hotel has a nice swimming pool. 그 호텔에는 멋진 수영장이 있다.	
10	textbook 교과서 [tékstbùk]	She didn't bring her textbook. 그녀는 자신의 교과서를 가져오지 않았다.	
11	ago ~전에 [əgóu]	I met Jacob two days ago. 나는 이틀 전에 제이콥을 만났다.	
12	mistake 실수 [mistéik]	They made a big mistake. 그들은 큰 실수를 저질렀다.	

13	spoon 숟가락 [spu:n]	These spoons are dirty. 이 숟가락들은 지저분하다.
14	game 게임, 경기 [geim]	We won the game 3 to 2. 우리는 그 경기에서 3대 2로 이겼다.
15	fight 싸우다 [fait]	My brother and I never fight. 내 남동생과 나는 절대 싸우지 않는다.
16	rumor 소문 [rú:mər]	I heard a rumor about Jim. 나는 짐에 대한 소문을 들었다.
17	everything 모든 것 [évriθìŋ]	Everything will be okay. 모든 것이 괜찮아질 것이다.
18	list 목록, 리스트 [list]	Did you make a shopping list? 너 쇼핑 목록 만들었니?
19	fail 실패하다, [feil] (시험에) 떨어지다	Ross failed the test again. 로스는 시험에 또 떨어졌다.
20	brush 닦다, (칫)솔질을 하다 [brʌʃ]	We brush our teeth after meals. 우리는 식사 후에 이를 닦는다.
21	sandwich 샌드위치 [sǽnwitʃ]	She had a sandwich for lunch. 그녀는 점심으로 샌드위치를 먹었다.
22	spicy 매운 [spáisi]	I can't eat spicy food. 나는 매운 음식은 못 먹는다.
23	diary 일기, 수첩 [dáiəri]	The girl keeps a diary every night. 그 소녀는 매일 밤 일기를 쓴다.
24	country 나라, 국가 [kʌ́ntri]	Canada is a large country. 캐나다는 큰 나라이다.

Check Up

1 다음 우리말 뜻에 해당하는 영어 단어를 쓰세요.

01 나라, 국가

02 계획; 계획하다

03 상

04 매운

05 잠그다

06 닦다, (칫)솔질을 하다

07 첫, 첫 번째의

08 목록, 리스트

09 바꾸다, 변하다

10 소문

11 충분한

12 게임, 경기

13 머무르다, 묵다

14 실수

15 교과서

2 다음 영어 단어에 해당하는 우리말 뜻을 쓰세요.

01 take

02 fight

03 hotel

04 everything

05 ago

06 fail

07 spoon

08 sandwich

09 prize

10 diary

3 다음 우리말과 일치하도록, 빈칸에 알맞은 단어를 쓰세요.

01 _____ will be okay. 모든 것이 괜찮아질 것이다.

02 Canada is a large _____. 캐나다는 큰 나라이다.

03 I didn't _____ the door. 나는 문을 잠그지 않았다.

04 I can't eat _____ food. 나는 매운 음식은 못 먹는다.

05 Did you _____ my bike? 네가 내 자전거를 가져갔니?

Chapter 8 전치사

01	o'clock ~시 [əklá:k]	The train leaves at three o'clock. 기차는 3시에 출발한다.
02	spring 봄 [spriŋ]	Spring comes after winter. 겨울이 지나면 봄이 온다.
03	evening 저녁 [í:vniŋ]	She studies in the evening. 그녀는 저녁에 공부한다.
04	afternoon 오후 [æftərnú:n]	I drink tea in the afternoon. 나는 오후에 차를 마신다.
05	gallery 미술관, 화랑 [gǽləri]	Monica works at an art gallery. 모니카는 미술관에서 일한다.
06	breakfast 아침 식사 [brékfəst]	We have eggs and toast for breakfast. 우리는 아침으로 달걀과 토스트를 먹는다.
07	present 선물 [préznt]	I bought a present for my father. 나는 아버지를 위해 선물을 샀다.
08	lunch 점심 식사 [lʌntʃ]	We usually have lunch at noon. 우리는 보통 정오에 점심을 먹는다.
09	stair 계단 [ster]	Peter ran up the stairs. 피터는 계단을 뛰어 올랐다.
10	lamp 램프, 등 [læmp]	She turned on the lamp. 그녀는 램프를 켰다.
11	hill 언덕 [hil]	They are walking down the hill. 그들은 걸어서 언덕을 내려오고 있다.
12	mountain 산 [máuntn]	He goes to a mountain every weekend. 그는 매주 산에 간다.

13	church 교회 [tʃə:rtʃ]	There is a church next to the library. 도서관 옆에 교회가 있다.
14	theater 극장 [θí:ətər]	The movie is playing at theaters. 그 영화는 극장에서 상영 중이다.
15	crawl 기어가다 [krɔ:l]	Babies crawl on their knees. 아기들은 무릎으로 기어 다닌다.
16	hide 숨다; 감추다 [haid]	Joe is hiding under the bed. 조는 침대 아래에 숨어 있다.
17	fall 떨어지다 [fɔ:l]	Leaves fall from the tree in autumn. 가을에 나뭇잎들이 나무에서 떨어진다.
18	lie 눕다, 누워 있다 [lai]	Don't lie on the grass. 잔디 위에 눕지 마라.
19	doorbell 초인종 [dɔ́:rbèl]	He pushed the doorbell. 그는 초인종을 눌렀다.
20	midnight 자정 [mídnàit]	She goes to bed at midnight. 그녀는 자정에 잠을 잔다.
21	ladder 사다리 [lǽdər]	He went up the ladder. 그는 사다리를 올라갔다.
22	lesson 수업, 교습 [lésn]	I have a piano lesson on Wednesdays. 나는 수요일마다 피아노 수업이 있다.
23	hang 걸다 [hæŋ]	They are hanging a picture on the wall. 그들은 벽에 그림을 걸고 있다.
24	art 미술, 예술 [ɑ:rt]	My sister is studying art at college. 우리 언니는 대학에서 예술을 공부하고 있다.

Check Up

① 다음 우리말 뜻에 해당하는 영어 단어를 쓰세요.

01 미술, 예술

02 ~시

03 수업, 교습

04 저녁

05 자정

06 봄

07 눕다, 누워 있다

08 오후

09 숨다; 감추다

10 미술관, 화랑

11 극장

12 아침 식사

13 산

14 점심 식사

15 램프, 등

2 다음 영어 단어에 해당하는 우리말 뜻을 쓰세요.

01 present

02 gallery

03 hang

04 stair

05 ladder

06 hill

07 doorbell

08 church

09 fall

10 crawl

3 다음 우리말과 일치하도록, 빈칸에 알맞은 단어를 쓰세요.

01 Don't _____ on the grass. 잔디 위에 눕지 마라.

02 Peter ran up the _____. 피터는 계단을 뛰어 올랐다.

03 _____ comes after winter. 겨울이 지나면 봄이 온다.

04 The train leaves at three _____. 기차는 3시에 출발한다.

05 Babies _____ on their knees. 아기들은 무릎으로 기어 다닌다.

01	address 주소 [ǽdres]	Do you know his email address? 너는 그의 이메일 주소를 아니?
02	dangerous 위험한 [déindʒərəs]	Diving is a dangerous sport. 다이빙은 위험한 운동이다.
03	handsome 잘생긴 [hǽnsəm]	You look handsome today. 너는 오늘 잘생겨 보인다.
04	rich 부유한 [ritʃ]	Mr. Brown is a rich man. 브라운 씨는 부유한 사람이다.
05	lonely 외로운 [lóunli]	I sometimes feel lonely. 나는 가끔 외롭다.
06	there 거기에, 그쪽에 [ðər]	I will never go there again. 나는 거기에 다시는 가지 않을 것이다.
07	yoga 요가 [jóugə]	She does yoga every day. 그녀는 매일 요가를 한다.
08	calm 차분한, 침착한 [kɑːm]	Glen is calm and quiet. 글렌은 차분하고 조용하다.
09	heater 히터, 난방기 [híːtə(r)]	He turned on the heater. 그가 난방기를 켰다.
10	slippery 미끄러운 [slípəri]	The road is very slippery. 길이 정말 미끄럽다.
11	yell 소리 지르다 [jel]	My mom never yells at me. 우리 엄마는 절대 나에게 소리 지르지 않으신다.
12	thick 두꺼운 [θik]	He is wearing thick glasses. 그는 두꺼운 안경을 끼고 있다.

13	thirsty 목마른 [θə́ːrsti]	It was hot, and I was thirsty. 더웠고, 나는 목이 말랐다.
14	toothache 치통 [túːθèik]	I have a toothache. 나는 이가 아프다.
15	dentist 치과의사 [déntist]	She's going to the dentist. 그녀는 치과에 갈 것이다.
16	young 어린, 젊은 [jʌ́ŋ]	Alex is a brave young man. 알렉스는 용감한 청년이다.
17	regularly 규칙적으로 [régjələrli]	He exercises regularly. 그는 규칙적으로 운동한다.
18	practice 연습하다 [prǽktis]	She practices the piano every day. 그녀는 매일 피아노를 연습한다.
19	get 받다, 얻다 [get]	She gets letters from him. 그녀는 그에게 편지를 받는다.
20	windy 바람이 많이 부는 [wíndi]	It's too windy for swimming. 수영하기엔 바람이 너무 많이 분다.
21	everybody 모든 사람 [évribàdi]	Everybody likes the new teacher. 모든 사람이 새로 온 선생님을 좋아한다.
22	nervous 긴장한, 초조한 [nə́ːrvəs]	I'm nervous about my exam. 나 시험 때문에 긴장된다.
23	wet 젖은 [wet]	Be careful! The floor is wet. 조심해! 바닥이 젖었어.
24	still 여전히 [stil]	My grandfather is still healthy. 우리 할아버지는 여전히 건강하시다.

Check Up

1 다음 우리말 뜻에 해당하는 영어 단어를 쓰세요.

01 여전히

02 외로운

03 거기에, 그쪽에

04 잘생긴

05 긴장한, 초조한

06 위험한

07 부유한

08 바람이 많이 부는

09 요가

10 연습하다

11 히터, 난방기

12 규칙적으로

13 소리 지르다

14 치과의사

15 목마른

2 다음 영어 단어에 해당하는 우리말 뜻을 쓰세요.

01 calm

02 lonely

03 wet

04 slippery

05 everybody

06 thick

07 address

08 toothache

09 get

10 young

3 다음 우리말과 일치하도록, 빈칸에 알맞은 단어를 쓰세요.

01 I have a(n) _____. 나는 이가 아프다.

02 Glen is _____ and quiet. 글렌은 차분하고 조용하다.

03 Diving is a(n) _____ sport. 다이빙은 위험한 운동이다.

04 It's too _____ for swimming. 수영하기엔 바람이 너무 많이 분다.

05 She _____ the piano every day. 그녀는 매일 피아노를 연습한다.

명령문과 제안문

01	polite 예의 바른, 공손한 [pəláit]	Edward is smart and polite. 에드워드는 똑똑하고 예의 바르다.
02	take care 몸조심하다; 돌보다	Take care and have a safe trip. 몸조심해서 잘 다녀와.
03	minute 분; 잠깐 [mainʤúːt]	I'll be back five minutes later. 내가 5분 후에 돌아올게.
04	lean 기대다 [liːn]	She is leaning on the bridge. 그녀는 다리에 기대고 있다.
05	turn (책장을) 넘기다; [təːrn] 돌다, 돌리다	Turn right at the post office. 우체국에서 오른쪽으로 도세요.
06	page 페이지 [peidʒ]	Look at the picture on page 50. 50쪽에 있는 사진을 봐라.
07	speak up 더 크게 말하다	Can you speak up? 더 크게 말해 줄래?
08	noisy 시끄러운 [nɔ́izi]	The kids are really noisy. 그 아이들은 정말 시끄럽다.
09	trust 믿다, 신뢰하다 [trʌst]	I don't trust them. 나는 그들을 믿지 않는다.
10	liar 거짓말쟁이 [láiər]	Ben is not a liar. 벤은 거짓말쟁이가 아니다.
11	put on 입다, 쓰다, 착용하다	Put on your coat. Let's go out. 외투 입어. 밖에 나가자.
12	okay 괜찮은 [òukéi]	You look sick. Are you okay? 너 아파 보인다. 괜찮니?

13	afraid 두려워하는, 겁내는 [əfréid]	I'm afraid of dogs. 나는 개가 무섭다.
14	eat out 외식하다	It's your birthday. Let's eat out. 네 생일이야. 외식하자.
15	snack 간식 [snæk]	The boys are eating snacks. 소년들은 간식을 먹고 있다.
16	order 주문하다 [ɔ́ːrdər]	He ordered a sandwich and water. 그는 샌드위치와 물을 주문했다.
17	trouble 문제, 곤란, 곤경 [trʌ́bl]	I have some trouble with my car. 내 차에 문제가 좀 있다.
18	bored 지루한, 심심한 [bɔːrd]	I'm bored. Let's do something fun. 나 심심해. 뭐 재미있는 거 하자.
19	raincoat 우비 [réinkòut]	The girl is wearing a raincoat. 그 소녀는 우비를 입고 있다.
20	inside 안, ~의 안 [insáid]	She went inside the building. 그녀는 그 건물 안으로 들어갔다.
21	serious 심각한, 진지한 [síriəs]	The accident was not serious. 그 사고는 심각하지 않았다.
22	save 절약하다, 저축하다 [seiv]	We must save time and money. 우리는 시간과 돈을 절약해야 한다.
23	energy 에너지 [énərdʒi]	Don't waste water and energy. 물과 에너지를 낭비하지 마라.
24	word 말, 단어 [wəːrd]	Some children use bad words. 몇몇 어린이가 나쁜 말을 사용한다.

Check Up

1 다음 우리말 뜻에 해당하는 영어 단어를 쓰세요.

01 말, 단어

02 (책장을) 넘기다; 돌다

03 절약하다, 저축하다

04 분; 잠깐

05 안, ~의 안

06 예의 바른, 공손한

07 지루한, 심심한

08 몸조심하다; 돌보다

09 주문하다

10 기대다

11 외식하다

12 페이지

13 괜찮은

14 시끄러운

15 거짓말쟁이

2 다음 영어 단어에 해당하는 우리말 뜻을 쓰세요.

01 speak up

02 afraid

03 trust

04 snack

05 put on

06 trouble

07 polite

08 raincoat

09 energy

10 serious

3 다음 우리말과 일치하도록, 빈칸에 알맞은 단어를 쓰세요.

01 Can you _____? 더 크게 말해 줄래?

02 I'm _____ of dogs. 나는 개가 무섭다.

03 I don't _____ them. 나는 그들을 믿지 않는다.

04 The kids are really _____. 그 아이들은 정말 시끄럽다.

05 Don't waste water and _____. 물과 에너지를 낭비하지 마라.

Chapter 01. 현재진행형

① 01. something 02. give 03. grow 04. tie 05. push
06. sit 07. pay 08. grass 09. ask 10. win
11. phone 12. shop 13. paint 14. skate 15. email

② 01. 옮기다, 움직이다 02. 잔디 03. 버튼, 단추 04. 죽다 05. 해변
06. 채소 07. 줄, 선 08. 연 09. (꽃을) 꺾다, (과일을) 따다 10. 역사

③ 01. grows 02. pay 03. skate 04. something 05. kite

Chapter 02. 미래형

① 01. snowman 02. concert 03. homework 04. guitar 05. cloudy
06. contest 07. tonight 08. forget 09. build 10. weekend
11. tomorrow 12. club 13. next 14. soon 15. hard

② 01. 선물 02. 숙제 03. 초대하다 04. 좋은 05. 가져오다, 데리고 오다
06. 교복, 유니폼 07. 축제, 페스티벌 08. 바다 09. 가입하다 10. 시작하다

③ 01. cloudy 02. soon 03. gift 04. tonight 05. invite

Chapter 03. 조동사

① 01. question 02. well 03. follow 04. report 05. exam
06. rule 07. umbrella 08. hurry 09. touch 10. problem
11. understand 12. park 13. rest 14. listen 15. pass

② 01. 풀다 02. 규칙 03. 기억하다 04. 들어가다; 입학하다
05. 거짓말; 거짓말하다 06. 주의하여, 조심스럽게 07. 그림
08. 운동하다 09. 조용한 10. 오르다

③ 01. well 02. quiet 03. question 04. understand 05. solve

Chapter 04. 형용사와 부사

❶ 01. blow   02. best   03. bark   04. hat   05. heavily
06. lazy   07. lady   08. strange   09. coin   10. wise
11. large   12. lovely   13. safe   14. honest   15. soft

❷ 01. 틀린, 잘못된   02. 안전한   03. 목소리   04. 수, 숫자   05. 웃다, 미소를 짓다
06. 행복하게   07. 빠른   08. 진짜의, 진정한   09. 다시
10. (소리가) 큰, 시끄러운

❸ 01. blows   02. wrong   03. heavily   04. large   05. best

Chapter 05. be동사의 과거형

❶ 01. full   02. now   03. playground 04. classmate   05. fun
06. popular   07. warm   08. yesterday   09. sport   10. small
11. free   12. weak   13. ticket   14. broken   15. same

❷ 01. 우편함   02. 표, 티켓   03. 소식, 뉴스   04. 놀란   05. 디자이너
06. 사진작가   07. 맛있는   08. 팀, 단체   09. 무례한, 버릇없는
10. 너의 것, 너희들의 것

❸ 01. yesterday   02. sports   03. broken   04. popular   05. weak

Chapter 06. 일반동사의 과거형 Ⅰ

❶ 01. secret   02. face   03. step   04. lose   05. drop
06. princess   07. hope   08. find   09. hug   10. throw
11. about   12. hit   13. each other 14. end   15. jump

❷ 01. 소풍   02. 종이   03. 달, 월   04. 갑자기   05. 듣다
06. 생각하다   07. 해돋이   08. 보다   09. 비밀   10. 켜다

❸ 01. each other   02. months   03. face   04. find   05. loses

Chapter 07. 일반동사의 과거형 II

① 01. country   02. plan   03. prize   04. spicy   05. lock
06. brush   07. first   08. list   09. change   10. rumor
11. enough   12. game   13. stay   14. mistake   15. textbook

② 01. 가져가다   02. 싸우다   03. 호텔   04. 모든 것   05. ~ 전에
06. 실패하다, (시험에) 떨어지다   07. 숟가락   08. 샌드위치   09. 상
10. 일기, 수첩

③ 01. Everything   02. country   03. lock   04. spicy   05. take

Chapter 08. 전치사

① 01. art   02. o'clock   03. lesson   04. evening   05. midnight
06. spring   07. lie   08. afternoon   09. hide   10. gallery
11. theater   12. breakfast   13. mountain   14. lunch   15. lamp

② 01. 선물   02. 미술관, 화랑   03. 걸다   04. 계단   05. 사다리
06. 언덕   07. 초인종   08. 교회   09. 떨어지다   10. 기어가다

③ 01. lie   02. stairs   03. Spring   04. o'clock   05. crawl

Chapter 09. 접속사

① 01. still   02. lonely   03. there   04. handsome   05. nervous
06. dangerous   07. rich   08. windy   09. yoga   10. practice
11. heater   12. regularly   13. yell   14. dentist   15. thirsty

② 01. 차분한, 침착한   02. 외로운   03. 젖은   04. 미끄러운   05. 모든 사람
06. 두꺼운   07. 주소   08. 치통   09. 받다, 얻다   10. 어린, 젊은

③ 01. toothache   02. calm   03. sport   04. windy   05. practices

❶ 01. word　　02. turn　　03. save　　04. minute　　05. inside

06. polite　　07. bored　　08. take care　09. order　　10. lean

11. eat out　　12. page　　13. okay　　14. noisy　　15. liar

❷ 01. 더 크게 말하다　　02. 두려워하는, 겁내는　　03. 믿다, 신뢰하다　04. 간식

05. 입다, 쓰다, 착용하다　　06. 문제, 곤란, 곤경　　07. 예의 바른, 공손한

08. 우비　　09. 에너지　　10. 심각한, 진지한

❸ 01. speak up　02. afraid　　03. trust　　04. noisy　　05. energy

Grammar
mentor
joy

Grammar
mentor
joy

Grammar
mentor
joy

Grammar mentor joy

Longman
Grammar Mentor Joy 시리즈

Grammar
mentor joy

START
2

정답 및 해설

PEARSON
Longman

Grammar mentor joy

정답 및 해설

2 start

Chapter 1 현재진행형

Unit 01 현재진행형

Warm up   p.13

①

01 대부분의 동사: 동사원형+-ing do → doing look → looking fly → flying	02 e로 끝나는 동사: e를 빼고+-ing come → coming live → living make → making
03 ie로 끝나는 동사: ie를 y로 바꾸고+-ing die → dying tie → tying lie → lying	04 「단모음+단자음」으로 끝나 는 동사: 마지막 자음을 한 번 더 쓰고+-ing sit → sitting run → running swim → swimming

Step up   p.14

①

01	teach	teaching	16	say	saying
02	write	writing	17	get	getting
03	grow	growing	18	give	giving
04	sit	sitting	19	open	opening
05	stay	staying	20	lie	lying
06	ride	riding	21	wear	wearing
07	walk	walking	22	study	studying
08	stop	stopping	23	put	putting
09	drink	drinking	24	make	making
10	pay	paying	25	ask	asking
11	meet	meeting	26	cut	cutting
12	enjoy	enjoying	27	wait	waiting
13	take	taking	28	sing	singing
14	begin	beginning	29	speak	speaking
15	arrive	arriving	30	win	winning

②

01 are, lying   02 is, eating
03 am, watching   04 is, playing

05 are, cutting   06 are, taking
07 is, singing   08 are, studying
09 is, sitting   10 are, swimming

[해설]

①

01, 03, 05, 07, 09, 10, 11, 12, 16, 19, 21, 22, 25, 27, 28, 29 동사원형에 -ing를 붙인다.
02, 06, 13, 15, 18, 24 e로 끝나는 동사로 e를 빼고 -ing를 붙인다.
04, 08, 14, 17, 23, 26, 30 「단모음+단자음」으로 끝나는 동사로 마지막 자음을 한 번 더 쓰고 -ing를 붙인다.
20 ie로 끝나는 동사로 ie를 y로 바꾸고 -ing를 붙인다.

②

현재진행형은 「주어+be동사의 현재형+동사원형+-ing」의 형태이다.
01 주어가 You로 are, lie는 ie로 끝나는 동사로 ie를 y로 바꾸고 -ing를 붙인다.
02 주어가 She로 is, eat은 「단모음+단자음」으로 끝나는 동사가 아니므로 eating을 고른다.
03 주어가 I로 am, watch는 「단모음+단자음」으로 끝나는 동사가 아니므로 watching을 고른다.
04 주어가 He로 is, 현재진행형은 be동사 다음에 「동사원형+-ing」가 와야 하므로 playing을 고른다.
05 주어가 They로 are, cut은 「단모음+단자음」으로 끝나는 동사이므로 cutting을 고른다.
06 주어가 We로 are, take는 e로 끝나는 동사로 e를 빼고 -ing를 붙인 taking을 고른다.
07 주어가 My friend로 is, 현재진행형은 be동사 다음에 「동사원형+-ing」이 와야 하므로 singing을 고른다.
08 주어가 The boys로 are, study는 -ing를 붙인 studying을 고른다.
09 주어가 Your sister로 is, sit은 「단모음+단자음」으로 끝나는 동사이므로 sitting을 고른다.
10 주어가 His brothers로 are, swim은 「단모음+단자음」으로 끝나는 동사이므로 swimming을 고른다.

Jump up   p.16

01 is, raining   02 are, running
03 am, opening   04 is, writing
05 is, cleaning   06 is, riding
07 is, buying   08 are, helping
09 are, drawing   10 are, making

[해설]

01 주어가 It으로 is, rain에 -ing를 붙인다.

02 주어가 You로 are, run은 「단모음+단자음」으로 끝나는 동사로 마지막 자음(n)을 한 번 더 쓰고 -ing를 붙인다.
03 주어가 I로 am, open에 -ing를 붙인다.
04 주어가 He으로 is, write는 e로 끝나는 동사로 e를 빼고 -ing를 붙인다.
05 주어가 Fred로 is, clean에 -ing를 붙인다.
06 주어가 My brother로 is, ride는 e로 끝나는 동사로 e를 빼고 -ing를 붙인다.
07 주어가 She로 is, buy에 -ing를 붙인다.
08 주어가 They로 are, help에 -ing를 붙인다.
09 주어가 The girls로 are, draw에 -ing를 붙인다.
10 주어가 Peter and I로 are, make는 e로 끝나는 동사로 e를 빼고 -ing를 붙인다.

Build up writing
p.17

01 is, wearing
02 are, sleeping
03 is, working
04 is, studying
05 am, going
06 is, drinking
07 are, selling
08 are, moving
09 are, flying
10 are, shopping

[해설]

01 주어가 He로 is, wear에 -ing를 붙인다.
02 주어가 The cats로 are, sleep에 -ing를 붙인다.
03 주어가 My dad로 is, work에 -ing를 붙인다.
04 주어가 Ryan으로 is, study에 -ing를 붙인다.
05 주어가 I로 am, go에 -ing를 붙인다.
06 주어가 The baby로 is, drink에 -ing를 붙인다.
07 주어가 They로 are, sell에 -ing를 붙인다.
08 주어가 Those boys로 are, move는 e로 끝나는 동사로 e를 빼고 -ing를 붙인다.
09 주어가 Two birds로 are, fly에 -ing를 붙인다.
10 주어가 My sisters로 are, shop은 「단모음+단자음」으로 끝나는 동사로 마지막 자음(p)을 한 번 더 쓰고 -ing를 붙인다.

Unit 02 현재진행형의 부정문과 의문문

Warm up
p.19

①

01 am, not
02 is, not
03 is, not
04 are, not
05 are, not

②

01 Is, it
02 Are, they

03 Are, you
04 Is, the, baby
05 Are, the, children

[해설]

①

01~05 현재진행형 부정문은 「주어+be동사의 현재형+not+동사원형+-ing」의 형태이다.

②

01~05 현재진행형 의문문은 「Be동사의 현재형+주어+동사원형+-ing~?」의 형태이다.

Step up
p.20

①

01 am not
02 is not
03 Is he wearing
04 aren't playing
05 Are we going
06 Is Max washing
07 isn't doing
08 Is she eating
09 Are you writing
10 aren't watching
11 not listening
12 the students learning

②

01 am not studying
02 is not[isn't] riding
03 are not[aren't] eating
04 is not[isn't] waiting
05 are not[aren't] painting
06 Are you sleeping
07 Is she baking
08 Is he coming
09 No, they aren't
10 Yes, it is

[해설]

①

01, 02, 04, 07, 10, 11 현재진행형 부정문은 「주어+be동사의 현재형+not+동사원형+-ing」의 형태이다.
03, 05, 06, 08, 09, 12 현재진행형 의문문은 「Be동사의 현재형+주어+동사원형+-ing~?」의 형태이다.

②

01, 02, 03, 04, 05 현재진행형 부정문은 「주어+be동사의 현재형+not+-ing」의 형태이다.
06, 07, 08 현재진행형 의문문은 「Be동사의 현재형+주어+동사원형+-ing~?」의 형태이다.
09 현재진행형 의문문에 대한 부정의 대답은 「No, 주어(대명사)+be동사+not.」으로 나타낸다.
10 현재진행형 의문문에 대한 긍정의 대답은 「Yes, 주어(대명사)+be동사.」로 나타낸다.

Jump up

01 She is not[isn't] picking flowers
02 The boy is not[isn't] running slowly
03 We are not[aren't] talking with Anna
04 He is not[isn't] staying in the hotel
05 I am[I'm] not carrying a heavy box
06 Are the trees dying
07 Is Susan meeting him
08 Is her uncle driving a car
09 Is your sister using the phone
10 Are you reading a newspaper

[해설 및 해석]

01, 02, 03, 04, 05 현재진행형 부정문은 「주어+be동사
현재형+not+동사원형+-ing」의 형태이다.
06, 07, 08, 09, 10 현재진행형 의문문은 「Be동사의 현재
형+주어+동사원형+-ing~?」의 형태이다.

01 그녀는 꽃을 꺾고 있어요.
→ 그녀는 꽃을 꺾고 있지 않아요.
02 그 소년은 천천히 달리고 있어요.
→ 그 소년은 천천히 달리고 있지 않아요.
03 우리는 애나와 이야기를 하고 있어요.
→ 우리는 애나와 이야기를 하고 있지 않아요.
04 그는 호텔에 묵고 있어요.
→ 그는 호텔에 묵고 있지 않아요.
05 나는 무거운 상자를 나르고 있어요.
→ 나는 무거운 상자를 나르고 있지 않아요.
06 그 나무들이 죽어가고 있어요.
→ 그 나무들이 죽어가고 있나요?
07 수잔은 그를 만나고 있어요.
→ 수잔은 그를 만나고 있나요?
08 그녀의 삼촌은 차를 운전하고 있어요.
→ 그녀의 삼촌은 차를 운전하고 있나요?
09 너의 언니는 전화를 사용하고 있어.
→ 너의 언니는 전화를 사용하고 있니?
10 너는 신문을 읽고 있어.
→ 너는 신문을 읽고 있니?

Build up writing

01 Is, fixing   02 Are, enjoying
03 Are, standing   04 am, not, telling
05 Is, buying   06 Is, playing
07 are, not, going   08 are, not, taking
09 is, not, teaching 10 is, not, cutting

[해설]

01, 02, 03, 05, 06 현재진행형 의문문은 「Be동사의 현재
형+주어+동사원형+-ing~?」의 형태이다.

04, 07, 08, 09, 10 현재진행형 부정문은 「주어+be동사의
현재형+not+동사원형+-ing」의 형태이다.

Wrap up

①

01 are   02 using
03 growing   04 aren't
05 am not   06 is
07 looking   08 isn't
09 are   10 Is

②

01 I am lying on the beach
02 Is he drinking water
03 She is pushing the button
04 My mom is saying something
05 Are you planning a vacation
06 Susie is making sandwiches
07 They are not[aren't] walking to school
08 We are not[aren't] cleaning the street
09 Are the boys swimming in the pool
10 Sam is not[isn't] taking a shower

[해설 및 해석]

①

01 현재진행형은 「be동사의 현재형+동사원형+-ing」의 형
태이므로, do를 are로 고친다.
02 현재진행형은 「be동사의 현재형+동사원형+-ing」의 형
태이므로, use를 -ing형태로 고친다. use는 e로 끝나
는 동사로 e를 빼고 -ing를 붙인다.
03 현재진행형은 「be동사의 현재형+동사원형+-ing」의 형
태이므로, grow를 growing로 고친다.
04 현재진행형 부정문은 「be동사의 현재형+not+동사원
형+-ing」의 형태로 don't를 aren't로 고친다.
05 현재진행형 부정문은 「be동사의 현재형+not+동사원
형+-ing」의 형태로 not am을 am not으로 고친다.
06 현재진행형은 「be동사의 현재형+동사원형+-ing」의 형
태이므로, does를 is로 고친다.
07 현재진행형 의문문은 「Be동사의 현재형+주어+동사원
형+-ing~?」의 형태로 look을 looking으로 고친다.
08 현재진행형 의문문에 대한 부정의 대답은 「No, 주어(대
명사)+be동사+not.」으로 나타낸다.
09 현재진행형 의문문에 대한 긍정의 대답은 「Yes, 주어
(대명사)+be동사.」로 나타낸다.
10 현재진행형 의문문은 「Be동사의 현재형+주어+동사원
형+-ing~?」의 형태로 Does를 Is로 고친다.

②

01 현재진행형은 「be동사 현재형+동사원형+-ing」의 형태

이므로, lie를 are lying로 쓴다. lie는 ie로 끝나는 동사로 ie를 y로 고치고 -ing를 붙인다.

02 현재진행형 의문문은 「Be동사의 현재형+주어+동사원형+-ing~?」의 형태로 Does he drink을 Is he drinking ~로 쓴다.

03 현재진행형이므로, pushes를 is pushing으로 쓴다.

04 현재진행형이므로, say를 is saying으로 쓴다.

05 현재진행형 의문문은 「Be동사의 현재형+주어+동사원형+-ing~?」의 형태로 Do you plan을 Are you planning로 바꾼다. plan은 「단모음+단자음」으로 끝나는 동사로 마지막 자음(n)을 한 번 더 쓰고 -ing를 붙인다.

06 현재진행형이므로 makes를 is making으로 쓴다. make는 e로 끝나는 동사로 e를 빼고 -ing를 붙인다.

07 현재진행형 부정문은 「be동사 현재형+not+동사원형+-ing」의 형태로 don't walk를 are not[aren't] walking으로 쓴다.

08 현재진행형 부정문은 「be동사 현재형+not+동사원형+-ing」의 형태로 don't clean을 are not[aren't] cleaning으로 쓴다.

09 현재진행형 의문문은 「Be동사의 현재형+주어+동사원형+-ing~?」의 형태로 Do the boys swim을 Are the boys swimming으로 쓴다. swim은 「단모음+단자음」으로 끝나는 동사로 마지막 자음(m)을 한 번 더 쓰고 -ing를 붙인다.

10 현재진행형 부정문은 「be동사 현재형+not+동사원형+-ing」의 형태로 doesn't take를 is not[isn't] taking으로 쓴다.

01 나는 해변에 누워요.
→ 나는 해변에 누워 있어요.

02 그는 물을 마시나요?
→ 그는 물을 마시고 있나요?

03 그녀는 버튼을 눌러요.
→ 그녀는 버튼을 누르고 있어요.

04 우리 엄마는 무언가를 말해요.
→ 우리 엄마는 무언가를 말하고 있어요.

05 너는 휴가를 계획하니?
→ 너는 휴가를 계획하고 있니?

06 수지는 샌드위치를 만들어요.
→ 수지는 샌드위치를 만들고 있어요.

07 그들은 학교에 걸어가지 않아요.
→ 그들은 학교에 걸어가고 있지 않아요.

08 우리는 거리를 청소하지 않아요.
→ 우리는 거리를 청소하고 있지 않아요.

09 그 소년들은 수영장에서 수영하나요?
→ 그 소년들은 수영장에서 수영하고 있나요?

10 샘은 샤워를 하지 않아요.
→ 샘은 샤워를 하고 있지 않아요.

Exercise   p.26

1 ①   2 ⑤   3 ③   4 ④   5 ⑤   6 ③
7 ①   8 is studying
9 1) is, not, playing   2) are, making
10 1) The boy is not[isn't] flying a kite
   2) Are your brothers cleaning the windows

[해설 및 해석]

1 ① eat은 「단모음+단자음」으로 끝나는 동사가 아니므로 eating이 되어야 한다.

2 ⑤ lie는 ie로 끝나는 동사로 ie를 y로 바꾸고 -ing를 붙이므로 lying이 되어야 한다.

3 현재진행형은 「be동사 현재형+동사원형+-ing」의 형태이고, hit은 「단모음+단자음」으로 끝나는 동사로 Tom is hitting a ball을 고른다.
톰이 공을 쳐요. → 톰이 공을 치고 있어요.

4 ④ 현재진행형의 부정문은 「be동사 현재형+not+동사원형+-ing」의 형태이므로 is not selling이 되어야 한다.
① 나는 만화책을 읽고 있지 않아요.
② 고양이가 소파에서 자고 있어요.
③ 그녀는 설거지하고 있어요.
④ 벤은 해산물을 팔고 있지 않아요.
⑤ 너 내 말을 듣고 있니?

5 ⑤ 현재진행형의 의문문은 「Be동사 현재형+주어+동사원형+-ing~?」의 형태이므로 Is your mother가 되어야 한다.
① 나는 말을 타고 있어요.
② 린다가 나에게 오고 있어요.
③ 너는 진실을 말하고 있지 않아.
④ 우리는 콘서트에 가고 있나요?
⑤ 너의 어머니는 지금 차를 마시고 계시니?

6 현재진행형의 의문문에 대한 긍정의 대답은 「Yes, 주어(대명사)+be동사.」로 부정의 대답은 「No, 주어(대명사)+be동사+not.」로 나타내며, you로 물으면 I로 대답한다.
A: 너는 저녁을 먹고 있니?
B: 아니요, 그렇지 않아요.

7 현재진행형은 「be동사 현재형+동사원형+-ing」의 형태이다. 주어가 The girl로 is, tie는 ie로 끝나는 동사로 ie를 y로 바꾸고 -ing를 붙인다.

8 주어가 She로 is, study에 -ing를 붙여 is studying으로 쓴다.
A: 샐리가 숙제를 하고 있나요?
B: 아니요, 그렇지 않아요. 그녀는 시험공부를 하고 있어요.

9 1) 현재진행형 부정문은 「be동사 현재형+not+-ing」의 형태이므로 is, not, playing을 쓴다.
   2) 현재진행형은 「be동사 현재형+동사원형+-ing」의 형

태이므로 are, making을 쓴다.

10 1) 현재진행형 부정문은 「be동사 현재형+not+동사원형+-ing」의 형태이므로, The boy is not flying a kite를 쓴다.
2) 현재진행형의 의문문은 「Be동사 현재형+주어+동사원형+-ing~?」의 형태이므로, Are your brothers cleaning the windows?를 쓴다.
1) 그 소년은 연을 날리고 있지 않아요.
2) 네 오빠들은 창문을 청소하고 있니?

Chapter 2 미래형

Unit 01 will 미래형

❶

01 △, ○ | 02 ○, △ | 03 ○, △
04 ○, △ | 05 ○, △ | 06 △, ○

[해설]

01~06 미래형은 「will+동사원형」의 형태이고, 현재형은 동사로 일반동사 또는 be동사의 현재형이 온다.

❶

01 be | 02 will
03 watch | 04 bake
05 will snow | 06 will buy
07 will wait | 08 will clean
09 will play | 10 will go

❷

01 will, study | 02 will, go
03 will, help | 04 will, be
05 will, sing | 06 will, not, write
07 will, not, forget | 08 Will, stay, will
09 Will, be, won't | 10 Will, move, won't

[해설]

❶

01~10 will은 주어의 인칭과 수에 상관없이 항상 will로 쓰고, will 뒤에는 동사원형이 온다.

❷

01, 02, 03, 04, 05 will 미래형은 「주어+will+동사원형」의 형태이다.
06, 07 will 부정문은 「주어+will not[won't]+동사원형」의 형태이다.

08, 09, 10 will 의문문은 「Will+주어+동사원형 ~?」의 형태이고, 긍정의 대답은 「Yes, 주어(대명사)+will.」로, 부정의 대답은 「No, 주어(대명사)+won't.」로 나타낸다.

01 I will not[won't] ride a bike
02 She will not[won't] go shopping
03 James will not[won't] sell his computer
04 My father will not[won't] work next week
05 The students will not[won't] take a test
06 Will you take a bus
07 Will they get up early
08 Will he like my gift
09 Will Rachel win the contest
10 Will your sisters wash the dishes

[해설 및 해석]

01~05 will 부정문은 「주어+will not[won't]+동사원형」의 형태이다.
06~10 will 의문문은 「Will+주어+동사원형 ~?」의 형태이다.

01 나는 자전거를 탈 거예요.
→ 나는 자전거를 타지 않을 거예요.
02 그녀는 쇼핑하러 갈 거예요.
→ 그녀는 쇼핑하러 가지 않을 거예요.
03 제임스는 자신의 컴퓨터를 팔 거예요.
→ 제임스는 자신의 컴퓨터를 팔지 않을 거예요.
04 우리 아버지는 다음 주에 일을 하실 거예요.
→ 우리 아버지는 다음 주에 일을 하지 않으실 거예요.
05 그 학생들은 시험을 볼 거예요.
→ 그 학생들은 시험을 보지 않을 거예요.
06 너는 버스를 탈 거야.
→ 너는 버스를 탈 거니?
07 그들은 일찍 일어날 거예요.
→ 그들은 일찍 일어날까요?
08 그가 내 선물을 좋아할 거예요.
→ 그가 내 선물을 좋아할까요?
09 레이첼이 그 대회에서 우승할 거예요.
→ 레이첼이 그 대회에서 우승할까요?
10 너의 언니들이 설거지를 할 거야.
→ 너의 언니들이 설거지를 할까?

01 will, walk | 02 Will, you, teach
03 Will, he, bring | 04 will, have
05 will, not, go | 06 will, not, be
07 Will, she, buy | 08 will, eat
09 will, not, come | 10 Will, you, watch

[해설]

01, 04, 08 will 미래형은 「주어+will+동사원형」의 형태이다.

05, 06, 09 will 부정문은 「주어+will not[won't]+동사원형」의 형태이다.

02, 03, 07, 10 will 의문문은 「Will+주어+동사원형 ~?」의 형태이다.

Unit 02 be going to 미래형

Warm up   p.37

①

| 01 △, ○ | 02 ○, △ | 03 ○, △ |
| 04 △, ○ | 05 △, ○ | 06 ○, △ |

[해설]

01~06 미래형은 「be동사의 현재형+going to+동사원형」의 형태이고, 현재진행형은 「be동사의 현재형+동사원형+-ing」의 형태이다.

Step up   p.38

①

01 going	02 are going
03 visit	04 going
05 walk	06 is going
07 are going	08 is going
09 learn	10 going to read

②

01 are going to join
02 am going to study
03 are going to take
04 is going to travel
05 is going to play
06 are not going to buy
07 is not going to watch
08 Are, going to go, are
09 Is, going to snow, is
10 Is, going to begin, isn't

[해설]

①

01, 04 be going to 미래형은 「주어+be동사의 현재형+going to+동사원형」의 형태이므로 going을 고른다.

02, 07 주어가 You(2인칭), We(1인칭 복수)이므로 are going을 고른다.

03, 05, 09 be going to 다음에는 동사원형이 와야 한다.

06, 08 주어가 Sean(단수 명사), The movie(단수 명사)이므로 is going을 고른다.

10 「be동사의 현재형+going to+동사원형」의 형태가 되어야 하므로 going to read를 고른다.

②

01, 02, 03, 04, 05 be going to 미래형은 「주어+be동사의 현재형+going to+동사원형」의 형태이다.

06, 07 be going to 부정문은 「주어+be동사의 현재형+not+going to+동사원형」의 형태이다.

08, 09, 10 be going to 의문문은 「Be동사의 현재형+주어+going to+동사원형~?」의 형태이고, 긍정의 대답은 「Yes, 주어(대명사)+be동사.」로, 부정의 대답은 「No, 주어(대명사)+be동사+not.」으로 나타낸다.

Jump up   p.40

01 He is not going to be angry
02 I am not going to call her
03 David is not going to get a haircut
04 They are not going to arrive on time
05 The boys are not going to play soccer
06 Are you going to go fishing
07 Are we going to take a test
08 Is he going to leave tonight
09 Is Anna going to sing at the party
10 Are your sisters going to make a birthday cake

[해설 및 해석]

01~05 be going to 부정문은 「주어+be동사의 현재형+not+going to+동사원형」의 형태이므로 be동사 뒤에 not을 붙인다.

06~10 be going to 의문문은 「Be동사의 현재형+주어+going to+동사원형~?」의 형태이므로 be동사를 주어 앞으로 보내고 문장 끝에 물음표를 붙인다.

01 그는 화를 낼 거예요.
    → 그는 화를 내지 않을 거예요.
02 나는 그녀에게 전화할 거예요.
    → 나는 그녀에게 전화하지 않을 거예요.
03 데이비드는 머리를 자를 거예요.
    → 데이비드는 머리를 자르지 않을 거예요.
04 그들은 제시간에 도착할 거예요.
    → 그들은 제시간에 도착하지 않을 거예요.
05 그 소년들은 축구를 할 거예요.
    → 그 소년들은 축구를 하지 않을 거예요.
06 너는 낚시하러 갈 거야.
    → 너는 낚시하러 갈 거니?
07 우리는 시험을 볼 거야.
    → 우리는 시험을 볼 거니?
08 그는 오늘 밤에 떠날 거예요.
    → 그는 오늘 밤에 떠날 건가요?

09 애나가 파티에서 노래를 부를 예정이야.
　→ 애나가 파티에서 노래를 부를 예정이니?
10 너의 언니들이 생일 케이크를 만들 거야.
　→ 너의 언니들이 생일 케이크를 만들 거니?

01 am, going, to, watch
02 is, going, to, learn
03 Are, you, going, to, move
04 is, not, going, to, buy
05 are, not, going, to, wear
06 Is, he, going, to, visit
07 am, not, going, to, talk
08 are, going, to, be
09 Are, they, going, to, build
10 are, not, going, to, go

[해설]

01, 02, 08 be going to 미래형은 「주어+be동사의 현재형+going to+동사원형」의 형태이다.
04, 05, 07, 10 be going to 부정문은 「주어+be동사의 현재형+not+going to+동사원형」의 형태이다.
03, 06, 09 be going to 의문문은 「Be동사의 현재형+주어+going to+동사원형~?」의 형태이다.

01 be	**02** will not[won't]
03 will	**04** going
05 are not	**06** go
07 finish	**08** Are
09 is	**10** won't

②

01 We will build a snowman
02 She will not[won't] be an artist
03 Will he drive the truck
04 Will you lend him money
05 I will not[won't] play computer games
06 The man is going to sell the car
07 Are you going to help your mom
08 He is going to climb the mountain
09 Is she going to plan a vacation
10 The girls are not[aren't] going to dance together

[해설 및 해석]

01 will 뒤에는 동사원형이 오므로 be가 되어야 한다.
02 will 부정문은 「주어+will not[won't]+동사원형」의 형태이므로 will not 또는 won't가 되어야 한다.
03 will은 주어의 인칭과 수에 상관없이 항상 will을 쓴다.
04 be going to 미래형은 「주어+be동사의 현재형+going to+동사원형」의 형태이므로 going이 되어야 한다.
05 be going to 부정문은 「주어+be동사의 현재형+not+going to+동사원형」의 형태이므로 are not이 되어야 한다.
06 be going to 뒤에는 동사원형이 오므로 go가 되어야 한다.
07 will 의문문은 「Will+주어+동사원형 ～?」의 형태이므로 finish가 되어야 한다.
08 be going to 의문문은 「Be동사의 현재형+주어+going to+동사원형~?」의 형태이므로 Are가 되어야 한다.
09 be going to 의문문에 대한 긍정의 대답은 「Yes, 주어(대명사)+be동사.」로 나타내므로 is가 되어야 한다.
10 will 의문문에 대한 부정의 대답은 「No, 주어(대명사)+won't.」로 나타내므로 won't가 되어야 한다.

②

01 will 미래형은 「주어+will+동사원형」의 형태이다.
02, 05 will 부정문은 「주어+will not[won't]+동사원형」의 형태이다.
03, 04 will 의문문은 「Will+주어+동사원형~?」의 형태이다.
06, 08 be going to 미래형은 「주어+be동사의 현재형 going to+동사원형」의 형태이다.
07, 09 be going to 의문문은 「Be동사의 현재형+주어+going to+동사원형~?」의 형태이다.
10 be going to 부정문은 「주어+be동사의 현재형+not+going to+동사원형」의 형태이다.

01 우리는 눈사람을 만들어요.
　→ 우리는 눈사람을 만들 거예요.
02 그녀는 예술가가 아니에요.
　→ 그녀는 예술가가 되지 않을 거예요.
03 그는 트럭을 운전하나요?
　→ 그가 트럭을 운전할 건가요?
04 너는 그에게 돈을 빌려주니?
　→ 너는 그에게 돈을 빌려줄 거니?
05 나는 컴퓨터 게임을 하지 않아요.
　→ 나는 컴퓨터 게임을 하지 않을 거예요.
06 그 남자는 그 차를 팔아요.
　→ 그 남자는 그 차를 팔 거예요.
07 너는 엄마를 도와주니?

→ 너는 엄마를 도와줄 거니?

08 그는 그 산을 올라요.

　　→ 그는 그 산을 오를 거예요.

09 그녀는 휴가 계획을 세우니?

　　→ 그녀는 휴가 계획을 세울 거니?

10 그 소녀들은 같이 춤추지 않아요.

　　→ 그 소녀들은 같이 춤추지 않을 거예요.

Exercise　　　　　　　　　　　　　　p.44

1 ③　　2 ⑤　　3 ①　　4 ②　　5 ②　　6 ④

7 ①　　8 1) be　2) are not

9 1) will snow tomorrow　2) Will you eat

10 They are going to buy the house

[해설 및 해석]

1 tomorrow가 미래를 나타내는 시간 표현이므로 미래형 won't가 가장 알맞다.

　피터는 내일 낸시를 만나지 않을 거예요.

2 next week이 미래를 나타내는 시간 표현이므로 is going to visit가 가장 적절하다.

　그 가수는 다음 주에 한국을 방문할 거예요.

3 ① will 뒤에는 동사원형이 온다.

　① 그는 빨리 달릴 거예요.

　② 우리는 피자를 주문하지 않을 거예요.

　③ 켈리가 우리와 함께 지낼까요?

　④ 나는 그 극장에 가지 않을 거예요.

　⑤ 그들은 나에게 화를 낼 거예요.

4 ② 주어가 I이므로 am going to read가 되어야 한다.

　① 바람이 불 거예요.

　② 나는 그 책을 읽을 거예요.

　③ 너는 그를 도와줄 거니?

　④ 그녀는 그 가방을 사지 않을 거예요.

　⑤ 피트와 나는 수영하러 갈 거예요.

5 be going to 미래형 부정문은 be동사 뒤에 not을 쓴다.

　우리는 택시를 탈 거예요.

　→ 우리는 택시를 타지 않을 거예요.

6 주어진 우리말이 미래형이므로 「Will+주어+동사원형 ~?」 또는 「Be동사의 현재형+주어+going to+동사원형 ~?」의 형태가 되어야 한다.

7 ① 「주어+be동사의 현재형+동사원형+-ing」의 형태로 현재진행형이고, ②, ③, ④, ⑤는 「주어+be동사의 현재형+going to+동사원형」의 형태로 be going to 미래형이다.

　① 나는 지금 도서관에 가는 중이에요.

　② 우리는 열심히 공부할 거예요.

　③ 그가 저녁을 요리할 거예요.

　④ 그들은 집을 청소할 거예요.

　⑤ 클레어가 사과 파이를 만들 거예요.

8 1) will 뒤에는 동사원형이 와야 하므로 be가 되어야 한다.

　2) be going to 부정문은 be동사 뒤에 not을 붙이므로 are not이 되어야 한다.

　1) 제시카와 로스는 행복할 거예요.

　2) 그들은 오늘 밤에 떠나지 않을 거예요.

9 1) will 미래형은 「주어+will+동사원형」의 형태이다.

　2) will 의문문은 「Will+주어+동사원형~?」의 형태이다.

10 be going to 미래형은 「주어+be동사의 현재형 +going to+동사원형」의 형태이다.

Chapter 3 조동사

Unit 01 조동사의 특징

Warm up　　　　　　　　　　　　　　p.49

❶

01 can　　　　　02 Will　　　　　03 will

04 can　　　　　05 must　　　　　06 Can

07 can　　　　　08 must　　　　　09 must

10 will

[해설]

01~10 can, will, must는 동사에 능력, 미래, 의무 등의 의미를 추가해주는 조동사이다.

Step up　　　　　　　　　　　　　　p.50

❶

01 can　　　　　　　02 play

03 be　　　　　　　04 cannot

05 must　　　　　　06 finish

07 cannot　　　　　08 follow

09 must not　　　　10 will not

❷

01 ○　　　　　　　02 cannot

03 play　　　　　　04 can

05 ○　　　　　　　06 ○

07 listen　　　　　08 must not be

09 ○　　　　　　　10 must

[해설]

❶

01, 05 조동사는 주어의 수와 인칭에 상관없이 항상 같은 형태이다.

02, 03 조동사 의문문은 조동사를 주어 앞으로 보내고 문장 끝이 물음표를 붙인다.

06, 08 조동사 뒤에는 동사원형이 온다.

04, 07, 09, 10 조동사 부정문은 조동사 뒤에 not을 붙인다.

②

01 조동사(must) 뒤에는 동사원형이 오므로 올바르다.

02 조동사(can)의 부정은 조동사 뒤에 not을 쓰므로 cannot이 되어야 한다.

03 조동사(can) 뒤에는 동사원형이 오므로 play가 되어야 한다.

04 조동사는 주어의 인칭과 수에 상관없이 항상 같은 형태를 쓰므로 can이 되어야 한다.

05 조동사(can)의 부정은 조동사 뒤에 not을 쓰므로 cannot의 줄임말 can't는 올바르다.

06 조동사 의문문은 조동사(Can)를 주어 앞에 쓰므로 올바르다.

07 조동사(must) 뒤에는 동사원형이 오므로 listen이 되어야 한다.

08 조동사의 부정문은 조동사 뒤에 not을 붙이므로 must not be가 되어야 한다.

09 조동사의 부정문은 조동사 뒤에 not을 붙이므로 올바르다.

10 조동사는 주어의 인칭과 수에 상관없이 항상 같은 형태를 쓰므로 must가 되어야 한다.

Jump up
p.52

01 I cannot[can't] skate well
02 He cannot[can't] play golf
03 Angela must not[mustn't] hurry
04 My mom cannot[can't] make pizza
05 You must not[mustn't] call your parents
06 Can you speak Chinese
07 Can Max solve the problem
08 Can they enter the building
09 Must I clean the table
10 Must you go home now

[해설 및 해석]

01~05 조동사의 부정문은 조동사 뒤에 not을 써서 「주어+조동사+not+동사원형」의 형태가 된다.

06~10 조동사의 의문문은 조동사를 주어 앞으로 보내고 문장의 끝에 물음표를 붙여서 「조동사+주어+동사원형~?」의 형태가 된다.

01 나는 스케이트를 잘 탈 수 있어요.
　→ 나는 스케이트를 잘 탈 수 없어요.

02 그는 골프를 칠 수 있어요.
　→ 그는 골프를 칠 수 없어요.

03 안젤라는 서둘러야 해요.
　→ 안젤라는 서두르면 안 돼요.

04 우리 엄마는 피자를 만들 수 있어요.
　→ 우리 엄마는 피자를 만들 수 없어요.

05 너는 부모님께 전화해야 해.
　→ 너는 부모님께 전화하면 안 돼.

06 너는 중국어를 할 수 있어.
　→ 너는 중국어를 할 수 있니?

07 맥스는 그 문제를 풀 수 있어요.
　→ 맥스는 그 문제를 풀 수 있나요?

08 그들은 그 건물에 들어갈 수 있어요.
　→ 그들은 그 건물에 들어갈 수 있나요?

09 나는 식탁을 치워야 해요.
　→ 내가 식탁을 치워야 하나요?

10 너는 지금 집에 가야 해.
　→ 너는 지금 집에 가야 하니?

Build up writing
p.53

01 I can draw well
02 Can you play chess
03 We can be friends
04 They must not park here
05 He must drive carefully
06 You must not eat in class
07 They cannot pass the test
08 Can she read English
09 You can't watch this movie
10 Rachel must exercise regularly

[해설 및 해석]

01, 03, 05, 10 조동사 긍정문은 「주어+조동사+동사원형」의 형태로 쓴다.

02, 08 조동사 의문문은 「조동사+주어+동사원형~?」의 형태로 쓴다.

04, 06, 07, 09 조동사 부정문은 「주어+조동사+not+동사원형」의 형태로 쓴다.

01 나는 그림을 잘 그려요.
　→ 나는 그림을 잘 그릴 수 있어요.

02 너는 체스를 하니?
　→ 너는 체스를 할 수 있니?

03 우리는 친구야.
　→ 우리는 친구가 될 수 있어.

04 그들은 여기에 주차해요.
　→ 그들은 여기에 주차하면 안 돼요.

05 그는 주의해서 운전해요.
　→ 그는 주의해서 운전해야 해요.

06 너는 수업시간에 먹어.
　→ 너는 수업시간에 먹으면 안 돼.

07 그들은 시험에 통과해요.
　→ 그들은 시험에 통과할 수 없어요.

08 그녀는 영어를 읽나요?
　→ 그녀는 영어를 읽을 수 있나요?

09 너는 이 영화를 봐.
  → 너는 이 영화를 볼 수 없어.
10 레이첼은 규칙적으로 운동해요.
  → 레이첼은 규칙적으로 운동해야 해요.

Unit 02 조동사 can·must

Warm up   p.55

①

01 can	02 must	03 must
04 can	05 can	06 must
07 must	08 can	09 can
10 must		

[해설 및 해석]

01, 04, 05, 08, 09 '~할 수 있다'라는 의미로 능력을 나타내는 조동사는 can이다.
02, 03, 06, 07, 10 '~해야 한다'라는 의미로 의무를 나타내는 조동사는 must이다.

Step up   p.56

①

01 can't	02 cannot
03 can	04 can
05 must not	06 must
07 must not	08 must

②

01 can	02 go
03 must not	04 must
05 must not	06 remember
07 cannot	08 Can, can't
09 Can Mike, can	10 Can the boys, can

[해설 및 해석]

①

01 그림의 아기는 걸을 수 없으므로 can't를 고른다.
02 펭귄은 날 수 없으므로 cannot을 고른다.
03 그림의 여성이 버스를 운전하므로 can을 고른다.
04 그림의 소년이 말을 타고 있으므로 can을 고른다.
05 수영 금지 표지판으로 '~하면 안 된다'라는 의미가 되어야 한다. 따라서 must not을 고른다.
06 그림의 소년이 헬멧을 써야 하므로 must를 고른다.
07 만지지 말라는 표지판으로 '~하면 안 된다'라는 의미가 되어야 한다. 따라서 must not을 고른다.
08 비가 오고 있어서 우산을 가져가야 하므로 must를 고른다.

01 아기는 걸을 수 없어요.

02 펭귄은 날 수 없어요.
03 그녀는 버스를 운전할 수 있어요.
04 그 소년은 말을 탈 수 있어요.
05 우리는 여기서 수영하면 안 돼요.
06 피터는 헬멧을 써야 해요.
07 너는 그 그림을 만지면 안 돼.
08 그녀는 우산을 가지고 가야 해요.

②

01, 04 조동사(can, must)는 주어의 인칭과 수에 상관없이 항상 같은 형태를 쓴다.
02, 06 조동사 뒤에는 동사원형이 온다.
03, 05 must의 부정문은 must 다음에 not을 붙여 must not으로 쓴다.
07 can의 부정문은 can 다음에 not을 붙여, cannot 또는 can't로 쓴다.
08, 09, 10 can의 의문문은 「Can+주어+동사원형~?」의 형태로 쓰며, 긍정의 대답은 「Yes, 주어(대명사)+can.」으로, 부정의 대답은 「No, 주어(대명사)+can't.」로 나타낸다.

Jump up   p.58

01 can, play, I cannot[can't] play the piano
02 can, answer, She cannot[can't] answer the question
03 can, fix, He cannot[can't] fix the bike
04 can, fly, Can the birds fly high
05 can, make, Can Susan make Italian food
06 must, believe, You must not[mustn't] believe him
07 must, come, He must not[mustn't] come here
08 must, turn, We must not[mustn't] turn on the light

[해설 및 해석]

01, 02, 03 can의 부정문은 can 다음에 not을 붙여, cannot 또는 can't로 쓴다.
04, 05 can의 의문문은 「Can+주어+동사원형~?」의 형태로 쓴다.
06, 07, 08 must의 부정문은 must 다음에 not을 붙여 must not 또는 mustn't를 쓴다.

01 나는 피아노를 칠 수 없어요.
02 그녀는 그 질문에 대답할 수 없어요.
03 그는 그 자전거를 고칠 수 없어요.
04 그 새들은 높이 날 수 있나요?
05 수잔은 이탈리아 음식을 만들 수 있나요?
06 너는 그를 믿으면 안 돼.
07 그는 여기에 오면 안 돼요.

08 우리는 그 불을 켜면 안 돼요.

p.59

01 can cook 02 can't move
03 can't solve 04 can speak
05 can't see

01 must leave 02 must not run
03 must stop 04 must clean
05 must not waste

[해설 및 해석]

01 요리사로 요리를 잘한다는 의미가 되어야 하므로 can cook을 쓴다.
02 소파가 너무 무거워서 옮길 수 없다는 의미가 되어야 하므로 can't move를 쓴다.
03 너무 어려워서 문제를 풀 수 없다는 의미가 되어야 하므로 can't solve를 쓴다.
04 똑똑해서 4개 국어를 할 수 있다는 의미가 되어야 하므로 can speak을 쓴다.
05 삼촌을 뵈러 가야 해서 만날 수 없다는 의미가 되어야 하므로 can't see를 쓴다.

01 우리 누나는 요리사예요. 그녀는 요리를 잘해요.
02 그 소파는 너무 무거워요. 그는 그것을 옮길 수 없어요.
03 그 문제는 너무 어려워요. 나는 그것을 풀 수 없어요.
04 제인은 똑똑해요. 그녀는 4개 국어를 할 수 있어요.
05 나는 일요일에 너를 만날 수 없어. 나는 삼촌을 뵈러 갈 거야.

01 늦어서 지금 떠나야 한다는 의미가 되어야 하므로 must leave를 쓴다.
02 미끄러워서 뛰면 안 된다는 의미가 되어야 하므로 must not run을 쓴다.
03 빨간 불이어서 멈춰야 한다는 의미가 되어야 하므로 must stop을 쓴다.
04 방이 더러워서 청소를 해야 한다는 의미가 되어야 하므로 must clean을 쓴다.
05 시간이 많지 않아서 시간을 낭비하면 안 된다는 의미가 되어야 하므로 must not waste가 되어야 한다.

01 우리 지금 떠나야 해. 늦었어.
02 바닥이 미끄러워. 너는 뛰면 안 돼.
03 신호등이 빨간 불이야. 너는 멈춰야 해.
04 켈리는 방을 청소해야 해요. 정말 더러워요.
05 우리는 시간이 많지 않아요. 우리는 시간을 낭비하면 안 돼요.

p.60

①

01 jump 02 Can he
03 fix 04 can
05 tell 06 cannot[can't]
07 must not 08 must
09 not be 10 finish

②

01 Can you hear
02 You must listen
03 Can he come
04 We must wear
05 He cannot find
06 I can speak
07 You must not sleep
08 I must save
09 Kids must not play
10 The man can't lift

[해설]

①

01, 03, 05 조동사 뒤에는 동사원형이 온다.
02, 10 조동사의 의문문은 「조동사+주어+동사원형~?」의 형태이다.
04, 08 조동사는 주어의 인칭과 수에 상관없이 항상 같은 형태이다.
06, 07, 09 조동사 부정문은 「주어+조동사+not+동사원형」의 형태이다.

②

01, 03 조동사의 의문문은 「조동사+주어+동사원형~?」의 형태이다.
02, 04, 06, 08 조동사 긍정문은 「조동사+동사원형」의 형태이다.
05, 07, 09, 10 조동사의 부정문은 「주어+조동사+not+동사원형」의 형태이며, cannot은 can't로, must not은 mustn't로 줄여 쓸 수 있다.

p.62

1 ④ 2 ① 3 ① 4 ④ 5 ⑤ 6 ③ 7 ②
8 1) must not[mustn't] study 2) Can she play
9 1) can't 2) must
10 1) can speak 2) must not tell

[해설 및 해석]

1 너무 비싸서 살 수 없다는 의미가 되어야 하므로 can의 부정문이 와야 한다. can의 부정문은 can 뒤에 not을 써서 cannot 또는 줄임말 can't로 나타낸다.

그 집은 너무 비싸요. 그는 그것을 살 수 없어요.

2 10분밖에 없어서 서둘러야 한다는 의미가 되어야 하므로 '~해야 한다'라는 의미의 must를 써야 하고, must 뒤에는 동사원형이 온다.

　　우리에게 10분밖에 없어요. 우리는 서둘러야 해요.

3 must 다음에 동사원형이 오므로 ① is careful은 알맞지 않다. → be careful

4 ④ can의 부정문은 can 뒤에 not을 써서 cannot 또는 줄임말 can't로 나타낸다.
　　① 나는 야구를 잘 할 수 있어요.
　　② 그 개는 높이 점프할 수 있어요.
　　③ 너는 일본어를 읽을 수 있니?
　　④ 우리는 빨리 달릴 수 없어요.
　　⑤ 그는 집에 일찍 올 수 없어요.

5 ⑤ must의 부정문은 must 뒤에 not을 써서 must not 또는 줄임말 mustn't로 나타낸다.
　　① 나는 교복을 입어야 해요.
　　② 줄리는 치과에 가야 해요.
　　③ 그들은 10시 전에 여기에 와야 해요.
　　④ 너는 TV를 너무 많이 보면 안 돼.
　　⑤ 우리는 도서관에서 떠들면 안 돼.

6 ·'~할 수 있다'라는 의미로 능력을 나타내는 조동사는 can이다.
　·'~해야 한다'라는 의미로 의무를 나타내는 조동사는 must이다.

7 can 의문문에 대한 긍정의 대답은 「Yes, 주어(대명사)+can.」으로, 부정의 대답은 「No, 주어(대명사)+can't.」로 나타낸다.
　　A: 너는 이 퍼즐을 풀 수 있니?
　　B: 응, 할 수 있어.

8 1) must의 부정문은 must 뒤에 not을 써서 must not 또는 줄임말 mustn't로 나타낸다.
　2) can의 의문문은 「Can+주어+동사원형~?」의 형태로 쓴다.
　1) 너는 밤늦게까지 공부해야 해. → 너는 밤늦게까지 공부하면 안 돼.
　2) 그녀는 드럼을 연주할 수 있어요. → 그녀는 드럼을 연주할 수 있나요?

9 1) 노래는 못 한다는 의미가 되어야 하므로 can't가 되어야 한다.
　2) 우리의 도움이 필요하니 도와주어야 한다는 의미가 되어야 하므로 must가 되어야 한다.
　1) 나는 노래를 잘 못해요. 나는 노래를 잘 부를 수 없어요.
　2) 로스는 우리의 도움이 필요해요. 우리는 그를 도와줘야 해요.

10 1) '~할 수 있다'라는 의미로 능력을 나타내는 can을 쓴다.
　　2) '~하면 안 된다'라는 의미로 금지의 의미를 나타내는

must not을 쓴다.

Chapter 4 형용사와 부사

Unit 01 형용사

Warm up　　　　　　　　　　　　　p.67

❶

01 I feel (sad).
02 We are (tired).
03 I want (cold) water.
04 You look (beautiful).
05 He has a (cute) cat.
06 My parents are (busy).
07 She has (many) friends.
08 Ed is a (good) student.
09 This is a (difficult) question.
10 Henry doesn't have (much) money.

[해설]

01~10 형용사는 동사 뒤에서 주어의 상태나 성질을 나타내거나, 명사 앞에서 명사를 수식한다.

Step up　　　　　　　　　　　　　p.68

❶

01 a tall tree　　　　　02 the blue sky
03 my cute baby　　　04 that nice shirt
05 her dirty room　　　06 his small hands
07 the beautiful lady　08 your new computer

❷

01 an ugly duck　　　02 the long river
03 a sunny day　　　04 a hungry fox
05 this heavy bag　　06 my best friend
07 the bright moon　08 these lovely dolls

❸

01 many　　　　　　02 much
03 water　　　　　　04 that red hat
05 many　　　　　　06 tomatoes
07 a big house　　　08 much
09 the heavy box　　10 honest man

[해설 및 해석]

❶

01, 02, 07 「관사+형용사+명사」의 어순이다.
03, 05, 06, 08 「소유격+형용사+명사」의 어순이다.
04 「지시사+형용사+명사」의 어순이다.

01 키가 큰 나무   02 파란 하늘
03 내 귀여운 아기   04 저 멋진 셔츠
05 그녀의 더러운 방   06 그의 작은 손
07 그 아름다운 숙녀   08 너의 새 컴퓨터

❷

01, 02, 03, 04, 07 「관사+형용사+명사」의 어순이다.
05, 08 「지시사+형용사+명사」의 어순이다.
06 「소유격+형용사+명사」의 어순이다.

01 못생긴 오리   02 그 긴 강
03 화창한 날   04 배고픈 여우
05 이 무거운 가방   06 내 가장 친한 친구
07 밝은 달   08 이 사랑스러운 인형들

❸

01, 05 뒤에 명사의 복수형이 있으므로 many를 고른다.
02, 08 뒤에 셀 수 없는 명사가 있으므로 much를 고른다.
03 much는 셀 수 없는 명사를 수식하는 수량형용사로
water를 고른다.
04 「지시사+형용사+명사」의 어순으로 쓴다.
06 앞에 many가 있으므로 복수형을 고른다.
07, 09, 10 「관사+형용사+명사」의 어순으로 쓴다.

Jump up   p.70

01 delicious   02 new
03 poor   04 much
05 dirty   06 lazy
07 wrong   08 many
09 tall   10 lucky

Build up writing   p.71

01 this funny story
02 a good doctor
03 that pink dress
04 much coffee
05 her beautiful songs
06 a nice car
07 the cute koala
08 those large boxes
09 these pretty flowers
10 many students

[해설 및 해석]

01, 03, 08, 09 「지시사+형용사+명사」의 어순으로 쓴다.
02, 06, 07 「관사+형용사+명사」의 어순이다.
04 much는 셀 수 없는 명사 앞에 써서 '많은'이라는 의미
를 나타낸다.
05 「소유격+형용사+명사」의 어순이다.

10 many는 명사의 복수형 앞에 써서 '많은'이라는 의미를
나타낸다.

01 나는 이 재미있는 이야기를 좋아해요.
02 제임스는 훌륭한 의사예요.
03 나는 저 분홍색 드레스를 살 거야.
04 그녀는 커피를 많이 마시지 않아요.
05 사람들은 그녀의 아름다운 노래를 좋아해요.
06 김 씨는 멋진 차가 있어요.
07 귀여운 코알라가 보이니?
08 저 큰 상자들은 무엇이니?
09 그가 이 아름다운 꽃들을 길러요.
10 교실에는 많은 학생들이 있어요.

Unit 02 부사

Warm up   p.73

❶

01 They live (happily).
02 He can swim (well).
03 Emily speaks (fast).
04 The bird flies (high).
05 Linda is (very) kind.
06 She is (always) busy.
07 I get up (late) every day.
08 Richard drives (carefully).
09 The train is moving (slowly).
10 My brother (never) eats carrots.

[해설]

01~10 부사는 문장에서 동사, 형용사, 다른 부사를 수식한
다.

Step up   p.74

❶

01	kind	kindly	16	wise	wisely
02	soft	softly	17	warm	warmly
03	happy	happily	18	deep	deeply
04	nice	nicely	19	busy	busily
05	sweet	sweetly	20	late	late
06	slow	slowly	21	brave	bravely
07	lucky	luckily	22	careful	carefully
08	quiet	quietly	23	angry	angrily
09	real	really	24	bad	badly
10	safe	safely	25	heavy	heavily

11	fast	fast	26	quick	quickly
12	loud	loudly	27	early	early
13	sad	sadly	28	strange	strangely
14	great	greatly	29	beautiful	beautifully
15	easy	easily	30	sudden	suddenly

②

01 fast	02 kindly
03 very hot	04 well
05 often clean	06 is usually
07 is sometimes	08 high
09 will never	10 always starts

[해설]

①

대부분의 부사는 형용사에 ly를 붙인다.

03, 07, 15, 19, 23, 25 y로 끝나는 형용사는 y를 i로 바꾸고 ly를 붙인다.

11, 20, 27 형용사와 형태가 같은 부사이다.

②

01, 08 동사를 수식하는 부사가 와야 하며, fast와 high는 형용사와 부사의 형태가 같다.

02, 04 동사를 수식하는 부사가 와야 한다.

03 부사가 형용사를 수식할 때 부사가 앞에서 형용사를 수식한다.

05, 06, 07, 09, 10 빈도부사는 be동사와 조동사 뒤, 일반동사 앞에 위치한다.

Jump up   p.76

01 I usually get up at 7
02 He will never come back
03 They will always miss you
04 She is often late for school
05 It is always hot in summer
06 I am never absent from school
07 He usually goes to school by bus
08 The bird can sometimes say
09 We often play soccer after school
10 The teacher sometimes forgets my name

[해설 및 해석]

01~10 빈도부사는 be동사와 조동사 뒤, 일반동사 앞에 위치한다.

01 나는 7시에 일어나요.
  → 나는 보통 7시에 일어나요.
02 그는 돌아올 거예요.
  → 그는 절대 돌아오지 않을 거예요.

03 그들은 너를 그리워할 거야.
  → 그들은 항상 너를 그리워할 거야.
04 그녀는 학교에 늦어요.
  → 그녀는 종종 학교에 늦어요.
05 여름에는 더워요.
  → 여름에는 항상 더워요.
06 나는 학교에 결석해요.
  → 나는 절대로 학교에 결석하지 않아요.
07 그는 버스를 타고 학교에 가요.
  → 그는 대개 버스를 타고 학교에 가요.
08 그 새는 '안녕'이라고 말할 수 있어요.
  → 그 새는 가끔 '안녕'이라고 말할 수 있어요.
09 우리는 방과 후에 축구를 해요.
  → 우리는 종종 방과 후에 축구를 해요.
10 그 선생님은 내 이름을 잊어버리세요.
  → 그 선생님은 가끔 내 이름을 잊어버리세요.

Build up writing   p.77

01 I am always happy
02 It rains heavily
03 He goes to bed early
04 You always speak fast
05 She swims very well
06 The test is very difficult
07 The book is really boring
08 My father works hard
09 He never eats chicken
10 She often calls her aunt

[해설]

01, 04, 09, 10 빈도부사는 be동사와 조동사 뒤, 일반동사 앞에 위치한다.

02, 03, 08 부사는 주로 동사를 뒤에서 수식한다. 단, really인 경우 앞에서 수식한다.

05 부사는 주로 동사를 뒤에서 수식하고, 부사(very)가 다른 부사를 수식할 경우 수식을 받는 부사 앞에 온다.

06, 07 부사는 형용사를 주로 앞에서 수식한다.

Wrap up   p.78

①

01 happily	02 brave
03 fresh	04 really
05 sad	06 quietly
07 quickly	08 is never
09 sweet	10 often visits

②

01 kindly, kind	02 soft, softly

03 easy, easily   04 quickly, quick

05 safe, safely   06 beautiful, beautifully

07 loud, loudly

[해설 및 해석]

①

01, 04, 06, 07 동사를 수식하는 부사이다.

02, 03, 05, 09 앞에서 명사를 수식하는 형용사이다.

08, 10 빈도부사는 be동사 뒤, 일반동사 앞에 위치한다.

②

01 동사(answers)를 수식해야 하므로 부사 kindly, 주어의 성질을 나타내는 말이 와야 하므로 형용사 kind를 쓴다.

02 명사(bread)를 수식해야 하므로 형용사 soft, 동사(blows)를 수식해야 하므로 부사 softly를 쓴다.

03 명사(question)를 수식해야 하므로 형용사 easy, 동사(solve)를 수식해야 하므로 부사 easily를 쓴다.

04 동사(swims)를 수식해야 하므로 부사 quickly, 명사(answer)를 수식해야 하마로 형용사 quick을 쓴다.

05 명사(car)를 수식해야 하므로 형용사 safe, 동사(drives)를 수식해야 하므로 부사 safely를 쓴다.

06 명사(voice)를 수식해야 하므로 형용사 beautiful, 동사(sings)를 수식해야 하므로 부사 beautifully를 쓴다.

07 명사(music)를 수식해야 하므로 형용사 loud, 동사(barks)를 수식해야 하므로 부사 loudly를 쓴다.

01 그녀는 친절하게 대답해요.

    우리 선생님은 정말 친절해요.

02 나는 부드러운 빵을 좋아해요.

    바람이 부드럽게 불어요.

03 그것은 쉬운 질문이에요.

    나는 그 문제를 쉽게 풀 수 있어요.

04 그 소년은 빠르게 수영해요.

    그녀는 빠른 대답을 원해요.

05 이것은 안전한 차입니다.

    우리 아버지는 항상 안전하게 운전하세요.

06 티나는 목소리가 아름다워요.

    그 소녀는 아름답게 노래해요.

07 마이크는 시끄러운 음악을 들어요.

    그 개는 시끄럽게 짖어요.

Exercise   **p.80**

1 ④   **2** ⑤   **3** ①   **4** ②   **5** ①   **6** ①   **7** ⑤

8 1) heavily   2) your green shirt   3) many

9 1) quiet, quietly   2) late, late

10 1) I often listen to the radio

    2) He drives that old truck

[해설 및 해석]

1 ④ love는 명사(사랑), 동사(사랑하다)이다.

2 ⑤ angry는 형용사(화난)로 angry의 부사 형태는 angrily이다.

3 ① y로 끝나는 형용사는 y를 i로 바꾸고 ly를 붙이므로 happily가 되어야 한다.

4 · 셀 수 없는 명사의 양을 물을 때 how much를 쓴다.

    · 셀 수 없는 명사를 수식하는 수량 형용사는 much이다.

    · 너는 돈을 얼마나 가지고 있니?

    · 우리는 시간이 많지 않아요.

5 ① 「관사+형용사+명사」의 어순으로 a smart girl로 써야 한다.

    ① 샐리는 똑똑한 소녀예요.

    ② 나는 이 노란색 가방이 마음에 들어요.

    ③ 이 아이가 내 귀여운 여동생이야.

    ④ 이 더러운 양말들은 고약한 냄새가 나요.

    ⑤ 우리 어머니는 많은 책을 읽으세요.

6 ① fast는 형용사와 부사가 같은 형태로 fast가 되어야 한다.

    ① 그는 매우 빨리 달려요.

    ② 테드는 피아노를 잘 쳐요.

    ③ 그녀는 돈을 현명하게 써요.

    ④ 그 아이들은 천천히 걸어요.

    ⑤ 그 여인은 아름답게 노래해요.

7 ⑤ 빈도부사는 be동사 뒤에 위치하므로 are usually가 되어야 한다.

    ① 나는 항상 졸려요.

    ② 나는 다시는 거짓말을 하지 않을 거예요.

    ③ 그는 때때로 그의 친구들을 만나요.

    ④ 그녀는 오후에 종종 피곤해요.

    ⑤ 그들은 보통 주말에 바빠요.

8 1) 동사(is snowing)를 수식해야 하므로 heavily로 고친다.

    2) 형용사와 명사의 어순은 「소유격+형용사+명사」이므로 your green shirt로 고친다.

    3) 뒤에 명사의 복수형(cars)이 있으므로 many로 고친다.

    1) 눈이 세차게 내리고 있어요.

    2) 나는 네 녹색 셔츠가 마음에 들어.

    3) 거리에 차가 많지 않아요.

9 1) 명사(girl)를 수식해야 하므로 형용사 quiet, 동사(speaks)를 수식해야 하므로 부사 quietly를 고른다.

    2) 동사(gets up)를 수식해야 하므로 부사 late, 주어(he)의 상태를 나타내야 하므로 형용사 late를 고른다. late는 형용사와 부사의 형태가 같다.

    1) 미셸은 조용한 소녀예요. 그녀는 조용하게 말해요.

    2) 데이브는 항상 늦게 일어나요. 그는 항상 학교에 늦어요.

10 1) 빈도부사는 일반동사 앞에 위치하므로 often listen to~로 쓴다.

    2) 형용사와 명사의 어순은 「지시사+형용사+명사」이므로 that old truck으로 쓴다.

Chapter 5 be동사의 과거형

Unit 01 be동사의 과거형

Warm up   p.85

❶

01 △, ○   02 ○, △   03 △, ○
04 △, ○   05 ○, △   06 △, ○

[해설]

01~06 am, are, is는 be동사의 현재형이고, was, were는
be동사의 과거형이다.

Step up   p.86

❶

01 was   02 were
03 was   04 was
05 were   06 were
07 was   08 was
09 were   10 were

❷

01 was   02 was
03 was   04 was
05 were   06 were
07 was   08 were
09 were   10 was

[해설]

❶

01 주어가 I(1인칭 단수)로 was를 고른다.
02 주어가 You(2인칭 단수)로 were를 고른다.
03 주어가 It(3인칭 단수)으로 was를 고른다.
04 주어가 Tom(단수 명사)으로 was를 고른다.
05 주어가 They(3인칭 복수)로 were를 고른다.
06 주어가 We(1인칭 복수)로 were를 고른다.
07 주어가 This(단수 대명사)로 was를 고른다.
08 주어가 Cindy(단수 명사)로 was를 고른다.
09 주어가 The boys(복수 명사)로 were를 고른다.
10 주어가 These puppies(지시형용사+복수 명사)로
were를 고른다.

❷

01 주어가 She(3인칭 단수)로 was를 쓴다.
02 주어가 The dog(단수 명사)로 was를 쓴다.
03 주어가 Ross(단수 명사)로 was를 쓴다.
04 주어가 It(3인칭 단수)으로 was를 쓴다.
05 주어가 The girls(복수 명사)로 were를 쓴다.
06 주어가 You(2인칭 단수)로 were를 쓴다.

07 주어가 The food(단수 명사)으로 was를 쓴다.
08 주어가 My parents(복수 명사)로 were를 쓴다.
09 주어가 These books(지시형용사+복수 명사)로
were를 쓴다.
10 주어가 I(1인칭 단수)로 was를 쓴다.

Jump up   p.88

01 We were in Canada
02 I was in sixth grade
03 Brian was my student
04 The grapes were fresh
05 It was snowy and cold
06 These were on the table
07 She was a famous actress
08 They were popular singers
09 The pencils were on my desk
10 My uncle was an English teacher

[해설 및 해석]

01, 04, 06, 08, 09 are의 과거형은 were이다.
02, 03, 05, 07, 10 am과 is의 과거형은 was이다.

01 우리는 캐나다에 있어요.
    → 우리는 캐나다에 있었어요.
02 나는 6학년이에요.
    → 나는 6학년이었어요.
03 브라이언은 내 학생이에요.
    → 브라이언은 내 학생이었어요.
04 그 포도는 신선해요.
    → 그 포도는 신선했어요.
05 눈이 오고 추워요.
    → 눈이 오고 추웠어요.
06 이것들은 탁자 위에 있어요.
    → 이것들은 탁자 위에 있었어요.
07 그녀는 유명한 여배우예요.
    → 그녀는 유명한 여배우였어요.
08 그들은 인기 있는 가수예요.
    → 그들은 인기 있는 가수였어요.
09 그 연필들은 내 책상 위에 있어요.
    → 그 연필들은 내 책상 위에 있었어요.
10 우리 삼촌은 영어 선생님이에요.
    → 우리 삼촌은 영어 선생님이었어요.

Build up writing   p.89

01 I was   02 They were
03 My room was   04 We were
05 It was   06 The weather was
07 The exam was   08 The computer was

09 These were   10 The books were
11 Ben and Ann were 12 The letters were

[해설 및 해석]
01 주어가 I(1인칭 단수)로 I was를 쓴다.
02 주어가 They(3인칭 복수)로 They were를 쓴다.
03 주어가 My room(단수 명사)으로 My room was를 쓴다.
04 주어가 We(1인칭 복수)로 We were를 쓴다.
05 주어가 It(3인칭 단수)으로 It was를 쓴다.
06 주어가 The weather(단수 명사)로 The weather was를 쓴다.
07 주어가 The exam(단수 명사)으로 The exam was를 쓴다.
08 주어가 The computer(단수 명사)로 The computer was를 쓴다.
09 주어가 These(복수 대명사)로 These were를 쓴다.
10 주어가 The books(복수 명사)로 The books were를 쓴다.
11 주어가 Ben and Ann(복수 명사)으로 Ben and Ann were를 쓴다.
12 주어가 The letters(복수 명사)로 The letters were를 쓴다.

01 나는 열두 살이었어요.
02 그들은 부끄럼을 많이 타는 소년들이었어요.
03 내 방은 지저분했어요.
04 우리는 뉴욕에 있었어요.
05 그것은 지루한 영화였어요.
06 날씨가 좋았어요.
07 그 시험은 어려웠어요.
08 그 컴퓨터는 고장이 나 있었어요.
09 이 아이들이 내 가장 친한 친구들이었어요.
10 그 책들은 네 가방에 있었어.
11 벤과 앤은 버스에 있었어요.
12 그 편지들은 우편함에 있었어요.

Unit 02 be동사 과거형의 부정문과 의문문

Warm up   p.91

❶
01 was, not   02 was, not
03 was, not   04 were, not
05 were, not

❷
01 Were   02 Was   03 Was
04 Were   05 Were

[해설 및 해석]
❶
01~05 be동사 과거형 부정문 be동사(was, were) 뒤에 not을 붙인다.
01 나는 집에 있었어요.
 → 나는 집에 있지 않았어요.
02 그 소년은 약했어요.
 → 그 소년은 약하지 않았어요.
03 그녀는 내 선생님이었어요.
 → 그녀는 내 선생님이 아니었어요.
04 우리는 파티에 있었어요.
 → 우리는 파티에 있지 않았어요.
05 그 신발은 새것이었어요.
 → 그 신발은 새것이 아니었어요.

❷
01~05 be동사 과거형 의문문은 be동사(was, were)를 주어 앞으로 보내고, 문장의 맨 뒤에 물음표를 쓴다.
01 너는 아팠어.
 → 너는 아팠니?
02 그는 자기 방에 있었어요.
 → 그는 자기 방에 있었나요?
03 날씨가 좋았어요.
 → 날씨가 좋았나요?
04 그 상자들은 무거웠어요.
 → 그 상자들은 무거웠나요?
05 그들은 인기 있는 가수였어요.
 → 그들은 인기 있는 가수였나요?

Step up   p.92

❶
01 wasn't   02 wasn't
03 weren't   04 wasn't
05 wasn't   06 wasn't
07 weren't   08 weren't
09 weren't   10 weren't

❷
01 Was   02 Was
03 Were   04 Were
05 was   06 wasn't
07 it, was   08 weren't
09 I, wasn't   10 they, weren't

[해설]
❶
01 주어가 I(1인칭 단수)로 wasn't를 쓴다.
02, 04, 05, 06 주어가 3인칭 단수, 단수 명사로 wasn't를 쓴다.

03, 07, 08, 09, 10 주어가 1, 3인칭 복수, 복수 명사로 weren't를 쓴다.

❷

01, 02 주어가 3인칭 단수로 Was를 쓴다.
03, 04 주어가 복수 명사로 Were를 쓴다.
05 앞에 Yes가 있으므로 긍정의 대답이고 was로 물었으므로 was를 쓴다.
06 앞에 No가 있으므로 부정의 대답이고 was로 물었으므로 wasn't를 쓴다.
07 앞에 Yes가 있으므로 긍정의 대답이며, the food를 대신하는 대명사 it과 was를 쓴다.
08 앞에 No가 있으므로 부정의 대답이며, 주어가 3인칭 복수로 weren't를 쓴다.
09 앞에 No가 있으므로 부정의 대답이며, 의문문의 주어가 you(단수)이므로 I, wasn't를 쓴다.
10 앞에 No가 있으므로 부정의 대답이며, these balls를 대신하는 대명사 they와 weren't를 쓴다.

Jump up   p.94

01 The test was not[wasn't] easy
02 I was not[wasn't] with my friends
03 Kevin was not[wasn't] free yesterday
04 Luise and I were not[weren't] on the beach
05 They were not[weren't] quiet in the library
06 Was he your hero
07 Were the kids rude
08 Was she a movie star
09 Were you absent from school
10 Were the boys in the classroom

[해설 및 해석]

01~05 be동사 과거형 부정문은 be동사(was, were) 뒤에 not을 붙인다. was not은 wasn't로, were not은 weren't로 줄여 쓸 수 있다.
06~10 be동사 과거형 의문문은 be동사(was, were)를 주어 앞으로 보내고, 문장의 맨 뒤에 물음표를 쓴다.

01 그 시험은 쉬웠어요.
→ 그 시험은 쉽지 않았어요.
02 나는 내 친구들과 함께 있었어요.
→ 나는 내 친구들과 함께 있지 않았어요.
03 케빈은 어제 한가했어요.
→ 케빈은 어제 한가하지 않았어요.
04 루이스와 나는 해변에 있었어요.
→ 루이스와 나는 해변에 있지 않았어요.
05 그들은 도서관에서 조용했어요.
→ 그들은 도서관에서 조용하지 않았어요.
06 그가 너의 영웅이었어.

→ 그가 너의 영웅이었니?
07 그 아이들은 무례했어요.
→ 그 아이들이 무례했나요?
08 그녀는 영화배우였어요.
→ 그녀는 영화배우였나요?
09 너는 학교에 결석했어.
→ 너는 학교에 결석했니?
10 그 소년들은 교실에 있었어요.
→ 그 소년들은 교실에 있었나요?

Build up writing   p.95

01 I was not[wasn't]
02 Were you
03 They were not[weren't]
04 Was Einstein
05 Were the cats
06 The cake was not[wasn't]
07 My coffee was not[wasn't]
08 Were the children
09 Was her mother
10 Jason and I were not[weren't]

[해설]

01 주어가 1인칭 단수(I)로 I was not[wasn't]을 쓴다.
02 주어가 2인칭 복수(you)로 Were you를 쓴다.
03 주어가 3인칭 복수(They)로 They were not[weren't]을 쓴다.
04 주어가 단수 명사(Einstein)로 Was Einstein을 쓴다.
05 주어가 복수 명사(the cats)로 Were the cats를 쓴다.
06 주어가 단수 명사(The cake)로 The cake was not[wasn't]을 쓴다.
07 주어가 단수 명사(My coffee)로 The coffee was not[wasn't]을 쓴다.
08 주어가 복수 명사(the children)로 Were the children을 쓴다.
09 주어가 단수 명사(her mother)로 Was her mother를 쓴다.
10 주어가 1인칭 복수(Jason and I)로 Jason and I were not[weren't]을 쓴다.

Wrap up   p.96

❶

01 Were	02 was not
03 wasn't	04 weren't
05 Was	06 Was
07 were	08 were not
09 was	10 were

②

01 I was

02 She was poor

03 Were you

04 Was it rainy

05 Was Mr. Wood

06 Those were not[weren't]

07 My sisters were

08 He was not[wasn't] tired

09 They were not[weren't]

10 Were your parents happy

[해설]

①

01 주어가 「지시형용사+복수 명사」로 Were가 되어야 한다.

02 과거형 be동사 부정문은 was 또는 were 뒤에 not을 붙이므로 was not이 되어야 한다.

03 주어가 단수 명사로 wasn't가 되어야 한다.

04 주어가 복수 명사로 weren't가 되어야 한다.

05 last night는 과거 시간 표현으로 Was가 되어야 한다.

06 주어가 3인칭 단수로 Was가 되어야 한다.

07 yesterday는 과거 시간 표현으로 were가 되어야 한다.

08 과거형 be동사 부정문은 was 또는 were 뒤에 not을 붙이므로 were not이 되어야 한다.

09 주어가 단수 명사로 was가 되어야 한다.

10 주어가 복수 명사로 were가 되어야 한다.

②

01 주어가 1인칭 단수(I)로 I was를 쓴다.

02 주어가 3인칭 단수(she)로 She was poor를 쓴다.

03 주어가 2인칭 단수(you)이고, 의문문이 되어야 하므로 Were you를 쓴다.

04 주어가 3인칭 단수(it)이고, 의문문이 되어야 하므로 Was it rainy를 쓴다.

05 주어가 단수 명사(Mr. Wood)이고, 의문문이 되어야 하므로 Was Mr. Wood를 쓴다.

06 주어가 복수 대명사(Those)이고, 부정문이 되어야 하므로 Those were not[weren't]을 쓴다.

07 주어가 복수 명사(My sisters)로 My sisters were를 쓴다.

08 주어가 3인칭 단수(he)이고, 부정문이 되어야 하므로 He was not[wasn't] tired를 쓴다.

09 주어가 3인칭 복수(They)이고, 부정문이 되어야 하므로 They were not[weren't]을 쓴다.

10 주어가 복수 명사(your parents)이고, 의문문이 되어야 하므로 Were your parents happy를 쓴다.

Exercise   p.98

1 ④, ⑤ 2 ②   3 ④   4 ①   5 ③   6 ①   7 ②

8 1) were   2) was   3) Was   4) were

9 Was, wasn't, was

10 1) Paul was not[wasn't] sick last weekend

   2) Were they tennis players

[해설 및 해석]

1 be동사의 과거형은 was, were이다.

2 was는 be동사의 과거형이므로 빈칸에는 과거 시간을 나타내는 표현이 적절하다. tomorrow는 미래 시간 표현으로 알맞지 않다.

3 주어가 1인칭 단수(I)와 단수 명사(The boy)로 was를 고른다.

   · 나는 집에 있었어요.

   · 그 소년은 운동장에 있었어요.

4 be동사 과거형 의문문에 대한 긍정의 대답은 「Yes, 주어(대명사)+was/were.」로, 부정의 대답은 「No, 주어(대명사)+wasn't/weren't.」로 나타낸다.

   A: 소녀는 부모님과 함께 있었나요?

   B: 네, 그래요.

5 ①, ②, ④, ⑤는 주어가 1인칭 복수(We), 복수 지시형용사+명사(These books), 복수 명사(Ben and I), 3인칭 복수(They)로 빈칸에 were가 와야 한다. ③는 주어가 The shirt(단수 명사)로 빈칸에 was가 와야 한다.

   ① 우리는 정원에 있었어요.

   ② 이 책들은 재미있었어요.

   ③ 그 셔츠는 어제 5달러였어요.

   ④ 벤과 나는 2시에 학교에 있었어요.

   ⑤ 그들은 작년에 나와 같은 반 친구들이었어요.

6 ① My friends는 복수 명사로 were가 되어야 한다.

   ① 내 친구들은 그 파티에 있었어요.

   ② 그녀의 부모님은 화가 셨어요.

   ③ 우리는 저녁을 먹자 배가 불렀어요.

   ④ 그 남자는 힘이 셌어요.

   ⑤ 그는 자기 방에 있어요.

7 ② 주어가 the boys로 Were가 되어야 한다.

   ① 나는 외롭지 않았어요.

   ② 그 소년들은 배가 고팠나요?

   ③ 그들은 휴가 중이었나요?

   ④ 그녀는 사진작가가 아니었어요.

   ⑤ 그들은 극장에 없었어요.

8 1) 주어가 복수 명사(My sisters)로 were를 쓴다.

   2) 주어가 1인칭 단수(I)로 was를 쓴다.

   3) 주어가 3인칭 단수(he)로 Was를 쓴다.

   4) 주어가 1인칭 복수(We)로 were를 쓴다.

   1) 그때 우리 언니들은 바빴어요.

   2) 나는 어제 박물관에 있었어요.

3) 그는 작년에 열 살이었니?

4) 우리는 어젯밤에 피곤하지 않았어요.

9 주어가 it으로 Was, 앞에 No가 있으므로 부정의 대답에 해당하므로 wasn't, 주어가 It으로 was를 쓴다.

A: 어제 눈이 내렸나요?

B: 아니요, 그렇지 않았어요. 비가 내렸어요.

10 1) be동사 과거형의 부정문이 되어야 하므로 was 뒤에 not을 쓴다.

2) be동사 과거형의 의문문이 되어야 하므로 were를 주어 앞으로 보내고 문장 뒤에 물음표를 붙인다.

1) 폴은 지난 주말에 아프지 않았어요.

2) 그들은 테니스 선수였나요?

Review Test (Chapter 1-5)   p.100

Chapter 1

①

01 I am writing

02 Is the food burning

03 She is lying

04 He is not running

05 You are not eating

06 They boys are playing

07 Are they dancing

②

01 I am cooking dinner

02 They are waiting for you

03 He is swimming in the lake

04 Anna is sitting on the floor

05 The girls are making paper dolls

[해설 및 해석]

①

01 현재진행형은 「be동사의 현재형+동사원형+-ing」의 형태이다. write는 e로 끝나는 동사로 e를 빼고 -ing를 붙인다.

02 현재진행형의 의문문은 「Be동사의 현재형+주어+동사원형+-ing~?」의 형태이고, 대부분의 동사는 동사의 끝에 -ing를 붙인다.

03 현재진행형은 「be동사의 현재형+동사원형+-ing」의 형태이다. lie는 ie로 끝나는 동사로 ie를 y로 바꾸고 -ing를 붙인다.

04 현재진행형의 부정문은 「주어+be동사의 현재형+not+동사원형+-ing」의 형태이다. run은 「단모음+단자음」으로 끝나는 동사로 마지막 자음 n을 한 번 더 쓰고 -ing를 붙인다.

05 현재진행형의 부정문은 「주어+be동사의 현재형+not+

동사원형+-ing」의 형태이고, 대부분의 동사는 동사의 끝에 -ing를 붙인다.

06 현재진행형은 「be동사의 현재형+동사원형+-ing」의 형태이고, 대부분의 동사는 동사의 끝에 -ing를 붙인다.

07 현재진행형의 의문문은 「Be동사의 현재형+주어+동사원형+-ing~?」의 형태이고, dance는 e로 끝나는 동사로 e를 빼고 -ing를 붙인다.

②

01, 02 현재진행형은 「be동사의 현재형+동사원형+-ing」의 형태이고, 대부분의 동사는 동사의 끝에 -ing를 붙인다.

03, 04 현재진행형은 「be동사의 현재형+동사원형+-ing」의 형태이고, 「단모음+단자음」으로 끝나는 동사로 마지막 자음을 한 번 더 쓰고 -ing를 붙인다.

05 현재진행형은 「be동사의 현재형+동사원형+-ing」의 형태이고, e로 끝나는 동사로 e를 빼고 -ing를 붙인다.

01 나는 저녁을 요리해요.

→ 나는 저녁을 요리하고 있어요.

02 그들이 당신을 기다려요.

→ 그들이 당신을 기다리고 있어요.

03 그는 호수에서 수영해요.

→ 그는 호수에서 수영하고 있어요.

04 애나는 바닥에 앉아요.

→ 애나는 바닥에 앉아 있어요.

05 그 소녀들은 종이 인형을 만들어요.

→ 그 소녀들은 종이 인형을 만들고 있어요.

Chapter 2

①

01 will call   02 will like

03 will come   04 are going to take

05 am going to travel   06 is going to study

②

01 I will not[won't] watch TV

02 Jeff will not[won't] win the contest

03 He is not[isn't] going to move soon

04 Will you help me with my report

05 Are they going to visit us tomorrow

06 Is it going to be sunny this afternoon

[해설 및 해석]

①

01, 02, 03 will 미래형은 「주어+will+동사원형」의 형태이다. will은 주어의 인칭과 수에 상관없이 항상 will을 쓴다.

04, 05, 06 be going to 미래형은 「주어+be동사의 현재형+going to+동사원형」의 형태이다.

01 내가 나중에 너에게 전화할게.

02 너는 그의 음악을 좋아하게 될 거야.

03 그녀는 파티에 올 거예요.

04 우리는 기차를 탈 거예요.
05 나는 유럽을 여행할 거예요.
06 맥스는 대학에서 역사를 공부할 거예요.

②

01, 02 will 미래형의 부정문은 will 다음에 not을 쓰며, will not은 won't로 줄여 쓸 수 있다.
03 be going to 미래형의 부정문은 be동사 뒤에 not을 쓴다.
04 will 미래형의 의문문은 will을 주어 앞으로 보내고 문장 끝에 물음표를 붙인다.
05, 06 be going to 미래형의 의문문은 「Be동사의 현재형+주어+going to+동사원형~?」의 형태이다.

01 나는 TV를 볼 거예요.
  → 나는 TV를 보지 않을 거예요.
02 제프는 그 대회에서 우승할 거예요.
  → 제프는 그 대회에서 우승하지 않을 거예요.
03 그는 곧 이사할 거예요.
  → 그는 곧 이사하지 않을 거예요.
04 너는 내 보고서를 도와줄 거야.
  → 너는 내 보고서를 도와줄 거니?
05 그들이 내일 우리를 방문할 거예요.
  → 그들이 내일 우리를 방문할 건가요?
06 오늘 오후에 화창할 거예요.
  → 오늘 오후에 화창할까요?

Chapter 3

①

01 I can play
02 We must leave
03 You must not[mustn't] tell
04 They cannot[can't] speak
05 Can you answer
06 I must finish

②

01 can't	02 can
03 can	04 can't
05 must	06 must not
07 must not	08 must

[해설 및 해석]

①

01 '~할 수 있다'라는 의미로 능력을 나타내는 조동사는 can이고, 조동사는 동사 앞에 쓴다.
02 '~해야 한다'라는 의미로 의무를 나타내는 조동사는 must이고, 조동사는 동사 앞에 쓴다.
03 '~하면 안 된다'라는 의미로 금지를 나타내는 must not 또는 줄임말 mustn't를 쓴다.
04 '~할 수 없다'라는 의미로 능력을 나타내는 조동사 can

의 부정으로 can 뒤에 not을 써서 cannot 또는 줄임말 can't를 쓴다.
05 조동사의 의문문은 조동사를 주어 앞으로 보내고 문장 끝에 물음표를 붙인다.
06 '~해야 한다'라는 의미로 의무를 나타내는 조동사는 must이고, 조동사는 동사 앞에 쓴다.

②

01 어두워서 볼 수 없다는 의미가 되어야 하므로 can't를 쓴다.
02 수영을 아주 잘한다는 의미가 되어야 하므로 can을 쓴다.
03 똑똑해서 그 퍼즐을 쉽게 푼다는 의미가 되어야 하므로 can을 쓴다.
04 돈이 없어서 그 표를 살 수 없다는 의미가 되어야 하므로 can't를 쓴다.
05 피곤해 보이니 쉬어야 한다는 의미가 되어야 하므로 must를 쓴다.
06 강이 깊으니 수영하면 안 된다는 의미가 되어야 하므로 must not을 쓴다.
07 10시에 시작하니 늦으면 안 된다는 의미가 되어야 하므로 must not을 쓴다.
08 큰 시험이 있어서 공부해야 한다는 의미가 되어야 하므로 must를 쓴다.

01 여기 너무 어두워. 나 아무것도 볼 수 없어.
02 레이첼은 수영을 잘하는 사람이에요. 그녀는 수영을 아주 잘해요.
03 그 소년은 정말 똑똑해요. 그는 그 퍼즐을 쉽게 풀 수 있어요.
04 우리는 충분한 돈이 없어. 우리는 그 표를 살 수 없어.
05 너 정말 피곤해 보여. 너는 쉬어야 해.
06 강이 너무 깊어. 우리는 여기서 수영하면 안 돼.
07 회의는 10시에 시작해. 너는 늦으면 안 돼.
08 나 내일 큰 시험이 있어. 나는 오늘 공부해야 해.

Chapter 4

①

01 easy	02 fast
03 beautiful	04 wisely
05 many	06 carefully

②

01 never get up late
02 like my new car
03 always wears a red hat
04 is often late for school
05 will buy a delicious cake
06 teaches these cute children

[해설 및 해석]

01 명사(test)를 수식하는 형용사 easy를 고른다.

02 동사(walks)를 수식하는 부사가 와야 한다. fast는 형용사와 형태가 같은 부사로 fast를 고른다.
03 주어의 상태를 설명하는 형용사 beautiful을 고른다.
04 동사(spend)를 수식하는 부사 wisely를 고른다.
05 복수 명사(friends)를 수식하는 수량형용사 many를 고른다.
06 동사(listen)를 수식하는 부사 carefully를 고른다.

01 이것은 쉬운 시험이에요.
02 케빈은 빨리 걸어요.
03 오늘 밤 너 예쁘다.
04 그들은 현명하게 돈을 써요.
05 그녀는 친구가 많지 않아요.
06 그 학생들은 선생님 말씀을 주의 깊게 들어요.

②
01 빈도부사는 일반동사 앞에 위치한다.
02 형용사와 명사는 「소유격+형용사+명사」의 어순이다.
03 빈도부사는 일반동사 앞에 위치하며 형용사와 명사는 「관사+형용사+명사」의 어순이다.
04 빈도부사는 be동사의 뒤에 위치한다.
05 형용사와 명사는 「관사+형용사+명사」의 어순이다.
06 형용사와 명사는 「지시사+형용사+명사」의 어순이다.

Chapter 5
①
01 I was
02 You were not[weren't]
03 She was not[wasn't]
04 Was it
05 We were
06 Was he
07 Were the students
②
01 I was 11 years old
02 They were great painters
03 Was this sofa comfortable
04 Were her parents nice to you
05 Robert was not good at science
06 My sisters were not in the kitchen

[해설 및 해석]

①
01 주어가 1인칭 단수(I)로 I was를 쓴다.
02 주어가 2인칭 단수(You)이고, be동사 과거형의 부정문은 be동사 뒤에 not을 붙이므로 You were not[weren't]을 쓴다.
03 주어가 3인칭 단수(She)이고, be동사 과거형의 부정문은 be동사 뒤에 not을 붙이므로 She was not[wasn't]을 쓴다.

04 주어가 3인칭 단수(it)이고, be동사 과거형 의문문은 be동사를 주어 앞에 쓰고 문장 끝에 물음표를 붙이므로 Was it을 쓴다.
05 주어가 1인칭 복수(We)로 We were를 쓴다.
06 주어가 3인칭 단수(he)이고, be동사 과거형 의문문은 be동사를 주어 앞에 쓰고 문장 끝에 물음표를 붙이므로 Was he를 쓴다.
07 주어가 복수 명사(the students)이고, be동사 과거형 의문문은 be동사를 주어 앞에 쓰고 문장 끝에 물음표를 붙이므로 Were the students를 쓴다.

01 나는 어젯밤에 아팠어요.
02 너는 집에 없었어.
03 그녀는 훌륭한 요리사가 아니었어요.
04 너의 10번째 생일이었니?
05 우리는 수영장에 있었어요.
06 그는 그 소식을 듣고 놀랐나요?
07 그 학생들이 교실에 있었나요?

②
01, 03, 05 am, is의 과거형은 was이다.
02, 04, 06 are의 과거형은 were이다.

01 나는 열한 살이에요.
  → 나는 열한 살이었어요.
02 그들은 위대한 화가들이에요.
  → 그들은 위대한 화가들이었어요.
03 이 소파가 편한가요?
  → 이 소파가 편했나요?
04 그녀의 부모님은 너에게 잘해 주시니?
  → 그녀의 부모님은 너에게 잘해 주셨니?
05 로버트는 과학을 잘하지 않아요.
  → 로버트는 과학을 잘하지 않았어요.
06 우리 언니들은 부엌에 없어요.
  → 우리 언니들은 부엌에 없었어요.

Chapter 1-5
①
01 am wearing
02 will never know
03 a popular singer
04 can move
05 are not going to
②
01 often drink warm water
02 must not cross the street
03 won't break the promise
04 is washing his dirty hands
05 going to buy this expensive computer

[해설]

01 현재진행형은 「be동사의 현재형+동사원형+-ing」의 형태이다.

02 빈도부사는 조동사 뒤에 위치하고 조동사 뒤에는 동사원형이 온다.

03 명사와 형용사는 「관사+형용사+명사」의 어순이다.

04 '~할 수 있다'라는 의미로 능력을 나타내는 조동사는 can이고, can 뒤에는 동사원형이 온다.

05 be going to 미래형의 부정문은 「be동사의 현재형+not+going to+동사원형」의 형태이다.

②

01 빈도부사는 일반동사 앞에 위치한다.

02 '~하면 안 되다'라는 의미로 금지를 나타내야 하므로 must의 부정문이 되어야 한다. 따라서 must 뒤에 not을 쓴다.

03 '~하지 않을 것이다'라는 의미로 will 부정문이다. will not의 줄임말 won't 다음에 동사원형을 쓴다.

04 현재진행형은 「be동사의 현재형+동사원형+-ing」의 형태이고, 명사와 형용사는 「소유격+형용사+명사」의 어순이다.

05 be going to 미래형 의문문은 「Be동사의 현재형+주어+going to+동사원형 ~?」의 형태이고, 명사와 형용사는 「지시사+형용사+명사」의 어순이다.

Achievement Test
p.106

Chapter 1-5

1 ③	2 ⑤	3 ④	4 ③	5 ⑤	6 ④
7 ④	8 ⑤	9 ②	10 ③	11 ④	12 ⑤
13 ⑤	14 ⑤	15 ③	16 ④	17 ①	18 ③
19 ②	20 ④	21 ③	22 ④		

23 1) is not going to invite 2) often forget 3) are dying

24 1) ⓐ to clean ⓑ be 2) ⓐ answer ⓑ can't
　 3) ⓐ many ⓑ were

25 My friends will[are going to] play soccer after school

26 He will not[won't] eat fast food

27 Can they arrive on time

28 Jane is learning Chinese

29 I can't find my white cat

30 He usually goes to school

[해석 및 해설]

1 ③ ie로 끝나는 동사는 ie를 y로 고치고 -ing를 붙이므로 lying이 되어야 한다.

2 ⑤ 「단모음+단자음」으로 끝나는 동사는 마지막 자음을 한 번 더 쓰고 -ing를 붙이므로 running이 되어야 한다.

3 now(지금)는 현재를 나타내는 시간 표현으로 현재진행형인 is reading이 적절하다.
　레이첼은 지금 신문을 읽고 있어요.

4 tomorrow(내일)는 미래를 나타내는 시간 표현으로 미래

시제가 will visit가 적절하다.
　내가 너를 내일 방문할게.

5 last summer(지난여름)는 과거를 나타내는 시간 표현으로 과거형이 와야 하며, They가 3인칭 복수로 were가 적절하다.
　그들은 지난여름에 캐나다에 있었어요.

6 퍼즐이 너무 어려워서 풀 수 없다는 의미가 되어야 하므로 '~할 수 있다'라는 의미의 조동사 can의 부정 cannot이 적절하다.
　퍼즐은 너무 어려워. 우리는 그것을 풀 수 없어.

7 소유격, 형용사, 명사는 「소유격+형용사+명사」의 어순이다.
　나는 네 파란색 스웨터가 마음에 들어.

8 ⑤ 주어(Greg)가 단수 명사로 are going to play는 is going to play가 되어야 한다.

9 주어의 상태나 성질을 나타내는 형용사가 와야 하므로 ② 부사 quietly는 적절하지 않다.

10 will 의문문에 대한 부정의 대답으로 won't, 공부를 해야 한다는 의미가 되어야 하므로 must를 고른다.
　A: 나랑 쇼핑하러 갈래?
　B: 아니, 가지 않을 거야. 나 내일 큰 시험이 있어. 공부해야 해.

11 너무 시끄러워서 말을 들을 수가 없다는 의미가 되어야 하므로 can't, 다시 얘기하겠다는 의미가 되어야 하므로 will을 고른다.
　A: 너무 시끄러워. 너의 말을 잘 들을 수 없어.
　B: 알았어. 다시 얘기할게.

12 ①, ②, ③, ④ 주어가 3인칭 단수 또는 단수 동사로 빈칸에는 was[Was]가, ⑤ 주어가 2인칭 단수 you로 빈칸에는 Were가 와야 한다.
　① 나는 내 방에 있었어요.
　② 그녀는 아름다웠니?
　③ 어제 비가 내렸나요?
　④ 브라이언은 훌륭한 학생이었어요.
　⑤ 너 어젯밤 아팠니?

13 ① be going to 미래형 의문문은 「Be동사의 현재형+going to+동사원형」의 형태이므로 Are you going to go ~?가 되어야 한다. ② 주어가 복수 명사로 was는 were가 되어야 한다. ③ 빈도부사는 be동사의 뒤에 위치하므로 always is는 is always가 되어야 한다. ④ must의 부정문은 must 뒤에 not을 쓰므로 not must는 must not이 되어야 한다.
　① 너는 파리에 갈 예정이니?
　② 그 소년들은 체육관에 있었어요.
　③ 그녀는 항상 회사에 지각해요.
　④ 너는 시간을 낭비하면 안 돼.
　⑤ 제인이 내 선물을 좋아할까요?

14 ① fast는 형용사와 부사의 형태가 같으므로 fastly는

fast가 되어야 한다. ② 현재진행형은 「be동사의 현재형+동사원형+-ing」의 형태이므로 do는 doing이 되어야 한다. ③ can은 주어의 인칭과 수에 상관없이 항상 can으로 쓴다. ④ will 미래형의 의문문은 Will을 주어 앞에 쓰므로 Do you will은 Will you가 되어야 한다.
① 우리 아버지는 매우 빨리 드세요.
② 나는 지금 숙제를 하고 있어요.
③ 팀은 피아노를 잘 칠 수 있어요.
④ 너는 새 집을 살 거니?
⑤ 그녀는 그 이야기를 믿지 않을 거예요.

15 ② 조동사 뒤에는 동사원형이 오므로 cannot read가 되어야 한다.
① 나는 바다에서 수영할 수 있어요.
② 너는 여기서 뛰면 안 돼.
③ 그녀는 영어를 읽을 수 없어요.
④ 너는 제시간에 그 보고서를 끝낼 수 있니?
⑤ 학생들은 교칙을 지켜야 해요.

16 ④ 현재진행형 의문문으로 주어가 2인칭 단수(you)로 Are you listening이 되어야 한다.
① 나는 벤치에 앉아 있어요.
② 그는 그림을 그리고 있지 않아요.
③ 그들은 눈사람을 만들고 있어요.
④ 너는 라디오를 듣고 있니?
⑤ 아이들은 공원에서 연을 날리고 있어요.

17 ① 빈도부사는 일반동사 앞에 위치하므로 sometimes feel이 되어야 한다.
① 나는 가끔 외로워요.
② 그녀는 항상 행복하게 미소 지어요.
③ 산에 눈이 많지 않아요.
④ 그 소년은 방에 장난감이 많아요.
⑤ 우리 엄마는 나에게 절대 화를 내지 않으세요.

18 ③ soon은 미래를 나타내는 시간 표현으로 미래형이 와야 한다. 미래형은 「will+동사원형」 또는 「be동사+going to+동사원형」으로 나타내므로 will move 또는 are going to move가 되어야 한다.
① 나는 다시는 그와 싸우지 않을게요.
② 알렉스가 사진기를 가지고 올 거야.
③ 그들은 곧 이사를 할 거예요.
④ 너 다시 시도할 거니?
⑤ 사라는 우리와 함께 여기에서 지낼 거예요.

19 ② 지금 무엇을 하고 있는지를 묻는 질문에 부엌에 있었다는 대답은 어색하다. 그리고 진행형으로 물으면 진행형으로 대답해야 한다.
① A: 너 자전거 탈 수 있니?
B: 응, 그래.
② A: 너 지금 무엇을 하고 있니?
B: 나 부엌에 있었어.
③ A: 우와, 그녀는 아름답게 노래를 부르고 있어.

B: 응. 그녀는 목소리도 아름다워.
④ A: 아이작 뉴턴은 예술가였나요?
B: 아니요, 그렇지 않아요. 그는 과학자였어요.
⑤ A: 너 콘서트에 갈 거니?
B: 아니, 안 갈 거야.

20 '항상'이라는 의미의 빈도부사는 always이고, 빈도부사는 be동사의 뒤에 위치한다.

21 '~하면 안 된다'라는 의미로 금지를 나타내는 조동사 표현은 must not이다.

22 현재진행형은 「be동사의 현재형+-ing」의 형태이다.

23 1) be going to 미래형의 부정문은 「be+not+going to+동사원형」의 형태이다.
2) 빈도부사는 일반동사 앞에 위치하므로 often forget을 쓴다.
3) 현재진행형은 「be동사의 현재형+-ing」의 형태이고, die는 ie로 끝나는 동사로 ie를 y로 고치고 ing를 붙인다.

24 1) ⓐ be going to 미래형은 「be동사+going to+동사원형」의 형태로 to clean이, ⓑ will 다음에는 동사원형이 오므로 be가 되어야 한다.
나는 집을 청소할 예정이야. 엄마가 기뻐하실 거야.
2) ⓐ can의 의문문은 「Can+주어+동사원형 ~?」의 형태로 answer가, ⓑ can으로 묻고 있으므로 can't가 되어야 한다.
A: 너는 그 질문에 대답할 수 있니?
B: 아니, 못해.
3) ⓐ 뒤에 복수 명사(people)가 있으므로 many가, ⓑ 뒤에 복수 명사(thirty people)가 있으므로 were가 되어야 한다.
A: 파티에 몇 명의 사람이 있었나요?
B: 30명이 있었어요.

25 미래형은 「will+동사원형」 또는 「be동사+going to+동사원형」으로 나타낸다.
내 친구들은 방과 후에 축구를 해요.
→ 내 친구들은 방과 후에 축구를 할 거예요.

26 will의 부정문은 will 뒤에 not을 쓴다.
그는 패스트푸드를 먹을 거예요.
→ 그는 패스트푸드를 먹지 않을 거예요.

27 can의 의문문은 「Can+주어+동사원형」의 형태이다.
그들은 제시간에 도착할 수 있어요.
→ 그들이 제시간에 도착할 수 있을까요?

28 현재진행형은 「주어+be동사의 현재형+동사원형+-ing」의 형태이며, 「소유격+형용사+명사」 어순으로 쓴다.

29 can의 부정문은 「주어+cannot[can't]+동사원형」의 형태이다.

30 usually는 일반동사 앞에 위치한다.

Chapter 6 일반동사의 과거형 Ⅰ

Unit 01 일반동사의 과거형 규칙 변화

Warm up p.113

❶

01 pass → passed, stay → stayed, walk →
walked
02 like → liked, move → moved, smile →
smiled
03 cry → cried, study → studied, try → tried
04 stop → stopped, drop → dropped, plan →
planned

Step up p.114

❶

01	work	worked	16	arrive	arrived
02	call	called	17	worry	worried
03	study	studied	18	mix	mixed
04	hope	hoped	19	move	moved
05	stop	stopped	20	enjoy	enjoyed
06	wash	washed	21	push	pushed
07	play	played	22	ask	asked
08	love	loved	23	try	tried
09	watch	watched	24	carry	carried
10	dance	danced	25	visit	visited
11	cry	cried	26	cook	cooked
12	plan	planned	27	listen	listened
13	rain	rained	28	step	stepped
14	help	helped	29	invite	invited
15	wait	waited	30	finish	finished

❷

01 hugged 02 rained
03 liked 04 dropped
05 washed 06 helped
07 arrived 08 worried
09 enjoyed 10 loved
11 watched 12 walked

[해설]

❶

01, 02, 06, 07, 09, 13, 14, 15, 18, 20, 21, 22, 25,
26, 27, 30 대부분의 동사는 동사원형에 -ed를 붙인다.

03, 11, 17, 23, 24 「자음+y」로 끝나는 동사는 y를 i로 바
꾸고 -ed를 붙인다.
04, 08, 10, 16, 19, 29 e로 끝나는 동사는 동사원형에 -d
를 붙인다.
05, 12, 28 「단모음+단자음」으로 끝나는 동사는 마지막 자
음을 한 번 더 쓰고 -ed를 붙인다.

❷

01, 04 「단모음+단자음」으로 끝나는 동사로 마지막 자음을
한 번 더 쓰고 -ed를 붙인다.
02, 05, 06, 09, 11, 12 동사원형에 -ed를 붙인다.
03, 07, 10 e로 끝나는 동사로 동사원형에 -d를 붙인다.
08 「자음+y」로 끝나는 동사로 y를 i로 바꾸고 -ed를 붙인다.

Jump up p.116

01 played 02 lived
03 waited 04 stopped
05 started 06 cried
07 danced 08 stayed
09 jumped 10 visited
11 planned 12 studied

[해설 및 해석]

01, 03, 05, 08, 09, 10 동사원형에 -ed를 붙인다.
02, 07 e로 끝나는 동사로 동사원형에 -d를 붙인다.
04, 11 「단모음+단자음」으로 끝나는 동사로 마지막 자음을
한 번 더 쓰고 -ed를 붙인다.
06, 12 「자음+y」로 끝나는 동사로 y를 i로 바꾸고 -ed를
붙인다.

01 나는 테니스를 쳤어요.
02 그녀는 서울에 살았어요.
03 린다는 우리를 기다렸어요.
04 그는 게임을 멈췄어요.
05 그들은 수업을 시작했어요.
06 그 아기는 밤새 울었어요.
07 우리 언니는 춤을 잘 췄어요.
08 헬렌은 뉴욕에 머물렀어요.
09 그녀의 오빠는 높이 뛰었어요.
10 그 남자는 우리 선생님을 방문했어요.
11 내 친구들은 소풍 계획을 세웠어요.
12 그 학생들은 열심히 공부했어요.

Build up writing p.117

01 I turned on the radio
02 I dropped a fork
03 Isabel learned the guitar
04 The movie ended at five
05 The car stopped suddenly

06 Peter enjoyed the festival
07 Daniel hurried to his home
08 The lovely girl smiled at me
09 The man carried my heavy bag
10 My mom baked chocolate cookies

[해설 및 해석]

01, 03, 04, 06 대부분의 동사는 동사원형에 -ed를 붙인다.
02, 05 「단모음+단자음」으로 끝나는 동사로 마지막 자음을 한 번 더 쓰고 -ed를 붙인다.
07, 09 「자음+y」로 끝나는 동사로 y를 i로 바꾸고 -ed를 붙인다.
08, 10 e로 끝나는 동사로 동사원형에 -d를 붙인다.

01 나는 라디오를 켜요.
  → 나는 라디오를 켰어요.
02 나는 포크를 떨어뜨려요.
  → 나는 포크를 떨어뜨렸어요.
03 이사벨은 기타를 배워요.
  → 이사벨은 기타를 배웠어요.
04 그 영화는 5시에 끝나요.
  → 그 영화는 5시에 끝났어요.
05 그 차가 갑자기 멈춰요.
  → 그 차가 갑자기 멈췄어요.
06 피터는 그 축제를 즐겨요.
  → 피터는 그 축제를 즐겼어요.
07 다니엘은 집으로 서둘러 가요.
  → 다니엘은 집으로 서둘러 갔어요.
08 그 사랑스러운 소녀가 나에게 미소 지어요.
  → 그 사랑스러운 소녀가 나에게 미소 지었어요.
09 그 남자가 내 무거운 가방을 들어주어요.
  → 그 남자가 내 무거운 가방을 들어주었어요.
10 우리 엄마가 초콜릿 쿠키를 구워요.
  → 우리 엄마가 초콜릿 쿠키를 구웠어요.

Unit 02 일반동사의 과거형 불규칙 변화

Warm up   p.119

①

01	cut	cut	16	build	built
02	hit	hit	17	eat	ate
03	read	read	18	sing	sang
04	say	said	19	see	saw
05	pay	paid	20	fly	flew
06	run	ran	21	buy	bought
07	sit	sat	22	think	thought
08	win	won	23	teach	taught
09	go	went	24	ride	rode
10	do	did	25	stand	stood
11	draw	drew	26	swim	swam
12	grow	grew	27	drink	drank
13	throw	threw	28	sleep	slept
14	send	sent	29	feel	felt
15	spend	spent	30	wear	wore

Step up   p.120

①

01 told   02 ate
03 drove   04 found
05 wrote   06 made
07 forgot   08 wore
09 met   10 swam
11 drank   12 read

②

01 cut   02 won
03 bought   04 rode
05 slept   06 spoke
07 knew   08 taught
09 came   10 went
11 began   12 built

[해설 및 해석]

①

모두 불규칙 변화 동사로 01 tell → told, 02 eat → ate, 03 drive → drove, 04 find → found, 05 write → wrote, 06 make → made, 07 forget → forgot, 08 wear → wore, 09 meet → met, 10 swim → swam, 11 drink → drank, 12 read → read이다.

②

모두 불규칙 변화 동사로 01 cut → cut, 02 win → won, 03 buy → bought, 04 ride → rode, 05 sleep → slept, 06 speak → spoke, 07 know → knew, 08 teach → taught, 09 come → came, 10 go → went, 11 begin → began, 12 build → built이다.

01 나는 종이를 잘랐어요.
02 우리는 그 경기에서 우승했어요.
03 그는 장난감 로봇을 샀어요.
04 그 아이는 자전거를 탔어요.
05 그 아기는 잘 잤어요.
06 한 남자가 나에게 말했어요.
07 그들은 내 이름을 알고 있었어요.

08 김 선생님은 과학을 가르쳤어요.
09 그녀는 집에 늦게 돌아왔어요.
10 우리는 어제 학교에 갔어요.
11 그 축구 경기는 9시에 시작했어요.
12 그들은 매우 긴 다리를 건설했어요.

Jump up   p.122

01 felt	02 sat
03 stood	04 drew
05 flew	06 sang
07 lost	08 heard
09 began	10 did

[해설]

주어진 의미에 맞는 동사를 골라 과거형으로 바꿔 쓰면 된다. 주어진 동사가 모두 불규칙 변화 동사로 **01** feel → felt, **02** sit → sat, **03** stand → stood, **04** draw → drew, **05** fly → flew, **06** sing → sang, **07** lose → lost, **08** hear → heard, **09** begin → began, **10** do → did이다.

Build up writing   p.123

01 I made a big kite
02 Sue got an email
03 We saw the sunrise
04 He slept on the sofa
05 I went to the bookstore
06 Walter paid for dinner
07 The dog ran after me
08 A man gave a rose to me
09 Bill drove the car slowly
10 My brother bought a nice cap

[해석 및 해설]

일반동사의 과거형은 주어와 인칭에 상관없이 같은 형태를 쓰고, 주어진 동사가 모두 불규칙 변화 동사이다. **01** make → made, **02** get → got, **03** see → saw, **04** sleep → slept, **05** go → went, **06** pay → paid, **07** run → ran, **08** give → gave, **09** drive → drove, **10** buy → bought이다.

01 나는 큰 연을 만들어요.
　→ 나는 큰 연을 만들었어요.
02 수는 이메일 한 통을 받아요.
　→ 수는 이메일 한 통을 받았어요.
03 우리는 해돋이를 봐요.
　→ 우리는 해돋이를 보았어요.
04 그는 소파에서 잠을 자요.
　→ 그는 소파에서 잠을 잤어요.

05 나는 서점에 가요.
　→ 나는 서점에 갔어요.
06 월터가 저녁 식사 값을 내요.
　→ 월터가 저녁 식사 값을 냈어요.
07 그 개는 나를 뒤쫓아 와요.
　→ 그 개는 나를 뒤쫓아 왔어요.
08 한 남자가 나에게 장미 한 송이를 주어요.
　→ 한 남자가 나에게 장미 한 송이를 주었어요.
09 빌은 그 차를 천천히 운전해요.
　→ 빌은 그 차를 천천히 운전했어요.
10 우리 형이 멋진 모자를 사요.
　→ 우리 형이 멋진 모자를 샀어요.

Wrap up   p.124

❶

01 dropped	02 told
03 took	04 taught
05 got	06 swam
07 worked	08 played
09 opened	10 did

❷

01 He sold	02 The lady wore
03 Nick hit	04 The man stopped
05 Sam called	06 I met
07 She came	08 He sent
09 They grew	10 You finished

[해설]

❶

01 「단모음+단자음」으로 끝나는 동사는 마지막 자음을 한 번 더 쓰고 -ed를 붙인다.
02 tell은 불규칙 변화 동사로 과거형이 told이다.
03 then은 과거를 나타내는 시간 표현으로 과거형이 되어야 한다. take는 불규칙 변화 동사로 과거형이 took이다.
04 teach는 불규칙 변화 동사로 과거형이 taught이다.
05 get은 불규칙 변화 동사로 과거형이 got이다.
06 swim은 불규칙 변화 동사로 과거형이 swam이다.
07 last year는 과거를 나타내는 시간 표현으로 과거형이 되어야 한다. work은 규칙 변화 동사로 동사원형에 -ed를 붙인다.
08 play는 규칙 변화 동사로 동사원형에 -ed를 붙인 played가 되어야 한다.
09 yesterday는 과거를 나타내는 시간 표현으로 과거형이 되어야 한다. open은 규칙 변화 동사로 과거형이 opened이다.
10 do는 불규칙 변화 동사로 과거형이 did이다.

❷

과거형은 주어의 인칭과 수에 상관없이 같은 형태이므로 주어진 주어를 그대로 쓰고, 동사를 과거형으로 바꾸면 된다.

01, 02, 03, 06, 07, 08, 09 불규칙 변화 동사로 각각 sell - sold, wear - wore, hit - hit, meet - met, come - came, send - sent, grow - grew이다.

04 stop은 「단모음+단자음」으로 끝나는 동사로 마지막 자음을 한 번 더 쓰고 -ed를 붙인다.

05, 10 규칙 변화 동사로 동사원형에 -ed를 붙인다.

Exercise   p.126

1 ⑤   2 ②   3 ⑤   4 ①   5 ⑤   6 ①   7 ②

8 1) I did my homework
   2) She heard a strange sound

9 1) built   2) got up

10 We felt happy

[해설 및 해석]

1 ⑤ enjoy는 「자음+y」로 끝나는 동사가 아니므로 동사원형에 -ed를 붙인다. enjoied → enjoyed

2 last night는 과거를 나타내는 시간 표현으로 과거형을 고른다.
   나는 어젯밤에 영어를 공부했어요.

3 문장의 동사가 played로 과거형이다. 따라서 ⑤ 미래를 나타내는 시간 표현 tomorrow는 알맞지 않다.

4 ① tell은 불규칙 변화 동사로 과거형이 told이다.
   ① 그는 나에게 재미있는 이야기를 해줬어요.
   ② 그들은 일찍 돌아왔어요.
   ③ 나는 온종일 TV를 봤어요.
   ④ 그녀는 바닥에서 잠을 잤어요.
   ⑤ 우리는 정오에 점심을 먹었어요.

5 ⑤ next month는 미래를 나타내는 시간 표현으로 미래형 will move가 되어야 한다.
   ① 그녀는 내 주소를 알고 있었어요.
   ② 낸시는 컴퓨터를 껐어요.
   ③ 우리는 일주일 전에 벽에 페인트를 칠했어요.
   ④ 맥스는 어제 그 상자들을 운반했어요.
   ⑤ 그들은 다음 달에 서울로 이사할 거예요.

6 빈칸에 들어갈 동사의 과거형을 고르는 문제이고, go, swim, drive는 모두 불규칙 변화 동사로 과거형이 went, swam, drove이다.
   • 나는 학교에 갔어요.
   • 그녀는 바다에서 수영했어요.
   • 그는 운전해서 출근했어요.

7 주어진 우리말이 과거형이므로 과거형으로 알맞은 문장을 고르면 된다. begin은 불규칙 변화 동사로 과거형이 began이다.

8 1) do는 불규칙 변화 동사로 과거형이 did, 2) hear는

불규칙 변화 동사로 과거형이 heard이다.
   1) 나는 숙제를 했어요.
   2) 그녀는 이상한 소리를 들었어요.

9 1) last year는 과거 시간 표현이므로 build의 과거형 built를 쓴다.
   2) this morning은 과거 시간 표현이므로 get up의 과거형 got up을 쓴다.
   1) 우리는 작년에 그 집을 지었어요.
   2) 나는 오늘 아침에 일찍 일어났어요.

10 feel은 불규칙 변화 동사로 과거형이 felt이다.

Chapter 7 일반동사의 과거형 II

Unit 01 일반동사의 과거형 부정문

Warm up   p.131

01 did not[didn't]	02 did not[didn't]
03 did not[didn't]	04 did not[didn't]
05 did not[didn't]	06 snow
07 read	08 close
09 learn	10 watch

[해설 및 해석]

01~10 일반동사 과거 부정문은 「주어+did not[didn't]+동사원형」의 형태이다.

01 그들은 행복하지 않았어요.
02 그는 메리를 사랑하지 않았어요.
03 나는 수학을 공부하지 않았어요.
04 우리는 야구를 하지 않았어요.
05 해리는 물을 마시지 않았어요.
06 눈이 많이 내리지 않았어요.
07 제이콥은 그 책을 읽지 않았어요.
08 그녀는 창문을 닫지 않았어요.
09 그들은 스페인어를 배우지 않았어요.
10 케빈과 켈리는 TV를 보지 않았어요.

Step up   p.132

01 lose	02 know
03 buy	04 didn't
05 didn't	06 stop
07 didn't	08 do
09 didn't	10 didn't

②

01 did not[didn't] eat

02 did not[didn't] win
03 did not[didn't] rain
04 did not[didn't] call
05 did not[didn't] speak
06 did not[didn't] wash
07 did not[didn't] change
08 did not[didn't] start
09 did not[didn't] finish
10 did not[didn't] ride
11 did not[didn't] get up
12 did not[didn't] remember

[해설 및 해석]

❶

01, 02, 03, 06, 08 일반동사 과거의 부정문은 「주어+did not[didn't]+동사원형」의 형태이므로 동사원형을 고른다.
04, 05, 07, 09, 10 then, last weekend, last night, yesterday, last week은 과거를 나타내는 시간 표현으로 didn't를 고른다.

❷

01~12 일반동사 과거의 부정문은 「주어+did not[didn't]+동사원형」의 형태이므로 did not[didn't]과 주어진 동사를 써서 문장을 완성한다.

01 나는 그 케이크를 먹지 않았어요.
02 그는 1등 상을 받지 않았어요.
03 어제 비가 오지 않았어요.
04 너는 어젯밤 나에게 전화하지 않았어.
05 그 남자는 한국어를 하지 않았어요.
06 우리 아버지는 세차하지 않으셨어요.
07 그들은 계획을 바꾸지 않았어요.
08 그 영화는 제시간에 시작하지 않았어요.
09 한나는 자신의 보고서를 끝내지 않았어요.
10 우리는 공원에서 자전거를 타지 않았어요.
11 로스는 오늘 아침 일찍 일어나지 않았어요.
12 그 선생님은 내 이름을 기억하지 않았어요.

Jump up   p.134

01 I didn't like the color
02 Mark didn't work here
03 The boy didn't push me
04 They didn't have enough time
05 She didn't listen to the radio
06 Jane didn't worry about him
07 My parents didn't live in Busan
08 We didn't take a walk last night
09 They didn't go to the same school
10 Emma didn't wash her hair this morning

[해설 및 해석]

01~10 일반동사 과거의 부정문은 「주어+did not[didn't]+동사원형」의 형태로 주어 뒤에 didn't를 쓰고 과거형 동사를 동사원형으로 바꾼다.

01 나는 그 색깔이 마음에 들었어요.
   → 나는 그 색깔이 마음에 들지 않았어요.
02 마크는 여기서 일했어요.
   → 마크는 여기서 일하지 않았어요.
03 그 소년은 나를 밀었어요.
   → 그 소년은 나를 밀지 않았어요.
04 그들은 시간이 충분했어요.
   → 그들은 시간이 충분하지 않았어요.
05 그녀는 라디오를 들었어요.
   → 그녀는 라디오를 듣지 않았어요.
06 제인은 그를 걱정했어요.
   → 제인은 그를 걱정하지 않았어요.
07 우리 부모님은 부산에 살았어요.
   → 우리 부모님은 부산에 살지 않았어요.
08 우리는 어젯밤에 산책했어요.
   → 우리는 어젯밤에 산책하지 않았어요.
09 그들은 같은 학교에 다녔어요.
   → 그들은 같은 학교에 다니지 않았어요.
10 엠마는 오늘 아침에 머리를 감았어요.
   → 엠마는 오늘 아침에 머리를 감지 않았어요.

Build up writing   p.135

01 I did not[didn't] draw
02 People did not[didn't] stand
03 He did not[didn't] take
04 She did not[didn't] write
05 You did not[didn't] wait for
06 We did not[didn't] forget
07 They did not[didn't] understand
08 The train did not[didn't] leave
09 The man did not[didn't] pay for
10 My sister did not[didn't] cook

[해설]

01~10 일반동사 과거의 부정문은 「주어+did not[didn't]+동사원형」의 형태이고, 주어의 인칭과 수에 상관없이 did not[didn't]을 쓰므로 주어진 주어와 동사, did not[didn't]을 이용하여 문장을 완성한다.

Warm up p.137

①

01 Did	02 Did
03 Did	04 Did
05 Did	06 cut
07 use	08 come
09 lose	10 clean

[해설 및 해석]

01~10 일반동사 과거형 의문문은 「Did+주어+동사원형 ~?」의 형태이다.

01 너는 저녁을 먹었니?
02 그녀가 너를 도와주었니?
03 그들은 사라를 만났니?
04 그레그가 그 공을 던졌니?
05 너희는 호텔에서 묵었니?
06 우리 아빠가 그 나무를 잘랐니?
07 그가 내 컴퓨터를 사용했니?
08 너의 어머니는 집에 돌아오셨니?
09 그 소년은 교과서를 잃어버렸니?
10 네 여동생들이 집을 청소했니?

Step up p.138

①

01 buy	02 Did
03 drink	04 look
05 Did	06 Did
07 read	08 Did
09 love	10 Did

②

01 Did, find	02 Did, learn
03 Did, make	04 Did, study
05 Did, move	06 Did, ask
07 Did, rain	08 Did, take
09 Did, work	10 Did, spend
11 Did, see	12 Did, go

[해설 및 해석]

①

01, 03, 04, 07, 09 일반동사 과거형 의문문은 「Did+주어 +동사원형 ~?」의 형태이므로 동사원형을 고른다.
02, 05, 06, 08, 10 일반동사 과거형 의문문으로 Did를 고른다.

②

01~12 일반동사 과거형 의문문은 「Did+주어+동사원형

~?」의 형태이므로 Did와 주어진 동사를 이용해서 문장을 완성한다.

01 그는 자전거를 찾았나요?
02 애나는 요가를 배웠나요?
03 제가 실수를 했나요?
04 너는 영어를 공부했니?
05 그 소년이 그 상자를 옮겼나요?
06 그 남자가 너의 이름을 물었니?
07 지난여름에 비가 많이 왔나요?
08 그 학생들은 시험을 보았나요?
09 그녀는 어제 늦게까지 일했나요?
10 우리 돈을 모두 썼니?
11 너 어젯밤에 달을 봤니?
12 그들은 지난 주말에 캠핑을 갔나요?

Jump up p.140

01 Did the store open at 9, it, did
02 Did she drop a spoon, she, didn't
03 Did you find the key, I, did
04 Did Mike lose the game, he, didn't
05 Did you swim in the sea, we, did
06 Did your father fix the bike, he, didn't
07 Did the girl write this story, she, did
08 Did Jeff and Clare have lunch together,
　　they, didn't

[해설 및 해석]

01 문장 앞에 Did를 쓰고, opened를 동사원형으로 바꿔 의문문을 만든다. 긍정의 대답으로 the store를 대신하는 대명사 it과 did를 쓴다.
02 문장 앞에 Did를 쓰고, dropped를 동사원형으로 바꿔 의문문을 만든다. 부정의 대답으로 she와 didn't를 쓴다.
03 문장 앞에 Did를 쓰고, found를 동사원형으로 바꿔 의문문을 만든다. 긍정의 대답이고, you로 물으면 I로 대답하므로 I와 did를 쓴다.
04 문장 앞에 Did를 쓰고, lost를 동사원형으로 바꿔 의문문을 만든다. 부정의 대답으로 Mike를 대신하는 대명사 he와 didn't를 쓴다.
05 문장 앞에 Did를 쓰고, swam을 동사원형으로 바꿔 의문문을 만든다. 긍정의 대답이며, you(복수)로 물으면 we로 대답하므로 we와 did를 쓴다.
06 문장 앞에 Did를 쓰고, fixed를 동사원형으로 바꿔 의문문을 만든다. 부정의 대답으로 your father를 대신하는 대명사 he와 didn't를 쓴다.
07 문장 앞에 Did를 쓰고, wrote를 동사원형으로 바꿔 의문문을 만든다. 긍정의 대답으로 the girl을 대신하는 대명사 she와 did를 쓴다.

08 문장 앞에 Did를 쓰고, had를 동사원형으로 바꿔 의문문을 만든다. 부정의 대답으로 Jeff and Clare를 대신하는 대명사 they와 didn't를 쓴다.

01 그 가게는 9시 문을 열었어요.
→ 그 가게는 9시에 문을 열었나요?
네, 그랬어요.

02 그녀가 숟가락을 떨어뜨렸어요.
→ 그녀가 숟가락을 떨어뜨렸나요?
아니요, 그러지 않았어요.

03 너는 열쇠를 찾았어.
→ 너는 열쇠를 찾았니?
응, 그랬어.

04 마이크가 그 경기에서 졌어요.
→ 마이크가 그 경기에서 졌나요?
아니요, 그러지 않았어요.

05 너희들은 바다에서 수영했어.
→ 너희들은 바다에서 수영했니?
네, 그랬어요.

06 너의 아버지가 자전거를 고치셨어.
→ 너의 아버지가 자전거를 고치셨니?
아니요, 그러지 않았어요.

07 그 소녀가 이 이야기를 썼어요.
→ 그 소녀가 이 이야기를 썼나요?
네, 그랬어요.

08 제프와 클레어는 점심을 같이 먹었어요.
→ 제프와 클레어는 점심을 같이 먹었나요?
아니요, 그러지 않았어요.

Build up writing   p.141

01 Did you fight
02 Did you hear
03 Did they speak
04 Did he drive
05 Did Alex like
06 Did we buy
07 Did I tell
08 Did the train arrive
09 Did Fred go
10 Did the students fail

[해설]

01~10 일반동사 과거형 의문문은 「Did+주어+동사원형 ~?」의 형태로 Did와 주어진 주어, 동사를 이용해서 문장을 완성한다.

Wrap up   p.142

01 have   **02** answer
03 Did   **04** make
05 sleep   **06** didn't
07 play   **08** live
09 Did   **10** didn't

②

01 We did not[didn't] eat the pizza
02 He did not[didn't] have breakfast
03 The boy did not[didn't] study hard
04 I did not[didn't] forget your birthday
05 My sisters did not[didn't] like spicy food
06 Did Anne keep a diary
07 Did we lock the door
08 Did they build the house
09 Did Mary send you a letter
10 Did the girl take this picture

[해설 및 해석]

①

01 일반동사 과거형 의문문은 「Did+주어+동사원형 ~?」의 형태로 동사원형 have가 되어야 한다.
02 일반동사 과거형 부정문은 「주어+did not[didn't]+동사원형」의 형태로 동사원형 answer가 되어야 한다.
03 last night는 과거를 나타내는 시간 표현으로 Did가 되어야 한다.
04 일반동사 과거형 부정문에서 didn't 뒤에는 동사원형이 오므로 make가 되어야 한다.
05 일반동사 과거형 의문문은 「Did+주어+동사원형 ~?」의 형태로 동사원형 sleep이 되어야 한다.
06 last night는 과거를 나타내는 시간 표현으로 didn't가 되어야 한다.
07 일반동사 과거의 부정문에서 didn't 뒤에 동사원형이 오므로 play가 되어야 한다.
08 일반동사 과거의 부정문에서 didn't 뒤에 동사원형이 오므로 live가 되어야 한다.
09 yesterday는 과거를 나타내는 시간 표현으로 Did가 되어야 한다.
10 last Sunday는 과거를 나타내는 시간 표현으로 didn't가 되어야 한다.

②

01, 02, 03, 04, 05 일반동사 과거의 부정문은 「주어+did not[didn't]+동사원형」의 형태로 did not[didn't]을 쓰고 과거형 동사를 동사원형으로 바꿔 부정문을 만든다.
06, 07, 08, 09, 10 일반동사 과거형 의문문은 「Did+주어+동사원형 ~?」의 형태로 문장 앞에 Did를 쓰고 과거형 동

사를 동사원형으로 바꿔 의문문을 만든다.

01 우리는 그 피자를 먹었어요.
→ 우리는 그 피자를 먹지 않았어요.

02 그는 아침밥을 먹었어요.
→ 그는 아침밥을 먹지 않았어요.

03 그 소년은 공부를 열심히 했어요.
→ 그 소년은 공부를 열심히 하지 않았어요.

04 나는 너의 생일을 잊어버렸어.
→ 나는 너의 생일을 잊지 않았어.

05 우리 언니들은 매운 음식을 좋아했어요.
→ 우리 언니들은 매운 음식을 좋아하지 않았어요.

06 앤은 일기를 썼어요.
→ 앤은 일기를 썼나요?

07 우리는 문을 잠갔어요.
→ 우리 문을 잠갔나요?

08 그들이 그 집을 지었어요.
→ 그들이 그 집을 지었나요?

09 메리가 너에게 편지를 보냈어.
→ 메리가 너에게 편지를 보냈니?

10 그 소녀가 이 사진을 찍었어요.
→ 그 소녀가 이 사진을 찍었나요?

Exercise   p.144

1 ⑤   2 ②   3 ③   4 ④   5 ④   6 ③   7 ⑤
8 1) Mike didn't do his homework
  2) Did Jenny study hard
9 1) doesn't → didn't   2) Were → Did
10 1) He didn't come home
   2) Did you close the door

[해설 및 해석]

1 yesterday와 last night가 과거를 나타내는 시간 표현
이고, 빈칸 뒤에 동사원형이 있으므로 일반동사의 과거
부정문이 되어야 한다. 따라서 didn't를 고른다.
  • 나는 어제 TV를 보지 않았어요.
  • 그녀는 어젯밤에 라디오를 듣지 않았어요.

2 주어 뒤에 동사원형이 있으므로 일반동사의 현재형 또는
과거형 의문문이 되어야 하는데, 주어가 you와 he이므
로 빈칸에 공통으로 알맞은 단어는 Did이다.
  • 너는 아침을 먹었니?
  • 그가 너의 나라를 방문했니?

3 일반동사 과거형 부정문은 「주어+did not[didn't]+동사
원형」의 형태로 빈칸에는 동사원형이 와야 한다.
  그는 설거지를 하지 않았어요.

4 ④ 일반동사 과거형 부정문은 「주어+did not[didn't]+
동사원형」의 형태로 동사원형 meet이 되어야 한다.
  ① 나는 우리 어머니를 도와드리지 않았어요.
  ② 톰은 밖에 나가지 않았어요.

③ 벤은 자전거를 타지 않았어요.
④ 그들은 그녀를 만나지 않았어요.
⑤ 그는 잠을 잘 자지 못했어요.

5 ④ 일반동사 과거형 의문문은 「Did+주어+동사원형~?」
의 형태로 Did it snow가 되어야 한다.
  ① 그 소년은 수영장에서 수영했나요?
  ② 피터는 피아노를 연주했나요?
  ③ 너는 한국 음식을 좋아했니?
  ④ 어제 눈이 왔나요?
  ⑤ 그가 차를 멈췄나요?

6 ① 주어 뒤에 동사원형 buy가 있으므로 Were는 Did가
되어야 한다. ② now는 현재를 나타내는 시간 표현으로
Did는 Does가 되어야 한다. ④ 일반동사 과거형 의문문
에서 주어 다음에 동사원형이 오므로 finished는 finish
가 되어야 한다. ⑤ 주어 뒤에 동사원형 sing이 있으므로
Was는 Did가 되어야 한다.
  ① 너는 새 휴대 전화를 샀니?
  ② 그녀는 지금 머리가 긴가요?
  ③ 그는 신문을 읽었나요?
  ④ 샘은 그 일을 끝냈나요?
  ⑤ 그녀는 노래를 불렀나요?

7 일반동사 과거형 의문문 대한 긍정의 대답은 「Yes, 주
어(대명사)+did.」로, 부정의 대답은 「No, 주어(대명
사)+didn't.」로 나타낸다.
  A: 제인이 그 소식을 들었나요?
  B: 아니, 그러지 않았어요.

8 1) 일반동사 과거형 부정문은 「주어+did not[didn't]+
동사원형」의 형태이다.
  2) 일반동사 과거형 의문문은 「Did+주어+동사원형 ~?」
의 형태이다.
  1) 마이크는 숙제를 하지 않았어요.
  2) 제니는 열심히 공부했나요?

9 1) yesterday는 과거 시간 표현으로 doesn't는 didn't
가 되어야 한다.
  2) last night는 과거를 나타내는 시간 표현이고, 주어
뒤에 동사원형 see가 있으므로 Were는 Did가 되어
야 한다.
  1) 레이첼은 어제 나에게 전화하지 않았어요.
  2) 너 어젯밤에 스탠을 봤니?

10 1) 일반동사 과거형 부정문은 「주어+did not[didn't]+
동사원형」의 형태이다.
   2) 일반동사 과거형 의문문은 「Did+주어+동사원형
~?」의 형태이다.

Unit 01 시간을 나타내는 전치사

Warm up   p.149

①

01 on   02 at   03 in

[해설 및 해석]

01 요일, 날짜, 특별한 날 앞에 쓰는 전치사는 on이다.
02 시간, 정오, 밤 앞에 쓰는 전치사는 at이다.
03 오전, 계절, 연도 앞에 쓰는 전치사는 in이다.

01 토요일에, 5월 5일에, 크리스마스 날에
02 8시에, 정오에, 밤에
03 아침에, 여름에, 2019년에

Step up   p.150

①

01 in	02 in	03 in	04 at
05 at	06 on	07 in	08 at
09 on	10 in	11 in	12 in
13 on	14 in	15 on	

②

01 at	02 at	03 in	04 at
05 in	06 on	07 on	08 in
09 in	10 on		

[해설]

①

01, 02, 03, 07, 10, 11, 12, 14 월, 연도, 계절, 저녁, 오전, 오후 앞에 쓰는 전치사는 in이다.
04, 05, 08 밤, 시간 앞에 쓰는 전치사는 at이다.
06, 09, 13, 15 요일, 특별한 날, 날짜 앞에 쓰는 전치사는 on이다.

②

01, 02, 04 시간, 밤 앞에 쓰는 전치사는 at이다.
03, 05, 08, 09 월, 연도, 계절, 아침 앞에 쓰는 전치사는 in이다.
06, 07, 10 날짜, 요일, 특별한 날 앞에 쓰는 전치사는 on이다.

Jump up   p.152

01 in winter	02 in March
03 at 7:30	04 on Sundays
05 in 2010	06 at night
07 at 9 o'clock	08 on May 3rd

09 in the afternoon   10 in the evening
11 on Mondays   12 on Mother's Day

[해설 및 해석]

01, 02, 05, 09, 10 주어진 단어가 계절, 월, 연도, 오후, 저녁이므로 in을 써서 문장을 완성한다.
03, 06, 07 주어진 단어가 시간, 밤이므로 at을 써서 문장을 완성한다.
04, 08, 11, 12 주어진 단어가 요일, 날짜, 특별한 날이므로 on을 써서 문장을 완성한다.

01 우리는 겨울에 스케이트 타러 가요.
02 봄은 3월에 와요.
03 그는 7시 30분에 아침을 먹어요.
04 나는 일요일에 제임스를 만나요.
05 우리 부모님은 2010년에 결혼하셨어요.
06 그녀는 밤에 커피를 마시지 않아요.
07 그 음악회는 9시에 끝났어요.
08 수는 5월 3일에 돌아올 거예요.
09 그들은 오후에 축구를 해요.
10 우리 형은 저녁에 TV를 봐요.
11 그 미술관은 월요일에 문을 열지 않아요.
12 나는 어머니날에 우리 엄마께 카네이션을 드렸어요.

Build up writing   p.153

01 in summer	02 at night
03 at 5 o'clock	04 in 2012
05 on July 2nd	06 at noon
07 in August	08 on Saturdays
09 in the morning	10 on Christmas Day

[해설]

01, 04, 07, 09 계절, 연도, 월, 아침 앞에 쓰는 전치사는 in이다.
02, 03, 06 밤, 시간, 정오 앞에 쓰는 전치사는 at이다.
05, 08, 10 날짜, 요일, 특별한 날 앞에 쓰는 전치사는 on이다.

Unit 02 장소를 나타내는 전치사

Warm up   p.155

①

01 on	02 at
03 in	04 up
05 in front of	06 under
07 down	08 next to
09 behind	

[해설 및 해석]

01 어떤 장소에 접촉해 있는 상태를 나타내는 전치사는 on 이다.

02 좁은 장소, 지점 앞에 쓰는 전치사는 at이다.

03 내부 앞에 쓰는 전치사는 in이다.

04 '~ 위로'라는 의미의 전치사는 up이다.

05 '~ 앞에(서)'라는 의미의 전치사는 in front of이다.

06 '~ 아래에(서)'라는 의미의 전치사는 under이다.

07 '~ 아래로'라는 의미의 전치사는 down이다.

08 '~옆에'라는 의미의 전치사는 next to이다.

09 '~ 뒤에(서)'라는 의미의 전치사는 behind이다.

01 테이블 위에 꽃병

02 버스 정류장에 소년

03 상자 안에 곰 인형

04 계단 위로 뛰다

05 TV 앞에 앉다

06 책상 아래에 고양이

07 자전거를 타고 언덕 아래로 내려가다

08 의자 옆에 램프

09 나무 뒤에 개

Step up   p.156

❶

01 at	02 on
03 in	04 at
05 on	06 in
07 on	08 next to
09 down	10 in
11 up	12 beside
13 behind	14 under
15 in front of	

❷

01 on	02 on
03 behind	04 next to
05 at	06 under
07 in front of	08 in
09 in	10 beside

[해설]

❶

01, 04 좁은 장소, 지점 앞에 쓰는 전치사는 at이다.

02, 05, 07 어떤 장소에 접촉해 있는 상태를 나타내는 전치사는 on이다.

03, 06, 10 도시이름, 넓은 장소, 내부 앞에 쓰는 전치사는 in이다.

08, 12 '~옆에'라는 의미의 전치사는 beside/next to이다.

09 '~ 아래로'라는 의미의 전치사는 down이다.

11 '~ 위로'라는 의미의 전치사는 up이다.

13 '~ 뒤에(서)'라는 의미의 전치사는 behind이다.

14 '~ 아래에(서)'라는 의미의 전치사는 under이다.

15 '~ 앞에(서)'라는 의미의 전치사는 in front of이다.

❷

01, 02 어떤 장소에 접촉해 있는 상태를 나타내는 전치사는 on이다.

03 '~ 뒤에(서)'라는 의미의 전치사는 behind이다.

04, 10 '~옆에'라는 의미의 전치사는 beside/next to이다.

05 좁은 장소, 지점 앞에 쓰는 전치사는 at이다.

06 '~ 아래에(서)'라는 의미의 전치사는 under이다.

07 '~ 앞에(서)'라는 의미의 전치사는 in front of이다.

08, 09 넓은 장소, 내부 앞에 쓰는 전치사는 in이다.

Jump up   p.158

01 beside	02 on
03 under	04 in
05 in front of	06 at
07 up	08 next to
09 behind	10 down

[해설 및 해석]

01 의자는 책상 옆에 있으므로 beside(~옆에)를 쓴다.

02 컴퓨터가 책상에 접촉해 있는 상태이므로 on을 쓴다.

03 축구공이 책상 아래 있으므로 under(아래에)를 쓴다.

04 책 두 권이 가방 안에 있으므로 in(~안에)을 쓴다.

05 연필 세 자루가 컴퓨터 앞에 있으므로 in front of(~ 앞에)를 쓴다.

06 개가 문가에 있기 때문에 좁은 장소, 지점 앞에 쓰는 전치사는 at을 쓴다.

07 남자가 계단 위로 걸어 올라가고 있기 때문에 up(~ 위로)을 쓴다.

08 나무 한 그루가 집 옆에 있으므로 next to(~옆에)를 쓴다.

09 한 소년이 나무 뒤에 있으므로 behind(~ 뒤에)를 쓴다.

10 거미 한 마리가 벽을 기어 내려오고 있으므로 down(~ 아래로)을 쓴다.

01 의자가 책상 옆에 있어요.

02 컴퓨터가 책상 위에 있어요.

03 축구공이 책상 아래에 있어요.

04 책 두 권이 가방 안에 있어요.

05 연필 세 자루가 컴퓨터 앞에 있어요.

06 개 한 마리가 문가에 있어요.

07 한 남자가 계단을 걸어 올라가고 있어요.

08 나무 한 그루가 집 옆에 있어요.

09 소년이 나무 뒤에 숨어 있어요.

10 거미 한 마리가 벽을 기어 내려오고 있어요.

01 beside[next to] me
02 in China
03 at home
04 behind you
05 up the street
06 in front of the station
07 down the stairs
08 on the bed
09 under the chair
10 next to[beside] the museum

[해설]

01, 10 '~옆에'라는 의미의 전치사는 beside/next to이다.
02 나라 이름 앞에 쓰는 전치사는 in이다.
03 좁은 장소, 지점 앞에 쓰는 전치사는 at이다.
04 '~ 뒤에(서)'라는 의미의 전치사는 behind이다.
05 '~ 위로'라는 의미의 전치사는 up이다.
06 '~ 앞에(서)'라는 의미의 전치사는 in front of이다.
07 '~ 아래로'라는 의미의 전치사는 down이다.
08 어떤 장소에 접촉해 있는 상태를 나타내는 전치사는 on이다.
09 '~ 아래에(서)'라는 의미의 전치사는 under이다.

①

01 under 02 in
03 on 04 at
05 at 06 at
07 in 08 on
09 up 10 next to[beside]

②

01 at 9 o'clock 02 beside[next to] me
03 on the floor 04 in front of the door
05 on my birthday 06 in summer
07 down the hill 08 behind her father
09 on Tuesdays 10 at the bus stop

[해설]

①

01 '~ 아래에(서)'라는 의미의 전치사는 under이다.
02 월 앞에 쓰는 전치사는 in이다.
03 요일 앞에 쓰는 전치사는 on이다.
04 시간 앞에 쓰는 전치사는 at이다.
05 좁은 장소, 지점 앞에 쓰는 전치사는 at이다.
06 자정 앞에 쓰는 전치사는 at이다.
07 나라 이름, 내부 앞에 쓰는 전치사는 in이다.

08 어떤 장소에 접촉해 있는 상태를 나타내는 전치사는 on이다.
09 '~ 위로'라는 의미의 전치사는 up이다.
10 '~옆에'라는 의미의 전치사는 beside/next to이다.

②

01 시간 앞에 쓰는 전치사는 at이다.
02 '~옆에'라는 의미의 전치사는 beside/next to이다.
03 어떤 장소에 접촉해 있는 상태를 나타내는 전치사는 on이다.
04 '~ 앞에(서)'라는 의미의 전치사는 in front of이다.
05 특별한 날 앞에 쓰는 전치사는 on이다.
06 계절 앞에 쓰는 전치사는 in이다.
07 '~ 아래로'라는 의미의 전치사는 down이다.
08 '~ 뒤에(서)'라는 의미의 전치사는 behind이다.
09 요일 앞에 쓰는 전치사는 on이다.
10 좁은 장소, 지점 앞에 쓰는 전치사는 at이다.

1 ③ 2 ② 3 ① 4 ③ 5 ③ 6 ③ 7 ②
8 1) up 2) under 9 in
10 1) is sitting behind
2) am in front of the restaurant

[해설 및 해석]

1 계절, 나라 이름 앞에 쓰는 전치사는 in이다.
• 겨울에는 추워요.
• 케빈은 영국에 살아요.
2 요일, (접촉해 있는 상태) 장소 앞에 쓴 전치사는 on이다.
• 그는 일요일에 일해요.
• 소년은 잔디 위에 누워 있어요.
3 '~옆에'라는 의미로 next to와 같은 의미의 전치사는 beside이다.
꽃집 옆에 서점이 있어요.
4 ③ 날짜 앞에 쓰는 전치사는 on이다.
① 나는 계단에서 굴러 떨어졌어요.
② 그녀는 정오에 점심을 먹었어요.
③ 내 휴가는 7월 1일에 시작해요.
④ 우리는 버스 정류장에서 조를 만날 거예요.
⑤ 우리는 종종 봄에 소풍 가요.
5 ③ 좁은 장소, 지점 앞에 쓰는 전치사는 at이다.
① 상자 안에 무엇이 있니?
② 탁자는 침대 옆에 있어요.
③ 그 소년들은 지금 학교에 있어요.
④ 그들은 길을 뛰어 올라가고 있어요.
⑤ 호텔 뒤에 산이 있어요.
6 ① 연도 앞에는 in이 와야 한다. ② 어떤 장소의 내부 앞에는 in이 와야 한다. ④ 어떤 장소에 접촉해 있는 상태를 나타내는 전치사 on이 와야 한다. ⑤ 도시 이름 앞에는

in이 와야 한다.
① 우리는 2014년에 처음 만났어요.
② 제시카는 그의 방에 있어요.
③ 그 트럭이 내 차 앞에 있어요.
④ 그녀는 벽에 그림을 걸었어요.
⑤ 우리 형은 파리에서 미술을 공부하고 있어요.

7 ①, ③, ④, ⑤ 시간이나 자정(시간), 좁은 장소 또는, 지점(장소) 앞에 쓰는 전치사는 at이다. ② 요일 앞에 쓰는 전치사는 on이다.
① 나는 9시 30분에 잠을 자요.
② 그녀는 금요일에 테니스를 쳐요.
③ 나는 파티에서 멜리사를 봤어요.
④ 그는 자정에 집에 돌아왔어요.
⑤ 우리는 지난 주말에 집에 있었어요.

8 1) '~ 위로'라는 의미의 전치사는 up이다.
2) '~ 아래에(서)'라는 의미의 전치사는 under이다.

9 '~에'라는 의미로 저녁 앞에 쓰고, '~안에'라는 의미로 장소의 내부 앞에 쓰는 전치사는 in이다.
1) 나는 주로 저녁에 TV를 봐요.
2) 병 속에 물이 조금 있어요.

10 1) '~ 뒤에(서)'라는 의미의 전치사는 behind이다.
2) '~ 앞에(서)'라는 의미의 전치사는 in front of이다.

Chapter 9 접속사

Unit 01 접속사 and · or · but

Warm up　　　　　　　　　　　　p.167

❶

01 and	02 and	03 but
04 and	05 but	06 or
07 but	08 and	09 or
10 or		

[해설]

01, 02, 04, 08 '~와[과]', '그리고'라는 의미로 비슷한 대상을 연결하는 접속사는 and이다.
03, 05, 07 '그러나', '그런데'라는 의미로 서로 반대되는 대상을 연결하는 접속사는 but이다.
06, 09, 10 '또는', '혹은'이라는 의미로 연결되는 대상 중 하나를 선택할 때 사용하는 접속사는 or이다.

Step up　　　　　　　　　　　　p.168

❶

01 but	02 and	03 or
04 and	05 and	06 or
07 but	08 or	09 and

10 but

❷

01 or	02 or	03 and
04 but	05 and	06 and
07 but	08 or	09 and

10 but

[해설]

❶

01, 07, 10 '그러나', '그런데'라는 의미로 서로 반대되는 대상을 연결하는 접속사는 but이다.
02, 04, 05, 09 '~와[과]', '그리고'라는 의미로 비슷한 대상을 연결하는 접속사는 and이다.
03, 06, 08 '또는', '혹은'이라는 의미로 연결되는 대상 중 하나를 선택할 때 사용하는 접속사는 or이다.

❷

01, 02, 08 '또는', '혹은'이라는 의미로 연결되는 대상 중 하나를 선택할 때 사용하는 접속사는 or이다.
03, 05, 06, 09 '~와[과]', '그리고'라는 의미로 비슷한 대상을 연결하는 접속사는 and이다.
04, 07, 10 '그러나', '그런데'라는 의미로 서로 반대되는 대상을 연결하는 접속사는 but이다.

Jump up　　　　　　　　　　　　p.170

01 and	02 and	03 or
04 and	05 or	06 but
07 but	08 or	09 but

[해설 및 해석]

01, 02, 04 둘 이상의 비슷한 대상을 연결을 연결해야 하므로 and를 쓴다.
03, 05, 08 연결 대상 중 하나를 선택해야 하므로 or를 쓴다.
06, 07, 09 서로 반대되는 대상을 연결해야 하므로 but을 쓴다.

01 매트는 잘생겼어요. 그는 친절해요.
→ 매트는 잘생기고 친절해요.
02 조앤은 수영을 좋아해요. 나는 수영을 좋아해요.
→ 조앤과 나는 수영하는 것을 좋아해요.
03 너는 닭고기를 원하니? 너는 소고기를 원하니?
→ 너는 닭고기를 원하니 아니면 소고기를 원하니?
04 나는 피아노를 연주할 수 있어요. 나는 바이올린을 연주할 수 있어요.
→ 나는 피아노와 바이올린을 연주할 수 있어요.
05 너는 외출할거니? 너는 집에 있을 거니?
→ 너는 외출할 거니 아니면 집에 있을 거니?
06 그녀는 나에게 전화했어요. 나는 그 전화를 받지 않았어요.

→ 그녀는 나에게 전화했지만, 나는 그 전화를 받지 않았
어요.

07 그 영화는 재미있어요. 그것은 너무 길었어요.
→ 그 영화는 재미있었지만 너무 길었어요.

08 그는 자신의 차를 수리할 거예요. 그는 새 차를 살 거예
요.
→ 그는 자신의 차를 수리하거나 새 차를 살 거예요.

09 내 컴퓨터는 정말 오래됐어요. 그것은 잘 작동해요.
→ 내 컴퓨터는 정말 오래됐지만, 잘 작동해요.

Build up writing   p.171

01 tall and thin
02 and went to bed
03 rich but lonely
04 My sister and I
05 but I don't know him
06 but they failed
07 a dress and a bag
08 Monday or Tuesday
09 blue or green
10 sit here or stand there

[해설]

01, 02, 04, 07 둘 이상의 비슷한 대상을 연결해야 하므로
and를 쓴다.

03, 05, 06 서로 반대되는 대상을 연결해야 하므로 but을
쓴다.

08, 09, 10 연결 대상 중 하나를 선택해야 하므로 or를 쓴
다.

Unit 02 접속사 so·because·when

Warm up   p.173

①

01 because	02 so
03 because	04 because
05 when	06 when
07 so	08 so
09 because	10 When

[해설]

01, 03, 04, 09 '~하기 때문에'라는 의미로 원인을 나타내
는 접속사는 because이다.

02, 07, 08 '그래서'라는 의미로 결과를 나타내는 접속사는
so이다.

05, 06, 10 '~할 때'라는 의미로 같은 때에 일어난 일을 나
타내는 접속사는 when이다.

Step up   p.174

①

01 when	02 because
03 so	04 so
05 when	06 so
07 when	08 because
09 so	10 because

②

01 When	02 because
03 When	04 so
05 so	06 so
07 so	08 when
09 because	10 because

[해설]

①

01, 05, 07 '~할 때'라는 의미로 같은 때에 일어난 일을 나
타내는 접속사는 when이다.

02, 08, 10 '~하기 때문에'라는 의미로 원인을 나타내는 접
속사는 because이다.

03, 04, 06, 09 '그래서'라는 의미로 결과를 나타내는 접속
사는 so이다.

②

01, 03, 08 '~할 때'라는 의미로 같은 때에 일어난 일을 나
타내는 접속사는 when이다.

04, 05, 06, 07 '그래서'라는 의미로 결과를 나타내는 접속
사는 so이다.

02, 09, 10 '~하기 때문에'라는 의미로 원인을 나타내는 접
속사는 because이다.

Jump up   p.176

01 so he took a rest
02 so I wore a thick coat
03 when I visited him
04 when I play with my dog
05 because it was too salty
06 when we went to the zoo
07 because she was thirsty
08 so I went to the dentist
09 because he slept late
10 so I often visit them

[해석]

01 벤은 피곤했어요. 그는 휴식을 취했어요.
→ 벤은 피곤해서 휴식을 취했어요.

02 추웠어요. 나는 두꺼운 코트를 입었어요.
→ 추워서 나는 두꺼운 코트를 입었어요.

03 그는 집에 없었어요. 나는 그를 방문했어요.
　→ 내가 그를 방문했을 때 그는 집에 없었어요.
04 나는 행복해요. 나는 내 개와 놀아요.
　→ 내 개와 놀 때 나는 행복해요.
05 그녀는 수프를 남겼어요. 그것은 너무 짰어요.
　→ 너무 짰기 때문에 그녀는 수프를 남겼어요.
06 우리는 코알라를 봤어요. 우리는 동물원에 갔어요.
　→ 우리는 동물원에 갔을 때 코알라를 봤어요.
07 켈리는 목이 말랐어요. 그녀는 물을 마셨어요.
　→ 켈리는 목이 말랐기 때문에 물을 마셨어요.
08 나는 치통이 있었어요. 나는 치과에 갔어요.
　→ 나는 치통이 있어서 치과에 갔어요.
09 피트는 늦잠을 잤어요. 버스를 놓쳤어요.
　→ 피트는 늦잠을 잤기 때문에 버스를 놓쳤어요.
10 나는 우리 조부모님 가까이에 살아요. 나는 그들을 자주 방문해요.
　→ 나는 우리 조부모님 가까이에 살아서 나는 그들을 자주 방문해요.

Build up writing　　　　　　p.177

01 When he was
02 so I took
03 When she feels sad
04 when I saw you
05 because she is busy
06 When she told
07 so he is healthy
08 because he is very sick
09 so they won
10 because the water was cold

[해설]

01 '~할 때'라는 의미로 같은 때에 일어난 일을 나타내는 접속사 when과, 과거형으로 was를 써서 문장을 완성한다.
02 '그래서'라는 의미로 결과를 나타내는 접속사 so와 과거형으로 took을 써서 문장을 완성한다.
03 '~할 때'라는 의미로 같은 때에 일어난 일을 나타내는 접속사 when과, 현재형으로 feels를 써서 문장을 완성한다.
04 '~할 때'라는 의미로 같은 때에 일어난 일을 나타내는 접속사 when과, 과거형으로 saw를 써서 문장을 완성한다.
05 '~하기 때문에'라는 의미로 원인을 나타내는 접속사 because와 현재형으로 is를 써서 문장을 완성한다.
06 '~할 때'라는 의미로 같은 때에 일어난 일을 나타내는 접속사 when과, 과거형으로 told를 써서 문장을 완성한다.
07 '그래서'라는 의미로 결과를 나타내는 접속사 so와 현재형으로 is를 써서 문장을 완성한다.
08 '~하기 때문에'라는 의미로 원인을 나타내는 접속사

because와 현재형으로 is를 써서 문장을 완성한다.
09 '그래서'라는 의미로 결과를 나타내는 접속사 so와 과거형으로 won을 써서 문장을 완성한다.
10 '~하기 때문에'라는 의미로 원인을 나타내는 접속사 because와 과거형으로 was를 써서 문장을 완성한다.

Wrap up　　　　　　p.178

①
01 and
02 or
03 but
04 but
05 When
06 when
07 because
08 or
09 so
10 so

②
01 because I was sick
02 hungry and tired
03 so I felt cold
04 when he went out
05 young but brave
06 butter or cheese
07 but I don't like tea
08 because it was my birthday
09 walk or take a bus
10 and I'm your new teacher

[해설]

①
01 Paris와 Rome은 비슷한 대상으로 and가 되어야 한다.
02, 08 연결 대상 중 하나를 선택하는 것으로 or가 되어야 한다.
03, 04 서로 반대되는 내용을 연결하고 있으므로 but이 되어야 한다.
05, 06 같은 때에 일어난 일을 나타내야 하므로 When(when)이 되어야 한다.
07 접속사 뒤가 일의 원인에 해당하는 내용이므로 원인을 나타내는 because가 되어야 한다.
09, 10 접속사 뒤가 결과에 해당하는 내용이므로 결과를 나타내는 so가 되어야 한다.

②
01, 08 '~하기 때문에'라는 의미로 원인을 나타내는 접속사 because와 과거형으로 was를 써서 문장을 완성한다.
02, 10 '~와[과]'라는 의미로 둘 이상의 비슷한 대상을 연결하는 접속사 and를 써서 문장을 완성한다.
03 '그래서'라는 의미로 결과를 나타내는 접속사 so와 과거형으로 felt를 써서 문장을 완성한다.
04 '~할 때'라는 의미로 같은 때에 일어난 일을 나타내는 접속사 when과 과거형으로 went를 써서 문장을 완성한다.

05 '그러나'라는 의미로 서로 반대되는 대상을 연결하는 접속사 but을 써서 문장을 완성한다.

06, 09 '또는', '혹은'이라는 의미로 연결되는 대상 중 하나를 선택할 때 사용하는 접속사 or를 써서 문장을 완성한다.

07 '그러나'라는 의미로 서로 반대되는 대상을 연결하는 접속사 but과 현재형으로 don't like를 써서 문장을 완성한다.

Exercise
p.180

1 ② 　 2 ② 　 3 ③ 　 4 ⑤ 　 5 ⑤ 　 6 ③ 　 7 ②

8 1) but 　 2) so 　 3) because
9 1) and (I) watched TV
　 2) when he said good-bye
10 1) Hawaii or Bali 　 2) When I got home

[해설 및 해석]

1 연결 대상 중 하나를 선택해야 하므로 접속사 or를 고른다.
　 이것은 여우인가요 아니면 늑대인가요?

2 둘 이상의 비슷한 대상을 연결하는 접속사 and를 고른다.
　 나는 우유와 계란이 필요해요.

3 서로 반대되는 대상을 연결하는 접속사 but을 고른다.
　 • 어제는 화창했지만, 오늘이 눈이 와요.
　 • 마이크는 똑똑하지만 게을러요.

4 '어렸을 때'라는 의미가 되어야 하므로 같은 때에 일어난 일을 나타내는 접속사 when과, '바쁘기 때문에'라는 의미가 되어야 하므로 원인을 나타내는 접속사 because를 고른다.
　 • 나는 어렸을 때 만화책을 많이 읽었어요.
　 • 나는 정말 바쁘기 때문에 너와 함께 외출할 수 없어.

5 ①, ②, ③, ④ 연결되는 대상이 비슷하므로 and가 적절하고, ⑤ 연결 대상 중 하나를 선택해야 하므로 or가 적절하다.
　 ① 나는 당신의 이름과 전화번호를 알아요.
　 ② 그는 피아노와 기타를 연주할 수 있어요.
　 ③ 그녀는 열심히 공부했고 그 시험에 통과했어요.
　 ④ 내 여동생은 초콜릿과 아이스크림을 좋아해요.
　 ⑤ 분홍색과 파란색 중 네가 좋아하는 색은 어떤 거니?

6 ③ 뒤 내용이 결과에 해당하므로 so가 와야 한다.
　 ① 그녀의 제일 친한 친구는 제인과 메리예요.
　 ② 나는 스키 타러 갈 수 있기 때문에 겨울을 좋아해요.
　 ③ 닉은 친절해서 모든 사람이 그를 좋아해요.
　 ④ 그는 큰 시험이 있어서 긴장하고 있어요.
　 ⑤ 내가 파리에 있을 때 나는 에펠탑을 방문했어요.

7 ② 뒤 내용이 원인에 해당하므로 because가 되어야 한다.
　 ① 클레어는 피곤하고 졸려요.
　 ② 나는 금방 저녁을 먹어서 배고프지 않아요.
　 ③ 갑자기 비가 내려서 나는 젖었어요.

　 ④ 너는 이 치마 또는 저 바지를 입을 수 있어.
　 ⑤ 그가 대회에서 우승했을 때 그는 행복했어요.

8 1) 앞 뒤 내용이 서로 반대되므로 접속사 but을 쓴다.
　 2) 뒤의 내용이 결과에 해당하므로 접속사 so를 쓴다.
　 3) 뒤의 내용이 원인에 해당하므로 접속사 because를 쓴다.
　 1) 가을인데 여전히 더워.
　 2) 영어가 재미있어서 나는 그것을 좋아해요.
　 3) 나는 늦게 일어났기 때문에 학교에 지각했어요.

9 괄호 안에 주어진 접속사를 써서 주어, 동사 어순으로 쓴다.
　 1) 나는 집에 있으면서 TV를 봤어요.
　 2) 그가 작별 인사를 할 때 그녀는 울었어요.

10 1) 연결 대상 중 하나를 선택할 때 접속사 or를 쓴다.
　 2) 같은 때에 일어난 일을 나타낼 때 접속사 When을 쓴다.

Chapter 10 명령문과 제안문

Unit 01 명령문

Warm up
p.185

①

01 Help 　　 02 Be 　　 03 Be
04 Come 　　 05 Open 　　 06 Don't
07 Don't 　　 08 waste 　　 09 walk
10 Don't

[해설 및 해석]

01, 02, 03, 04, 05 '~해라'라는 의미의 긍정명령문은 주어(You)를 빼고, 동사원형 또는 Be로 시작한다.

06, 07, 08, 09, 10 '하지 마라'라는 의미의 부정명령문은 주어(You)를 빼고, 「Don't+동사원형/be」의 형태이다.

01 나를 도와줘. 　　　　 02 정직해라.
03 행복해라. 　　　　　 04 여기 와라.
05 상자를 열어라. 　　　 06 늦지 마라.
07 무례하게 굴지 마라. 　 08 돈을 낭비하지 마라.
09 잔디를 밟지 마라. 　　 10 여기서 사진 찍지 마라.

Step up
p.186

①

01 Be 　　　　　 02 Don't
03 Take 　　　　 04 Be
05 Wait 　　　　 06 Don't
07 Do 　　　　　 08 Turn off
09 Don't 　　　　 10 fight

01 Be　　　　　02 Close
03 Wash　　　　04 Turn
05 Don't bring　06 Don't run
07 Don't pick　　08 Don't touch

[해설 및 해석]

❶

01, 03, 04, 05, 07, 08 긍정명령문으로 동사원형 또는 Be로 시작한다.
02, 06, 09 부정명령문은 「Don't+동사원형/be」의 형태로 Don't를 고른다.
10 부정명령문 Don't 뒤에는 동사원형이 오므로 fight를 고른다.

❷

01, 02, 03, 04 긍정명령문으로 동사원형 또는 Be로 시작한다.
05, 06, 07, 08 부정명령문으로 「Don't+동사원형」의 형태로 쓴다.

01 조용히 해!
02 문을 닫아라.
03 설거지를 해라.
04 25페이지를 펴라.
05 음식을 가지고 오지 마라.
06 도서관에서 뛰지 마라.
07 꽃을 꺾지 마라.
08 그림을 만지지 마라.

Jump up　　　　　　　　　　p.188

01 Sit down　　　　02 Be careful
03 Speak up　　　　04 Get up early
05 Don't be lazy　　06 Don't be noisy
07 Don't stand up　08 Don't come here
09 Exercise regularly　10 Be kind to your friends

[해설 및 해석]

01, 02, 03, 04, 09, 10 긍정명령문으로 you를 지우고, 동사원형 또는 Be로 시작한다.
05, 06, 07, 08 부정명령문으로 you를 지우고 「Don't+동사원형/be」의 형태로 쓴다.

01 앉아라.
02 조심해라.
03 더 크게 말해라.
04 일찍 일어나라.
05 게으름 피우지 마라.
06 시끄럽게 하지 마라.
07 일어서지 마라.

08 여기 오지 마라.
09 규칙적으로 운동해라.
10 친구들에게 친절하게 대하라.

Build up writing　　　　　　p.189

01 Hurry up　　　　02 Don't go out
03 Try again　　　　04 Don't trust him
05 Wash your hands　06 Go to bed early
07 Put on your coat　08 Don't swim here
09 Don't worry　　　10 Don't be afraid

[해설]

01, 03, 05, 06, 07 '~해라'라는 의미의 긍정명령문으로 동사원형 또는 Be로 시작한다.
02, 04, 08, 09, 10 '~하지 마라'라는 의미의 부정명령문으로 「Don't+동사원형/be」의 형태로 쓴다.

Unit 02 제안문

Warm up　　　　　　　　　　p.191

❶

01 Let's　　　　02 sit
03 Let's　　　　04 take
05 not eat　　　06 go
07 Let's　　　　08 not waste
09 Let's not　　10 Let's not

[해설 및 해석]

01, 02, 03, 04, 06, 07 '~하자'라는 의미의 Let's 제안문은 「Let's+동사원형/be」의 형태이다.
05, 08, 09, 10 '~하지 말자'라는 의미의 Let's not 제안문은 「Let's not+동사원형/be」의 형태이다.

01 춤추자.
02 여기에 앉자.
03 축구 하자.
04 산책하자.
05 외식하지 말자.
06 소풍 가자.
07 그들에게 친절하게 대하자.
08 돈을 낭비하지 말자.
09 바다에서 수영하지 말자.
10 학교에 지각하지 말자.

Step up　　　　　　　　　　p.192

❶

01 Let's　　　　02 Let's
03 leave　　　　04 think

05 not tell　　　　06 Let's not
07 listen　　　　　08 do
09 study　　　　　10 Let's not

❷
01 Let's play　　　　02 Let's be
03 Let's take　　　　04 Let's buy
05 Let's go　　　　　06 Let's have
07 Let's paint　　　　08 Let's not run
09 Let's not eat　　　10 Let's not fight

[해설]

❶

01, 02 '~하자'라는 의미의 Let's 제안문은 Let's로 시작한다.

03, 04, 07, 08, 09 Let's 제안문의 Let's 뒤에는 동사원형이 온다.

05, 06, 10 Let's not 제안문으로 「Let's not+동사원형/be」의 형태이다.

❷

01, 02, 03, 04, 05, 06, 07 '~하자'라는 의미의 Let's 제안문으로 Let's와 주어진 동사를 써서 문장을 완성하다.

08, 09, 10 '~하지 말자'라는 의미의 Let's not 제안문으로 Let's not과 주어진 동사를 써서 문장을 완성한다.

Jump up　　　　　　　　p.194

01 Let's not　　　　02 Let's
03 Let's　　　　　　04 Let's not
05 Let's　　　　　　06 Let's
07 Let's　　　　　　08 Let's not
09 Let's　　　　　　10 Let's not
11 Let's　　　　　　12 Let's

[해설 및 해석]

01 '늦어서 외출하지 말자'라는 의미가 되어야 하므로 Let's not을 쓴다.

02 '배고프니 피자 주문하자'라는 의미가 되어야 하므로 Let's를 쓴다.

03 '곤경에 처했으니 그를 도와주자'라는 의미가 되어야 하므로 Let's를 쓴다.

04 '시간이 충분하니 서두르지 말자'라는 의미가 되어야 하므로 Let's not을 쓴다.

05 '심심하니 재미있는 거 하자'라는 의미가 되어야 하므로 Let's를 쓴다.

06 '네 생일이니 파티하자'라는 의미가 되어야 하므로 Let's를 쓴다.

07 '안이 추우니 히터 틀자'라는 의미가 되어야 하므로 Let's를 쓴다.

08 '날씨가 좋으니 집에 있지 말자'라는 의미가 되어야 하므

로 Let's not을 쓴다.

09 '비가 내릴 거니 우비 가지고 가자'라는 의미가 되어야 하므로 Let's를 쓴다.

10 '건강에 안 좋으니 패스트푸드를 먹지 말자'라는 의미가 되어야 하므로 Let's not을 쓴다.

11 '재미있어 보이니 그거 보자'라는 의미가 되어야 하므로 Let's를 쓴다.

12 '눈이 많이 내렸으니 눈사람 만들자'라는 의미가 되어야 하므로 Let's를 쓴다.

01 너무 늦었어. 외출하지 말자.
02 나 배고파. 피자 주문하자.
03 마크가 곤경에 처했어. 그를 도와주자.
04 우리는 시간이 충분해. 서두르지 말자.
05 나 심심해. 재미있는 거 하자.
06 네 생일이야. 파티하자.
07 안이 추워. 히터 틀자.
08 날씨가 좋아. 집에 있지 말자.
09 비가 내릴 거야. 우비 가지고 가자.
10 패스트푸드를 먹지 말자. 그건 건강에 좋지 않아.
11 이 영화 재미있어 보여. 그거 보자.
12 눈이 많이 내렸어. 눈사람 만들자.

Build up writing　　　　　　　p.195

01 Let's be quiet　　　02 Let's be friends
03 Let's go camping　　04 Let's study English
05 Let's not skate　　　06 Let's not wait
07 Let's not worry　　　08 Let's make spaghetti
09 Let's invite them　　10 Let's not forget

[해설]

01, 02, 03, 04, 08, 09 Let's 제안문은 「Let's+동사원형/be」의 어순이다.

05, 06, 07, 10 Let's not 제안문은 「Let's not+동사원형/be」의 어순이다.

Wrap up　　　　　　　　p.196

❶
01 Stand　　　　　02 Don't
03 Do　　　　　　04 Take
05 Be　　　　　　06 Let's
07 Let's not　　　　08 Don't drink
09 be　　　　　　10 save

❷
01 Stop　　　　　02 Let's take
03 Let's go　　　　04 Don't give up
05 Wait　　　　　06 Let's not buy
07 Don't use　　　08 Listen to me

09 Be nice   **10** Let's not call

[해설]

01, 03, 04, 05 긍정명령문은 동사원형 또는 Be로 시작하므로 Stand, Do, Take, Be가 되어야 한다.
02, 08 부정명령문은 「Don't+동사원형/be」의 형태이므로 Don't, Don't drink가 되어야 한다.
07 Let's not 제안문은 「Let's not+동사원형/be」의 형태이므로 Let's not이 되어야 한다.
06, 09, 10 Let's 제안문은 「Let's+동사원형/be」의 형태이므로 Let's, be, save가 되어야 한다.

01, 05, 08, 09 긍정명령문은 동사원형 또는 Be로 시작한다.
04, 07 부정명령문은 「Don't+동사원형/be」의 형태이다.
02, 03 Let's 제안문은 「Let's+동사원형/be」의 형태이다.
06, 10 Let's not 제안문은 「Let's not+동사원형/be」의 형태이다.

Exercise   **p.198**

1 ④   **2** ①   **3** ⑤   **4** ⑤   **5** ①   **6** ②   **7** ③
8 1) Is → Be   2) eating → eat
9 1) Don't make   2) Let's not swim
10 1) Turn off your cell phone
     2) Let's meet at the library

[해설 및 해석]

1 '~하지 말자'라는 의미의 Let's not 제안문은 「Let's not+동사원형/be」의 형태로 Let's not을 고른다.
파티에 가지 말자.
2 '하지 마라'라는 의미의 부정명령문은 「Don't+동사원형/be」의 형태로 be를 고른다.
다시는 늦지 마라.
3 '날씨가 좋으니 소풍 가자'라는 의미의 제안문이 되어야 하므로 Let's를 고른다.
A: 날씨가 좋아. 소풍 가자.
B: 그거 좋은 생각이야.
4 ⑤ '~해라'라는 의미의 긍정명령문은 동사원형으로 시작하므로 Go가 되어야 한다.
① 정직해라.
② 슬퍼하지 마라.
③ 네 우산을 갖고 가라.
④ 단것을 너무 많이 먹지 마라.
⑤ 직진해서 오른쪽으로 돌아라.
5 ① '~하지 말자'라는 의미의 Let's not 제안문은 「Let's not+동사원형/be」의 형태로 Let's not be가 되어야 한다.

① 시끄럽게 하지 말자.
② 일찍 자자.
③ 같이 저녁 먹자.
④ 재미있는 영화 보자.
⑤ 교실에서 뛰지 말자.
6 ① 부정명령문은 Don't로 시작하므로 Not이 Don't가 되어야 한다. ③ Let's 뒤에는 동사원형이 오므로 playing이 play가 되어야 한다. ④ Let's not 제안문은 「Let's not 동사원형」의 형태로 Not let's가 Let's not이 되어야 한다. ⑤ 긍정명령문은 동사원형으로 시작하므로 does는 do가 되어야 한다.
① 부끄러워하지 마.
② 조심해서 운전해.
③ 밖에서 놀자.
④ 돈을 낭비하지 말자.
⑤ 설거지 좀 해주세요.
7 '하지 마라'라는 의미의 부정명령문은 「Don't+동사원형/be」의 형태이다.
그 상자를 열지 마라.
8 1) 긍정명령문은 동사원형으로 시작하므로 Is는 Be가 되어야 한다.
     2) '~하자'라는 의미의 Let's 제안문은 Let's 다음에 동사원형이 오므로 eating은 eat이 되어야 한다.
1) 조심해! 유리창이 깨졌어.
2) 뭐 좀 먹자.
9 1) '하지 마라'라는 의미의 부정명령문은 「Don't+동사원형/be」의 형태이다.
     2) '~하지 말자'라는 의미의 Let's not 제안문은 「Let's not+동사원형/be」의 형태이다.
1) 아기가 자고 있어. 떠들지 마라.
2) 물이 차가워. 우리 여기서 수영하지 말자.
10 1) 긍정명령문은 동사원형으로 시작한다.
     2) Let's 제안문은 「Let's+동사원형/be」의 형태이다.

Review Test (Chapter 1-10)   **p.200**

Chapter 1~3

01 pass   **02** cannot
03 playing   **04** not listening
05 finish   **06** are not going to

01 We must not run
02 I will meet her
03 She is studying English
04 Are you making a kite
05 Can you play the piano

06 It is not going to rain

[해설 및 해석]

❶

01 will 미래형 의문문은 「Will+주어+동사원형~?」의 형태로 pass를 고른다.
02 can의 부정문은 can 뒤에 not을 써서 cannot 또는 can't로 나타낸다.
03 현재진행형은 「be동사의 현재형+동사원형+-ing」의 형태로 playing을 고른다.
04 현재진행형의 부정문은 「be동사의 현재형+not+동사원형+-ing」의 형태로 not listening을 고른다.
05 조동사(must) 뒤에는 동사원형이 오므로 finish를 고른다.
06 be going to 미래형의 부정문은 「be동사+not+going to+동사원형」의 형태로 are not going to를 고른다.

01 그녀가 그 시험에 통과할까요?
02 그는 한국말을 못해요.
03 그들은 지금 야구를 하고 있어요.
04 나는 음악을 듣고 있지 않아요.
05 너는 지금 숙제를 끝내야 해.
06 우리는 그 차를 사지 않을 거예요.

❷

01 must의 부정은 must 뒤에 not을 쓴다.
02 will 미래형은 「will+동사원형」의 형태이다.
03 현재진행형은 「주어+be동사의 현재형+-ing」의 형태이다.
04 현재진행형 의문문은 「Be동사의 현재형+주어+동사원형+-ing ~?」의 형태이다.
05 can의 의문문은 can을 주어 앞에 쓰고 문장 끝에 물음표를 붙인다.
06 be going to 미래형 부정문은 「주어+be동사+not+going to+동사원형」의 형태이다.

Chapter 4~5

❶

01 a nice car
02 was
03 happily
04 many
05 are always
06 Were

❷

01 Were you sad
02 He was not at the party
03 They were classmates
04 I want these red shoes
05 I will never forget you
06 He usually stays at home

[해설 및 해석]

❶

01 형용사와 명사는 「관사+형용사+명사」의 어순으로 a nice car를 고른다.
02 then이 과거를 나타내는 시간 표현으로 am의 과거형 was를 고른다.
03 live를 수식하는 부사 happily를 고른다.
04 뒤에 복수 명사(pets)가 있으므로 복수 명사를 수식하는 수량형용사 many를 고른다.
05 빈도부사(always)는 be동사의 뒤에 위치한다.
06 yesterday는 과거를 나타내는 시간 표현으로 Are의 과거형 Were를 고른다.

01 그녀는 멋진 차를 가지고 있어요.
02 나는 그때 맥스네 집에 있었어요.
03 스티브와 신디는 행복하게 살고 있어요.
04 너는 몇 마리의 애완동물을 키우고 있니?
05 너는 항상 학교에 지각해.
06 너 어제 학교에 결석했니?

❷

01 be동사 과거형 의문문은 「Was/Were+주어~?」의 형태이고, 주어가 you이므로 Were you sad의 어순으로 쓴다.
02 is의 과거형은 was이고, be동사 과거형 부정문은 과거형 be동사 뒤에 not을 쓰므로 He was not at the party로 쓴다.
03 are의 과거형은 were이므로 They were classmates 어순으로 쓴다.
04 형용사와 명사는 「지시사+형용사+명사」의 어순으로 these red shoes 어순으로 쓴다.
05 빈도부사는 조동사의 뒤에 위치하므로 I will never 어순으로 쓴다.
06 빈도부사는 일반동사 앞에 위치하므로 He usually stays 어순으로 쓴다.

Chapter 6

❶

01	call	called	16	talk	talked
02	play	played	17	hurry	hurried
03	go	went	18	smile	smiled
04	ask	asked	19	ride	rode
05	do	did	20	try	tried
06	carry	carried	21	love	loved
07	visit	visited	22	hear	heard
08	run	ran	23	enjoy	enjoyed
09	live	lived	24	lose	lost
10	walk	walked	25	have	had

11	come	came	26	want	wanted
12	make	made	27	feel	felt
13	think	thought	28	drop	dropped
14	read	read	29	sleep	slept
15	cry	cried	30	stop	stopped

[해설]

❶

01, 02, 04, 07, 10, 16, 23, 26 대부분의 동사는 동사원형에 -ed를 붙인다.

03, 05, 08, 11, 12, 13, 14, 19, 22, 24, 25, 27, 29는 불규칙 변화 동사이다.

06, 15, 17, 20 「자음+y」로 끝나는 동사는 y를 i로 바꾸고 -ed를 붙인다.

09, 18, 21 e로 끝나는 동사는 동사원형에 -d를 붙인다.

28, 30 「단모음+단자음」으로 끝나는 단어는 마지막 자음을 한 번 더 쓰고 -ed를 붙인다.

Chapter 7

❶

01 find

02 win

03 come

04 didn't

05 go

06 Did

❷

01 Did he work hard last year

02 Did you get up early this morning

03 The man did not[didn't] remember my name

04 We did not[didn't] walk to school yesterday

05 I did not[didn't] watch the movie last Sunday

06 Did Nancy wear a red dress last night

[해설 및 해석]

❶

01 일반동사 과거형 의문문은 「Did+주어+동사원형 ~?」의 형태로 주어 다음에는 동사원형이 오므로 find를 고른다.

02 일반동사 과거형 부정문은 「주어+did not[didn't]+동사원형」의 형태로 didn't 다음에는 동사원형이 오므로 win을 고른다.

03 didn't 다음에는 동사원형이 오므로 come을 고른다.

04 last week은 과거를 나타내는 시간 표현으로 didn't를 고른다.

05 일반동사 과거형 의문문에서 주어 다음에는 동사원형이 오므로 go를 고른다.

06 yesterday는 과거를 나타내는 시간 표현으로 Did를 고른다.

01 그는 자기 개를 찾았니?

02 우리는 그 경기에서 이기지 않았어요.

03 켈리는 파티에 오지 않았어요.

04 나는 지난주에 벽에 페인트칠하지 않았어요.

05 너는 지난 주말에 낚시하러 갔니?

06 그들은 어제 농구를 했나요?

❷

01, 02, 06 일반동사 과거형 의문문은 「Did+주어+동사원형 ~?」의 형태이다.

03, 04, 05 일반동사 과거형 부정문은 「주어+did not[didn't]+동사원형」의 형태이다.

01 그는 작년에 열심히 일했어요.

→ 그는 작년에 열심히 일했나요?

02 너는 오늘 아침에 일찍 일어났어.

→ 너는 오늘 아침에 일찍 일어났니?

03 그 남자는 내 이름을 기억했어요.

→ 그 남자는 내 이름을 기억하지 못했어요.

04 우리는 어제 학교에 걸어갔어요.

→ 우리는 어제 학교에 걸어가지 않았어요.

05 나는 지난 일요일에 그 영화를 봤어요.

→ 나는 지난 일요일에 그 영화를 보지 않았어요.

06 낸시는 어젯밤에 빨간 드레스를 입었어요.

→ 낸시는 어젯밤에 빨간 드레스를 입었나요?

Chapter 8

❶

01 in

02 on

03 on

04 next to

05 at

06 behind

❷

01 at nine

02 in winter

03 in his room

04 under the bed

05 down the hill

06 in front of the restaurant

[해설 및 해석]

❶

01 연도 앞에는 전치사 in을 쓴다.

02 요일 앞에는 전치사 on을 쓴다.

03 어떤 장소에 접촉해 있는 상태를 나타내는 전치사는 on이다.

04 '~옆에'라는 의미의 전치사는 next to이다.

05 밤 앞에 쓰는 전치사는 at이다.

06 '~ 뒤에(서)'라는 의미의 전치사는 behind이다.

❷

01 시간 앞에 쓰는 전치사는 at이다.

02 계절 앞에 쓰는 전치사는 in이다.
03 넓은 장소, 내부 앞에 쓰는 전치사는 in이다.
04 '~ 아래에(서)'라는 의미의 전치사는 under이다.
05 '~ 아래로'라는 의미의 전치사는 down이다.
06 '~ 앞에(서)'라는 의미의 전치사는 in front of이다.

Chapter 9

①

01 but I lost the race
02 coffee or tea
03 when he received her letter
04 so she isn't hungry
05 Jason and Clare
06 because he had a headache

②

01 sunny but cold
02 when I was young
03 so I missed the bus
04 because today is a holiday
05 but I hate them

[해설 및 해석]

①

01 나는 열심히 연습했지만, 경기에서 졌어요.
02 너는 커피와 차 중 하나를 마실 수 있어.
03 그는 그녀의 편지를 받았을 때 기뻤어요.
04 그녀는 점심을 푸짐하게 먹어서 배가 고프지 않아요.
05 제이슨과 클레어는 캐나다에서 왔어요.
06 그는 머리가 아팠기 때문에 병원에 갔어요.

②

01 서로 반대되는 내용으로 but을 써서 문장을 완성한다.
02 같은 때에 일어난 일을 나타내야 하므로 when을 써서 문장을 완성한다.
03 빈칸의 내용이 결과에 해당하므로 결과를 나타내는 so를 써서 문장을 완성한다.
04 빈칸의 내용이 원인에 해당하므로 원인을 나타내는 because를 써서 문장을 완성한다.
05 서로 반대되는 내용으로 but을 써서 문장을 완성한다.

Chapter 10

①

01 Let's not go
02 Let's go
03 Don't drink
04 Let's not buy
05 Clean
06 Finish

②

01 Don't be shy
02 Let's dance
03 Turn on the radio
04 Sing a song
05 Let's play soccer
06 Let's not go shopping

[해설 및 해석]

①

01, 04 '~하지 말자'라는 의미의 Let's not 제안문은 「Let's not+동사원형/be」의 형태이다.
02 ~하자라는 의미의 Let's 제안문은 「Let's+동사원형/be」의 형태이다.
03 '~하지 마라'라는 의미의 부정명령문으로 「Don't+동사원형/be」의 형태로 쓴다.
05, 06 '~해라'라는 의미의 긍정명령문으로 동사원형 또는 Be로 시작한다.

01 비가 세차게 내리고 있어. 외출하지 말자.
02 더워. 우리 바다에 수영하러 가자.
03 커피가 뜨거워. 지금 그것을 마시지 마.
04 이거 너무 비싸. 우리 그거 사지 말자.
05 네 방 정말 더럽구나. 지금 네 방을 청소해라.
06 너는 음식을 남기면 안 돼. 식사를 마쳐라.

②

01 '~하지 마라'라는 의미의 부정명령문으로 「Don't+동사원형/be」의 형태로 쓴다.
02, 05 ~하자라는 의미의 Let's 제안문은 「Let's+동사원형/be」의 형태이다.
03, 04 '~해라'라는 의미의 긍정명령문으로 동사원형 또는 Be로 시작한다.
06 '~하지 말자'라는 의미의 Let's not 제안문은 「Let's not+동사원형/be」의 형태이다.

Chapter 5~10

①

01 Come home at seven
02 but it's very cold
03 Don't sit on the bench
04 Let's meet at the bus stop
05 many books in his room
06 at home on Sundays
07 Let's put this chair beside the sofa
08 when he heard the news
09 She and I were not in
10 Did you see her in front of the bank

[해설]

①

01 명령문으로 동사원형으로 시작하고, 시간 전치사 at 다음에 시간을 쓴다.
02 앞의 내용과 반대되는 내용이므로 접속사 but을 쓰고,

very는 형용사(cold)를 수식하는 부사로 cold 앞에 쓴다.
03 부정명령문은 「Don't+동사원형/be」의 형태이고, 어떤 장소에 접촉해 있는 상태를 나타내는 전치사 on 다음에 장소 명사를 쓴다.
04 Let's 제안문은 「Let's+동사원형」의 형태이고, 좁은 장소 앞에 쓰는 전치사 at 다음에 장소 명사를 쓴다.
05 many는 복수 명사를 앞에서 수식하고, 어떤 장소의 내부 앞에 쓰는 전치사 in 다음에 장소 명사를 쓴다.
06 좁은 장소 앞에 쓰는 전치사 at 다음에 장소 명사, 요일 앞에 쓰는 전치사 on 다음에 요일을 쓴다.
07 Let's 제안문은 「Let's+동사원형」의 형태이고, '~옆에'라는 의미의 전치사 beside 다음에 장소 명사를 쓴다.
08 같은 때에 일어난 일을 나타내는 접속사는 「when 주어+동사」의 어순으로 쓴다.
09 She와 I 사이에 접속사 and를 쓰고, were 뒤에 not을 쓰며, 뒤에 New York이 있으므로 in을 쓴다.
10 일반동사 과거의 의문문은 「Did+주어+동사원형 ~?」의 형태이고, '~의 앞에'라는 의미의 전치사 in front of 다음에 장소 명사를 쓴다.

(Achievement Test)   **p.208**

Chapter 5-10

1 ③	2 ④	3 ⑤	4 ③	5 ⑤	6 ②
7 ⑤	8 ②	9 ②	10 ③	11 ⑤	12 ④
13 ①	14 ③	15 ④	16 ③	17 ④	18 ④
19 ③	20 ③	21 ②	22 ②		

23 1) When I have free time   2) Let's do   3) Did he ask
24 ⓐ heavily ⓑ Don't
25 ⓐ go ⓑ did
26 She did not[didn't] finish the report
27 Did Mr. Green teach English last year
28 1) beside   2) so
29 Let's not worry
30 so I will be a movie director

[해설 및 해석]

1 ③ plan은 「단모음+단자음」으로 끝나는 동사로 마지막 자음을 한 번 더 쓰고 -ed를 붙인다. planed → planned
2 ④ write는 불규칙 변화 동사로 과거형이 wrote이다.
3 last night는 과거를 나타내는 시간 표현이고, 일반동사 과거형 부정문은 「주어+didn't+동사원형」의 형태로 didn't를 고른다.
   우리는 어젯밤에 TV를 보지 않았어요.
4 계절 앞에는 전치사는 in을 쓴다.
   봄에는 따뜻해요.
5 last Saturday는 과거를 나타내는 시간 표현이고, 주어 뒤에 동사원형이 있으므로 일반동사 과거형 의문문이 되어

야 한다. 따라서 Did를 고른다.
   너는 지난 토요일에 너의 조부모님을 방문했니?
6 yesterday는 과거를 나타내는 시간 표현으로 동사의 과거형 bought가 적절하다.
   나는 어제 이 책을 샀어요.
7 빈칸 뒤에 동사원형이 있으므로 '~ 하자'라는 의미의 Let's를 고른다.
   A: 우리 저녁 먹고 산책하자.
   B: 그거 좋은데요.
8 '~하지 마라'라는 의미의 부정명령문은 「Don't+동사원형/be」의 형태이므로, Don't be를 고른다.
9 어떤 장소에 접촉해 있는 상태를 나타내는 전치사와 요일 앞에 쓰는 전치사는 on이다.
   • 탁자 위에 더러운 컵들이 있어요.
   • 나는 그를 일요일에 만날 거예요.
10 빈칸 앞뒤가 서로 반대되는 내용이므로 접속사 but이 적절하다.
   • 그 남자는 부유하지만 행복하지 않아요.
   • 나는 수영을 좋아하지만, 우리 오빠는 책 읽는 것을 좋아해요.
11 last night는 과거를 나타내는 시간 표현으로 Did, 일반동사 의문문의 대한 부정의 대답은 「No, 주어(대명사)+didn't」로 나타내므로 didn't를 고른다.
   A: 너 어젯밤에 샤워했니?
   B: 아니, 안 했어.
12 '~하지 마라'라는 의미의 부정명령문은 「Don't+동사원형/be」의 형태이므로 Don't를, drive(동사)를 수식하는 부사 slowly를 고른다.
   A: 너무 빨리 운전하지 마.
   B: 알았어. 천천히 운전할게.
13 ① 밤 앞에는 전치사 at을 쓰고, ②, ③, ④, ⑤ 월, 연도, 도시 이름, 내부 앞에는 전치사 in을 쓴다.
   ① 브라이언은 밤에 일해요.
   ② 학교는 3월에 시작해요.
   ③ 나는 2010년에 에릭을 처음 만났어요.
   ④ 우리 삼촌은 런던에서 공부하세요.
   ⑤ 작은 상자 안에 반지가 있어요.
14 ③ 연결되는 대상 중 하나를 선택할 때는 접속사 or를 쓰고, ①, ②, ④, ⑤ 비슷한 대상을 연결하는 접속사는 and를 쓴다.
   ① 린다는 똑똑하고 예뻐요.
   ② 우리 언니와 나는 쌍둥이예요.
   ③ 너는 커피와 차 중 어떤 것이 좋니?
   ④ 나는 제인을 만났고, 우리는 쇼핑을 하러 갔어요.
   ⑤ 매트는 아침으로 토스트와 우유를 먹어요.
15 ① the piano와 the cello는 비슷한 대상으로 but은 and가 되어야 한다. ② 접속사 뒤가 원인에 해당하는 내용으로 so는 because가 되어야 한다. ③ 접속사 뒤

가 결과에 해당하는 내용으로 because는 so가 되어야 한다. ⑤ '목요일 또는 금요일'이라는 의미가 되어야 하므로 so는 or가 되어야 한다.
① 나는 피아노와 첼로를 연주할 수 있어요.
② 나는 피곤했기 때문에 일찍 잤어요.
③ 더워서 내가 창문을 열었어요.
④ 수가 집에 들어왔을 때 아무도 없었어요.
⑤ 그는 목요일 또는 금요일에 우리를 방문할 거예요.

16 ① 일반동사 과거형 부정문은 「주어+didn't+동사원형」의 형태로 stayed는 stay가 되어야 한다. ② 일반동사 과거형 의문문에서 Did+주어 다음에는 동사원형이 온다. ④ 일반동사 과거형 부정문은 「주어+didn't+동사원형」의 형태로 not did는 did not 또는 didn't가 되어야 한다. ⑤ 일반동사의 과거형 의문문은 「Did+주어+동사원형~?」의 형태로 Does you sent는 Did you send가 되어야 한다.
① 나는 호텔에 묵지 않았어요.
② 어젯밤에 그가 너에게 전화했니?
③ 그들은 2015년에 토론토로 이사했어요.
④ 우리는 어제 학교에 가지 않았어요.
⑤ 지난주에 네가 이 편지를 보냈니?

17 ④ take는 불규칙 변화 동사로 과거형이 took이다.
① 그가 그 피자를 다 먹었어요.
② 나는 그때 정답을 알고 있었어요.
③ 그 소녀들은 아름답게 노래했어요.
④ 제프가 어제 내 자전거를 가져갔어요.
⑤ 우리 아버지가 작년에 이 집을 지으셨어요.

18 ④ 나라 이름 앞에는 전치사 in을 쓴다.
① 제이콥은 나무 뒤에 있어요.
② 그녀가 계단을 뛰어 올라가고 있어요.
③ 맨디와 나는 학교에 있었어요.
④ 우리 이모는 뉴질랜드에 살아요.
⑤ 고양이는 탁자 밑에서 자고 있어요.

19 ③ 부정명령문은 「Don't+동사원형/be」의 형태로 Don't use가 되어야 한다.
① 헬멧을 써.
② 서두르지 말자.
③ 내 컴퓨터 쓰지 마.
④ 숨바꼭질하자.
⑤ 불을 끄지 말자.

20 부정명령문은 「Don't+동사원형/be」의 형태로 Don't be sad를 고른다.

21 앞뒤가 반대되는 내용으로 접속사 but이 있는 ②를 고른다.

22 일반동사 과거 부정문은 「주어+did not[didn't]+동사원형」의 형태로 I didn't enjoy ~를 고른다.

23 1) '~할 때'라는 의미로 같은 때에 일어난 일을 나타내는 접속사는 when이다.

2) '~하자'라는 의미의 Let's 제안문은 「Let's+동사원형/be」의 형태이다.
3) 일반동사의 과거형 의문문은 「Did+주어+동사원형 ~?」의 형태이다.

24 ⓐ 동사 is raining을 수식하는 부사가 되어야 하므로 heavily, ⓑ 부정명령문은 「Don't+동사원형/be」의 형태로 Don't가 되어야 한다.
비가 세차게 내리고 있어. 창문을 열지 마라.

25 ⓐ 일반동사 과거 의문문은 「Did+주어+동사원형 ~?」의 형태로 go, ⓑ 과거형으로 물으면 과거형으로 대답해야 하기 때문에 did가 되어야 한다.
A: 그들은 지난 주말에 스키 타러 갔나요?
B: 네, 그래요.

26 일반동사 과거 부정문은 「주어+did not[didn't]+동사원형」의 형태이다.
그녀는 보고서를 끝내지 못했어요.

27 일반동사 과거 의문문은 「Did+주어+동사원형 ~?」의 형태이다.
그린 씨가 작년에 영어를 가르쳤나요?

28 1) '~옆에'라는 의미의 전치사 next to는 beside로 바꿔 쓸 수 있다.
2) 「결과 because 원인」 형태의 문장은 「원인, so 결과」 형태의 문장을 바꿔 쓸 수 있다.
1) 학교는 공원 옆에 있어요.
2) 나는 1등 상을 탔기 때문에 행복했어요.

29 '~하지 말자'라는 의미의 Let's not 제안문은 「Let's not+동사원형/be」의 형태이다.

30 '그래서'라는 의미로 결과를 나타내는 접속사는 so이고, so 다음에는 결과에 해당하는 내용이 온다.

실전모의고사 1회

1 ②	**2** ①	**3** ②	**4** ⑤	**5** ①	**6** ③
7 ⑤	**8** ②	**9** ③	**10** ①	**11** ③	**12** ②
13 ②	**14** ③	**15** ⑤	**16** ②	**17** ①	**18** ③

19 ②　**20** have always → always have
21 because → so
22 We did not[didn't] win the soccer game.
23 Is she going to miss me?
24 I was tired and sleepy
25 Don't watch

[해석 및 해설]

1 ② cut은 「단모음+단자음」으로 끝나는 동사로 마지막 자음을 한 번 더 쓰고 -ing를 붙인다. cuting → cutting
2 연도 앞에 쓰는 전치사는 in이다.
나는 2010년에 처음 제임스를 만났어요.

3 '또는', '혹은'이라는 의미로 연결되는 대상 중 하나를 선택할 때 사용하는 접속사는 or이다.
너는 커피를 원하니 아니면 차를 원하니?

4 형용사가 명사를 수식할 때 「지시사+형용사+명사」의 어순으로 쓴다.
나는 저 파란 스웨터가 마음에 들어.

5 '~할 수 있다'라는 의미로 능력을 나타내는 조동사 can을 고른다.
그녀는 피아니스트예요. 그녀는 피아노를 아주 잘 연주해요.

6 yesterday는 과거 시간 표현으로 과거형 saw를 고른다.

7 동사를 수식하는 부사가 와야 한다. ⑤ happy는 형용사로 happily가 되어야 한다.

8 many는 셀 수 있는 명사의 복수형을 수식하는 수량형용사이다. ② money는 셀 수 없는 명사로 알맞지 않다.

9 '~ 옆에'라는 의미의 next to는 beside와 바꿔 쓸 수 있다.
도서관 옆에 공원이 있어요.

10 • 빈칸에는 명사를 수식하는 형용사 kind가 와야 한다.
• 동사 is flying을 수식하는 부사가 와야 한다. high는 형용사와 형태가 같은 부사이다.
• 론은 매우 친절한 소년이에요.
• 그 연은 하늘 높이 날고 있어요.

11 • 잘 안 들리니 크게 말해라라는 의미가 되어야 하므로 can't를 고른다.
• 교칙을 지켜야 한다는 의미가 되어야 하므로 must를 고른다.
• 크게 말해줘. 네 말이 잘 안 들려.
• 학생들은 교칙을 지켜야 한다.

12 will 의문문이고, I로 묻고 있으므로 긍정의 대답 Yes, I will 또는 부정의 대답 No, I won't로 답해야 한다.
A: 너 그녀를 저녁 식사에 초대할 거니?
B: 응, 그럴 거야.

13 ①, ③, ④, ⑤ 「주어+be going to+동사원형」의 형태로 be going to 미래형 문장이고, ② 「주어+be동사의 현재형+동사원형+-ing」의 형태로 현재진행형 문장이다.
① 나중에 비가 내릴 거야.
② 나는 지금 해변에 가고 있는 중이야.
③ 그들은 집을 살 거예요.
④ 우리는 부산으로 이사할 거예요.
⑤ 그는 대학에서 과학을 공부할 거예요.

14 '그러나', '그런데'라는 의미로 서로 반대되는 대상을 연결하는 접속사는 but이다.

15 '~하지 말자'라는 의미의 Let's not 제안문은 「Let's not+동사원형/be」의 형태이다.

16 ② last summer가 과거 시간 표현으로 are의 과거형 were가 와야 한다.
① 그녀는 저녁으로 파스타를 요리할 거예요.
② 우리는 지난여름에 하와이에 있었어요.
③ 그 소년들은 바닥에 누워 있어요.
④ 알렉스는 내 파티에 오지 않았어요.
⑤ 너는 여기 주차하면 안 돼.

17 ① 계절 앞에 쓰는 전치사는 in이다.
① 여름에는 더워요.
② 봄은 5월에 시작돼요.
③ 우리 아버지는 7시에 집에 들어오세요.
④ 그녀는 월요일에 5개의 수업이 있어요.
⑤ 그는 오후에 영어를 공부해요.

18 '~하자'라는 의미의 Let's 제안문은 「Let's+동사원형/be」의 형태이다.

19 시험이 있어서 공부를 해야 한다는 의미가 되어야 하므로 must를 고른다.
A: 날씨가 좋아. 우리 소풍 가자.
B: 미안해. 난 못 가.
A: 왜?
B: 나는 수요일에 시험이 있어서, 공부를 해야 해.
A: 알았어. 시험 잘 봐.
B: 고마워.

20 빈도부사는 일반동사 앞에 위치하기 때문에 have always는 always have가 되어야 한다.
우리는 항상 저녁을 6시에 먹는다.

21 because 뒤에 결과에 해당하는 내용이 있으므로 because 대신 so를 쓴다.
나는 늦게 일어나서 학교 버스를 놓쳤어요.

22 일반동사 과거형 부정문은 「주어+did not[didn't]+동사원형」의 형태이다.
우리는 그 축구 경기에서 이겼어요.
→ 우리는 그 축구 경기에서 이기지 않았어요.

23 미래형 be going to 의문문은 「Be동사의 현재형+주어+going to+동사원형~?」의 형태이다.
그녀는 나를 그리워할 거예요.
→ 그녀가 나를 그리워할까요?

24 last night는 과거 시간 표현이고, 주어가 I로 was, '~비슷한 대상 연결하는 접속사는 and를 이용해 문장을 쓴다.

25 '하지 마라'라는 의미의 부정명령문은 「Don't+동사원형/be」의 형태이다.

1 ③ 　 2 ③ 　 3 ⑤ 　 4 ③ 　 5 ⑤ 　 6 ②
7 ④ 　 8 ③ 　 9 ③ 　 10 ④ 　 11 ⑤ 　 12 ③
13 ② 　 14 ⑤ 　 15 ⑤ 　 16 ① 　 17 ④ 　 18 ③
19 ① 　 20 in
21 1) I did not[didn't] pass the test.
　 2) Were they surprised at the news?
22 Don't be rude.
23 They are sitting under the tree.
24 We are going to travel
25 Did he call you

[해석 및 해설]

1 ③ buy는 불규칙 변화 동사로 과거형이 bought이다.
2 next summer는 미래 시간 표현으로 미래형 will go를
　 고른다.
　 케빈은 내년 여름에 런던에 갈 거예요.
3 last night는 과거 시간 표현이고 주어 뒤에 동사원형이
　 있으므로 일반동사 과거형 의문문이다. 일반동사 과거형
　 의문문은 Did로 시작한다.
　 어젯밤에 비가 왔니?
4 정오 앞에 쓰는 전치사는 at이다.
　 나는 대개 점심을 정오에 먹어요.
5 물이 깊으니 수영하면 안 된다는 의미가 되어야 하므로 금
　 지를 나타내는 mustn't를 고른다.
　 물이 깊어. 우리는 여기서 수영하면 안 돼.
6 '~해라'라는 의미의 긍정명령문은 주어(You)를 빼고, 동
　 사원형 또는 Be로 시작하는데, 뒤에 형용사가 있으므로
　 Be를 고른다.
　 조용히 해줘. 나 지금 공부하고 있어.
7 같은 때에 일어난 일을 나타낼 때 사용하는 접속사는
　 when이다.
　 내가 어렸을 때 나는 뚱뚱했어요.
8 • '~와[과]', '그리고'라는 의미로 비슷한 대상을 연결하
　 　는 접속사는 and이다.
　 • '그러나', '그런데'라는 의미로 서로 반대되는 대상을
　 　연결하는 접속사는 but이다.
　 • 앨리스는 예쁘고 똑똑해요.
　 • 그 노인은 부유하지만 불행해요.
9 • 명사를 수식하는 형용사가 적절하다.
　 • 동사를 수식하는 부사가 적절하다.
　 • 7은 행운이 숫자이다.
　 • 우리 어머니는 주의해서 운전하세요.
10 '~옆에'라는 의미의 전치사는 next to와 beside이다.
11 '~하면 안 된다'라는 의미로 금지를 나타내는 must
　 not이 와야 한다.
12 can 의문문이고, you(단수)로 묻고 있으므로 긍정의

대답 Yes, I can, 또는 부정의 대답 No, I can't로 대
답한다.
A: 너는 프랑스어를 읽을 수 있니?
B: 응, 그래.
13 ①, ③, ④, ⑤ 어떤 장소에 접촉해 있는 상태를 나타내
　 는 전치사, 요일과 특별한 날 앞에 쓰는 전치사는 on이
　 다. ② 연도 앞에 쓰는 전치사는 in이다.
　 ① 이 의자에 앉지 마라.
　 ② 그들은 2000년에 결혼했어요.
　 ③ 나는 벽에 있는 그림이 마음에 들어.
　 ④ 일요일에 영화 보러 가자.
　 ⑤ 그 가게는 크리스마스 날에 문을 닫아요.
14 ①, ②, ③, ④ 문장의 주어가 1인칭 단수, 3인칭 단수,
　 단수 명사로 was, ⑤ 주어가 복수 명사로 were가 와
　 야 한다.
　 ① 나는 어제 매우 바빴어요.
　 ② 그는 작년에 이탈리아에 있었어요.
　 ③ 헤밍웨이는 훌륭한 작가였어요.
　 ④ 그것은 한 시간 전에 탁자에 있었어요.
　 ⑤ 론과 에릭은 그때 교실에 있었어요.
15 ⑤ tomorrow는 미래 시간 표현으로 played가 will
　 play 또는 are going to play가 되어야 한다.
　 ① 나는 그때 좋은 시간을 보냈어요.
　 ② 우리는 저녁을 먹은 후에 산책했어요.
　 ③ 너는 어젯밤에 아름다워 보였어요.
　 ④ 우리 아빠는 오늘 집에 일찍 들어오셨어요.
　 ⑤ 그들은 내일 농구를 할 거야.
16 ① fast는 부사와 형용사가 같은 형태로 fast가 되어야
　 한다.
　 ① 우리 오빠는 빨리 먹어요.
　 ② 이 드레스는 비싸요.
　 ③ 그녀는 돈을 현명하게 써요.
　 ④ 우리는 작은 집에 살아요.
　 ⑤ 그 문제는 정말 어려워요.
17 ④ will의 부정문은 will 다음에 not을 쓴다.
18 '~하고 있어'라는 의미가 되어야 하므로 현재진행형 is
　 coming이 되어야 한다.
19 '~하자'라는 의미의 Let's 제안문은 「Let's+동사원형/
　 be」의 형태로 make를 고른다.
　 A: 엄마 생신이 다가 오고 있어!
　 B: 응. 나도 알아.
　 A: 우리 엄마를 위해서 생일 케이크를 만들자.
　 B: 그거 좋은 생각이야.
20 도시 이름, 계절 앞에 쓰는 전치사는 in이다.
　 • 우리 형은 파리에 살아요.
　 • 우리는 겨울에 종종 스키를 타러 가요.
21 1) 일반동사 과거형 부정문은 「주어+did not[didn't]+
　 동사원형」의 형태이다.

2) be동사 과거형 의문문은 「Was/Were+주어~?」의
　 형태이다.
　 1) 나는 그 시험을 통과했어요.
　 → 나는 그 시험을 통과하지 않았어요.
　 2) 그들은 그 소식에 놀랐어요.
　 → 그들은 그 소식에 놀랐나요?
22 '하지 마라'라는 의미의 부정명령문은 의미로 「Don't+
　 동사원형/be」의 형태이다.
23 현재진행형은 「be동사의 현재형+동사원형+-ing」의 형
　 태이며, '~아래에(서)'라는 의미의 전치사는 under이
　 다.
24 be going to 미래형은 「주어+be동사의 현재형
　 +going to+동사원형」의 형태이다.
25 일반동사 과거형 의문문은 「Did+주어+동사원형~?」의
　 형태이다.

실전모의고사 3회

1 ④	2 ②	3 ③	4 ⑤	5 ③	6 ①
7 ①	8 ①	9 ③	10 ④	11 ①	12 ②
13 ②	14 ②	15 ②	16 ③	17 ③	18 ④

19 ⑤　20 when　　21 because
22 many → much
23 beautifully → beautiful
24 1) in front of　2) up　3) behind
25 Look at the bright stars

[해석 및 해설]

1 ④ early는 형용사와 부사의 형태가 같다.
2 주어 뒤에 동사원형+-ing가 있으므로 현재진행형 의문문
　 이다. 따라서 Are를 고른다.
　 너는 편지를 쓰고 있니?
3 서로 반대되는 대상을 연결하는 접속사는 but이다.
　 나는 야구를 좋아하지만, 그녀는 그것을 좋아하지 않아요.
4 next week는 미래 시간 표현으로 미래형 is going to
　 buy를 고른다.
　 조앤은 다음 주에 새 차를 살 거예요.
5 너무 어두워서 아무것도 볼 수 없다는 의미가 되어야 하므
　 로 can't를 고른다.
　 여기 너무 어두워. 나는 아무것도 볼 수 없어.
6 좁은 장소, 밤 앞에 쓴 전치사는 at이다.
　 • 나는 학교에 내 가방을 놓고 왔어요.
　 • 그녀는 밤에 커피를 마시지 않아요.
7 연결되는 대상 중 하나를 선택할 때는 접속사는 or이다.
　 • 우리는 자전거를 타거나 버스를 탈 수 있어.
　 • 티나와 수잔 중 너의 누나는 누구니?
8 주어의 상태나 성질을 나타내는 형용사가 와야 한다. ①
　 kindly는 부사로 형용사 kind가 되어야 한다.

9 부정명령문은 「Don't+동사원형/be」의 형태이다.
10 의무를 나타내는 조동사는 must이다.
11 빈칸 뒤가 결과에 해당하는 내용으로 so를 고른다.
　 그는 열심히 연습했어요. 그는 대회에서 우승했어요.
　 → 그는 열심히 연습해서 그 대회에서 우승했어요.
12 • '~해라'라는 의미의 긍정명령문은 동사원형으로 시작
　 　 한다.
　 • Let's not 제안문으로 「Let's not+동사원형/be」
　 　 의 형태이다.
　 • 비가 내리고 있어. 우산 들고 가라.
　 • 밖이 정말 추워. 산책하지 말자.
13 현재진행형 의문문이고, 주어가 you이므로 긍정의 대
　 답은 Yes, I am으로, 부정의 대답은 No, I'm not으
　 로 나타낸다.
　 A: 너 숙제하고 있니?
　 B: 응, 그래.
14 ①, ③ 동사를 수식하는 부사가 되어야 하므로 quietly,
　 carefully가 되어 하고, ④ late는 형용사와 부사의 형
　 태가 같으므로 late, ⑤ 명사(garden)를 수식해야 하므
　 로 형용사 large가 되어야 한다.
　 ① 앨리스는 조용하게 말해요.
　 ② 그 아이들은 신이 났어요.
　 ③ 그녀는 내 말을 주의 깊게 들었어요.
　 ④ 그는 오늘 아침에 늦게 일어났어요.
　 ⑤ 그 집에는 큰 정원이 있어요.
15 ② 빈도부사는 조동사 뒤에 위치하므로 will never가 되
　 어야 한다.
　 ① 너는 항상 피곤하구나.
　 ② 나는 너를 절대 잊지 않을 거야.
　 ③ 그는 종종 자신의 조부모님을 방문해요.
　 ④ 브라이언은 대개 주말에 바빠요.
　 ⑤ 우리 아빠는 가끔 기타를 치세요.
16 ③ 동사의 -ing형을 만들 때 e로 끝나는 동사는 e를 빼
　 고 ing을 붙이므로 is dancing이 되어야 한다.
　 ① 이 나무들이 죽어가고 있어요.
　 ② 그 소녀들은 노래를 부르고 있어요.
　 ③ 그는 음악에 맞춰 춤을 추고 있어요.
　 ④ 우리는 휴가 계획을 짜고 있어요.
　 ⑤ 내 남동생은 그림을 그리고 있어요.
17 ③ 「관사+형용사+명사」의 어순이 되어야 하므로 a
　 cute puppy가 되어야 한다.
18 ④ eat는 불규칙 변화 동사로 과거형이 ate이다.
19 afternoon 앞에는 전치사 in을 쓴다.
　 날씨가 정말 좋은 하루였어요. 사라와 나는 공원에 갔어
　 요. 우리는 공놀이를 했어요. 그 후에, 우리는 점심으로
　 샌드위치를 먹었어요. 오후에는 자전거를 탔어요. 우리
　 는 즐거운 시간을 보냈어요.
20 '~할 때'라는 의미로 같은 때에 일어난 일을 나타내는

접속사는 when이다.

21 '~때문에'라는 의미로 원인을 나타내는 접속사는 because이다.

22 time은 셀 수 없는 명사로 much가 되어야 한다. many는 셀 수 있는 명사의 복수형을 수식한다. 우리는 시간이 많지 않았어요.

23 명사(voice)를 수식해야 하므로 형용사 beautiful이 되어야 한다. 그 가수는 아름다운 목소리를 가지고 있어요.

24 1) '~앞에(서)'라는 의미의 전치사는 in front of이다.
2) '~위로'라는 의미의 전치사는 up이다.
3) '~뒤에'라는 의미의 전치사는 behind이다.

25 긍정명령문은 동사원형으로 시작하고, 「관사+형용사+명사」의 어순이 되어야 하므로 Look at the bright stars의 어순으로 쓴다.

Take a Break!

Chapter 2 Take a break!　　　p.45

Chapter 4 Take a break!　　　p.82

Chapter 5 Take a break!　　　p.110

1 soup	2 bread
3 pizza	4 sandwich
5 cake	6 spaghetti
7 fruit	8 hamburger

Chapter 7 Take a break!　　　p.146

1 BOOK	2 TEACHER
3 PENCIL	4 CLASSROOM
5 ERASER	6 BAG
7 NOTEBOOK	8 RULER
9 DESK	10 SCISSORS

Chapter 10 Take a break!　　　p.212